ARBEITEN
ZUR GESCHICHTE DES KIRCHENKAMPFES

Band 8

FRIEDRICH MIDDENDORFF

Der Kirchenkampf in einer reformierten Kirche

VANDENHOECK & RUPRECHT IN GÖTTINGEN

EDINBURGH UNIVERSITY LIBRARY
WITHDRAWN
30150 005709008

ARBEITEN ZUR GESCHICHTE DES KIRCHENKAMPFES

BAND 8

ARBEITEN ZUR
GESCHICHTE DES KIRCHENKAMPFES

Im Auftrage
der „Kommission der Evangelischen Kirche in Deutschland
für die Geschichte des Kirchenkampfes“
in Verbindung mit Heinz Brunotte und Ernst Wolf

herausgegeben von
Kurt Dietrich Schmidt

Band 8

Friedrich Middendorff

Der Kirchenkampf in einer reformierten Kirche

GÖTTINGEN · VANDENHOECK & RUPRECHT · 1961

Der Kirchenkampf in einer reformierten Kirche

Geschichte des Kirchenkampfes
während der nationalsozialistischen Zeit innerhalb der
Evangelisch-reformierten Kirche
in Nordwestdeutschland
(damals: Evangelisch-reformierte Landeskirche
der Provinz Hannover)

von Friedrich Middendorff

GÖTTINGEN · VANDENHOECK & RUPRECHT · 1961

Satz und Druck: Buchdruckerei Albert Sighart, Fürstenfeldbruck
7719

VORWORT DER HERAUSGEBER

Es ist den Herausgebern eine Freude, hiermit den Lesern die Schilderung eines Kirchenkampfes in einer reformierten Landeskirche vorlegen zu können. Sie führt zugleich in die schwierige Lage hinein, in der sich die Anhänger des Dahlemer Weges gegenüber einer „intakten", d. h. nicht deutschchristlichen Kirchenleitung befanden, die das korrekte Verhältnis zur häretischen und verfassungsbrüchigen Reichskirchenregierung nicht aufgeben wollte.

Der Verfasser hat als Mitglied des Rates der DEK selbst an hervorragender Stelle am Kirchenkampf teilgenommen. Zu seiner Person seien folgende kurze Daten beigegeben. Geboren 1883 als Pastorensohn in Emden, wurde er nach dem Studium in Halle, Tübingen und Erlangen Pastor in Uttum bei Emden (1909—1913), Neermoor bei Leer (1913—1926), seitdem in Schüttorf (Grafschaft Bentheim) bis zu seiner Emeritierung 1956.

Seit 1919 gab er das „Sonntagsblatt für evangelisch-reformierte Gemeinden" heraus. Der offene Ton, den er anschlug, brachte ihn in viele Schwierigkeiten, 1936 wurde er aus der Reichsschrifttumskammer ausgeschlossen, womit seine Tätigkeit als Herausgeber zwangsweise ein Ende fand.

Auch seine pfarramtliche Tätigkeit in Schüttorf wurde 1937 durch einen Ausweisungsbefehl unterbrochen. Bis 1945 konnte er nur als Vakanzprediger außerhalb der Provinz Hannover tätig sein.

Middendorff war Vorstandsmitglied und seit 1937 Vorsitzender der Bekenntnisgemeinschaft seiner Landeskirche. Seit der Bekenntnissynode von Oeynhausen (1936) war er auch Mitglied des Reichsbruderrates und des Rates der DEK. Als solcher hat er die Denkschrift der Vorläufigen Leitung und des Rates an Hitler, das wohl offenste Wort, das dieser zu hören bekommen hat, mitunterzeichnet. Daß ein so offen redender Mann mehrfach in Haft genommen wurde, ist fast selbstverständlich.

1946 wählte ihn seine Landeskirche zu ihrem Kirchenpräsidenten; das Amt hat er bis 1953 bekleidet; bis 1956 blieb er noch Mitglied der Kirchenleitung. Von 1949—1955 war er Mitglied der Synode der EKD, seitdem ist er stellvertretendes Mitglied. Von 1949—1959 war er auch Mitglied der Arbeitsgemeinschaft christlicher Kirchen in Deutschland.

Dadurch, daß ein so hervorragendes Mitglied der Evangelisch-reformierten Kirche Nordwestdeutschlands, wie die Reformierte Kirche der Provinz Hannover heute heißt, ihre Geschichte in den Jahren 1933 bis 1945 selbst geschrieben hat, bekommt diese auch für den Darstellungsteil Quellenwert.

Heinz Brunotte Kurt Dietrich Schmidt Ernst Wolf

INHALT

GESCHICHTE DES KIRCHENKAMPFES

Nach Hinfall des landesherrlichen Kirchenregiments Ende 1918 kam es zur Neuordnung unserer Kirche. Eine durch Urwahlen neugewählte, verfassunggebende außerordentliche Kirchenversammlung beschloß am 22. September 1922 ein neues Kirchenverfassungsgesetz, das mit einigen späteren Änderungen noch in Geltung ist. Dieses zeigte mit der als Normalfall vorgesehenen Verhältniswahl, dem Geist der Zeit entsprechend, einen demokratischen Zug. Andererseits sollten die Pastoren in Lehre, Seelsorge und Sakramentsverwaltung unabhängig von den Gemeindeorganen sein. — Sieben von den acht Abgeordneten der Grafschaft Bentheim, darunter die Pastoren Schumacher, Lic. Dr. Hollweg, Dahm und J. Voget, protestierten durch den Mund des Erstgenannten gegen einige, für ihr Gewissen anstößige Bestimmungen der neuen Verfassung: die Einschränkung der Rechte des Kirchenrats gegenüber den Pastoren, die Einführung des Frauenwahlrechts, besonders des passiven, und die Verhältniswahl, erklärten sich aber zum Zeichen dessen, daß sie zu gemeinsamer Arbeit willig seien und das Band mit den anderen Bezirken nicht brechen wollten, dennoch bereit, der Verfassung als Ganzem zuzustimmen. So wurde sie einstimmig angenommen. — Die damals von den Bentheimern geäußerten Bedenken kamen später in den von Landessuperintendent D. Dr. Hollweg und Pastor Schumacher 1948 und 1949 vorgelegten Kirchenordnungsentwürfen positiv zum Ausdruck.

Gleichfalls im Jahre 1922 führte eine größere Anzahl von Pastoren, hinter denen weitere Kreise der Gemeinden standen, gegen das Konsistorium einen Kampf um die Erhaltung der Pfarrstellen in unseren kleinen, zum Teil sehr lebendigen Gemeinden. Ein Erfolg war diesem Kampfe infolge der Knappheit der der Landeskirche zur Verfügung stehenden Geldmittel und des Mangels an Pastorennachwuchs nur in geringem Maße beschieden.

Ende 1922, Anfang 1923 kam es in einer Reihe von Gemeinden besonders bei Emden zu Anfängen einer kräftigen Erweckungsbewegung, bei der auch die ungesunde Abendmahlsscheu im schlichten Glauben an den Ruf Jesu überwunden wurde: „Er hat's gesagt, darum darf ich getrost kommen!"

Im Laufe des Jahres 1924 wurden die Wahlen zum ersten, nach der neuen Verfassung von 1922 zu wählenden Ordentlichen Landeskirchentag von einem Kreis von Pastoren durch brüderliche gegenseitige Beratung und zahlreiche Aufsätze im landeskirchlichen Sonntagsblatt vorbereitet. Zu Pfingsten 1924 erging ein Aufruf an die Gemeinden, von denen her ja nun die Kirche gebaut werden sollte. Darin hieß es:

„Fort mit allem, was dem Geist des Wortes Gottes widerspricht! Fort mit allem ungeistlichen Wesen! Fort mit allem, was das selbständige Leben in der Gemeinde hindert! Fort mit dem Mammonssinn und seinen furchtbaren Folgen! Fort mit der Ausbeutung der kirchlichen Güter zugunsten einzelner Gemeindeglieder! Fort mit der Scheu vor Opfern! Fort mit Rücksichten auf Rang, Stand und Geldbeutel in der Kirche! Fort mit aller lieblosen und fruchtlosen Nörgelei an der Kirche! Nicht richten, sondern beten! Nicht schelten, sondern helfen! Seid Mithelfer der Gnade!"

Der Aufruf fand ein Echo in mancherlei Zustimmung, aber auch in nüchterner, realistischer Kritik.

Vom 3. bis 6. März 1925 tagte in Aurich der erste Ordentliche Landeskirchentag. Die erste nicht mehr vom König als summus episcopus eingesetzte, sondern von der Synode zu wählende Kirchenleitung wurde gebildet. Generalsuperintendent Cöper blieb als Landessuperintendent. Oberster juristischer Verwaltungsbeamter unserer Landeskirche, bald auch Präsident des Landeskirchenrats, wurde Landgerichtsrat Koopmann durch Losentscheid zwischen ihm und Dr. Mensing in Elberfeld.

Zur Geltendmachung christlicher Gedanken im öffentlichen Leben stellte im Herbst 1925 ein Kreis von Pastoren und Nichtpastoren für die Provinziallandtagswahlen und die Kreistagswahlen evangelisch-soziale Listen auf, allerdings nur in Ostfriesland, mit verhältnismäßig gutem Erfolg.

I.

Schon Jahre vor der Machtergreifung begann die Irreführung vieler Gemeindeglieder durch die Propaganda des Nationalsozialismus, der seine Pseudoreligion des nordischen Blutes und der germanischen Charakterwerte in bewußter Täuschungsabsicht vieler seiner führenden Männer als „positives Christentum" ausgab. Schon im Jahre 1929, besonders aber von Anfang 1931 an begann das Sonntagsblatt einen Kampf gegen solche Irreführung, der dann Monate lang in der parteibeherrschten Presse mit verdrehender und verleumderischer Hetze beantwortet wurde.

Der Christlich-soziale Volksdienst, der viele Anhänger fand und in der Grafschaft Bentheim zeitweilig als stärkste Partei aus Wahlen hervorging, wurde vom Nationalsozialismus als lästige Konkurrenz gehaßt und verleumdet.

Nach der „Machtergreifung" des Nationalsozialismus blieb einige Monate lang der Friede zwischen Staat und Kirche erhalten. Aber schon vor der mancherorten im Geist echter Volksgemeinschaft verlaufenen Maifeier regten sich die Machtansprüche der DC, die, weil sie im Nationalsozialismus eine im Glauben anzuerkennende Offenbarung und Heilstat Gottes zu erkennen meinten und von ihm eine Belebung der Kirche erhofften, ihn auf alle Weise fördern zu sollen meinten. Auch in unserer Kirche schlossen sich ihnen zahlreiche Pastoren, und zwar nicht die schlechtesten, an. Sie unterstellten sich der Berliner Führung Pastor Hossenfelders und hielten sich bei ihrem Einsatz für die deutschchristlichen Bestrebungen nicht immer innerhalb der Grenzen ihrer Parochien.

Im Juni 1933 erfolgte aus nichtigen Gründen im Freistaat Preußen die Entrechtung und Entmächtigung der Gemeinden durch die Einsetzung des Staatskommissars Jäger und dessen Bevollmächtigten auch für unsere Kirche, Pastor Engels in Osnabrück (nachdem Professor D. Goeters in Bonn abgelehnt hatte), durch die Auflösung sämtlicher kirchlicher Körperschaften, der sich leider die Gemeinden fügten, und durch die erzwungenen, von Hitler zu Gunsten der DC beeinflußten Kirchenwahlen.

Am 13. Juni 1933 erklärte der Landeskirchenrat, keine Unterschrift für den zum Reichsbischof ersehenen Wehrkreispfarrer Müller geben zu wollen und vom reformierten Standpunkt aus jeden Bischof ablehnen zu müssen. — Das Grußwort des auf der ersten Nationalsynode zu Wittenberg gewählten Reichsbischofs Müller wurde aber am 3. Oktober 1933 den Gemeinden unserer Kirche amtlich zugesandt.

Kennzeichnend für die hoffnungsvolle Beurteilung des Nationalsozialismus durch unsere Kirchenleitung in jener Zeit war ein Schreiben des Landessuperintendenten an die Pastoren vom 25. September 1933, in dem zwar der Führergedanke in der Kirche, das artgemäße Christentum, die Erzeugung der Wahrheit des Glaubens aus rassischreinem Blut sowie die Bekämpfung des Alten Testaments abgelehnt wurde, in dem es aber auch zu Anfang hieß, man wolle dankbar sein für eine Regierung, die wisse, daß Gerechtigkeit ein Volk erhöht, deren Kampf der Gottlosigkeit, der Unsittlichkeit, dem Egoismus gelte und die der Kirche zurufe: Hilf uns, daß unser Volk wieder auf Gott achten lerne!

Nach der berüchtigten Sportpalastversammlung der Glaubensbewegung „DC" am 13. November 1933 in Berlin, in der die Abschaffung des Alten Testaments als Religionsbuch und die Streichung „offenbar entstellter und abergläubischer Berichte des Neuen Testaments" sowie ein Christentum, „in dem an Stelle der zerbrochenen Knechtsseele der stolze Mensch tritt, der sich als Gotteskind dem Göttlichen in sich und seinem Volke verpflichtet fühlt", gefordert wurde[1], kehrten manche wertvolle Pastoren unserer Kirche mit einer offenen Erklärung der Bewegung der DC den Rücken (Ende 1933).

Am 4. Januar 1934 nahmen zahlreiche Pastoren und Älteste unserer Landeskirche an der *ersten Freien reformierten Synode* zu Barmen teil und nahmen die von Karl Barth vorgelegte „Erklärung über das rechte Verständnis der reformatorischen Bekenntnisse in der Deutschen Evangelischen Kirche der Gegenwart"[2] auf ihre Verantwortung. Die Erklärung dieser Freien reformierten Synode sollte grundlegend werden für die berühmte Theologische Erklärung der Ersten Bekenntnissynode zu Barmen am 30. Mai 1934.

Nachdem im August 1933 der Landeskirchenrat angeordnet hatte, die bestehenden kirchlichen Jugendorganisationen seien zu erhalten, kein Pfarrer oder Vereinsvorsitzender habe das Recht, eigenmächtig Vereine aufzulösen, sie gleichschalten zu lassen oder in andere, nichtkirchliche Vereine zu überführen, wurde Anfang 1934 Pastor Lic. Kochs in Emden vom Landeskirchenvorstand zum Bevollmächtigten für die Neuordnung des kirchlichen Jugendwerks und seine Eingliederung in die Hitlerjugend bis zum 19. Februar (!) ernannt. Er schrieb am 9. Februar 1934:

„Wir können unserer Kirche und ihrer Jugend zur Zeit keinen besseren Dienst tun, als uns freudig und vorbehaltlos auf den Boden des zwischen dem Reichsbischof und dem Reichsjugendführer geschlossenen Abkommens zu stellen."

Gegen diesen Beschluß wurde von manchen Stellen schärfster Einspruch erhoben. So wurde vom Vorsitzenden des Kirchenrats Schüttorf dem Bevollmächtigten geantwortet, der Vertrag des (lutherischen!) Reichsbischofs mit dem Reichsjugendführer stelle eine Eigenmächtigkeit dar, die anzuerkennen sich fremder Sünden teilhaftig machen hieße.

In Wesermünde-Lehe führte Pastor Udo Smidt, Reichswart der Schülerbibelkreise, einen erfolgreichen, wenn auch manchmal gefährlichen Kampf um deren Erhaltung und das Weitererscheinen ihres Schrifttums bis zum Totalverbot aller derartigen Druckerzeugnisse im Jahre 1938.

Der Bruderrat der Bekenntnissynode der DEK berief im Zusammenhang mit deren Tagung in Barmen Ende Mai 1934 Pastor Oltmann in Loga bei Leer († 1936) und den Ältesten Medizinalrat Dr. Buurman in Loga, zwei Glieder unserer Kirche, in die Bekenntnissynode.

Der Landeskirchenrat erklärte am 12. Juni 1934:

---

[1] J. Gauger, Chronik der Kirchenwirren I. Elberfeld 1934, S. 109. 111.

[2] J. Beckmann (Hrsg.), Kirchliches Jahrbuch für die Evangelische Kirche in Deutschland 1933—1944. 60.—71. Jahrgang. Gütersloh 1948, S. 41—44.

„Es erscheint unmöglich, an weiteren Aufgaben der Reichskirche mitzuarbeiten, ehe der klare Rechtsboden betreten ist."

Gleichwohl nahmen der Präsident des Landeskirchenrats und der Landessuperintendent am 9. August 1934 an der unrechtmäßig zusammengesetzten, vom Reichsbischof willkürlich umgebildeten *Nationalsynode* in Berlin teil, lehnten zwar das „Kirchengesetz über den Diensteid der Geistlichen und Beamten"[3] und das „Kirchengesetz über die Rechtmäßigkeit von (großenteils durchaus rechtswidrigen) gesetzlichen und Verwaltungsmaßnahmen"[4] ab (Dokument 1), nahmen aber aus den Händen dieser Unrechtssynode das Kirchengesetz zur Sicherung des reformierten Bekenntnisstandes an, das den Reformierten, weil bei ihnen von alters her auch die Ordnung bekenntnisbestimmt ist, eine bevorzugte Behandlung zusicherte.

Die ersten Paragraphen dieses Gesetzes lauteten:

§ 1 1. Ein Kirchengesetz für das Gebiet der Evangelisch-reformierten Landeskirche der Provinz Hannover kann nur auf Antrag oder im sonstigen Einverständnis des Landeskirchentages dieser Landeskirche erlassen werden.
2. Soweit nur Bekenntnis und Kultus in Frage kommen, ordnet die Landeskirche ihre Angelegenheiten selbst. (Dies galt nur für unsere Landeskirche.)

§ 2 (Galt für alle Reformierten in Deutschland.) Macht das reformierte Mitglied im Geistlichen Ministerium (Wer würde das sein? Durfte von dem Urteil dieses einen Mannes soviel abhängen?) geltend, daß ein deutsches evangelisches Kirchengesetz nicht mit den Erfordernissen des reformierten Bekenntnisstandes im Einklang stehe, so ist das Gutachten der beratenden reformierten Kammer der DEK als maßgebend einzuholen. Das Kirchengesetz ist alsdann dem Geistlichen Ministerium zur Beschlußfassung vorzulegen. (Wie nun aber, wenn das Geistliche Ministerium anders urteilen würde als die reformierte Kammer?)

§ 3 Die Ausführungsbestimmungen zu diesem Gesetz (auf die kommt sehr viel an!) erläßt der Rechtswalter der DEK im Benehmen mit dem reformierten Mitglied des Geistlichen Ministeriums.

Kirchenpräsident und Landessuperintendent erklärten dieses in seinem Wert sehr zweifelhafte Sicherungsgesetz für ein Gnadengeschenk Gottes. Sie wandten sich gegen den Satz, Gehorsam gegen das Kirchenregiment könne Ungehorsam gegen Gott sein. Sie verglichen den Reichsbischof mit Kaiphas, der, weil er des Jahres Hoherpriester war, obwohl er Jesus töten wollte, doch weissagte, als er sprach: „Es ist besser, daß ein Mensch für das Volk sterbe, als daß das ganze Volk verderbe" (Joh. 11, 51). So in einem Rundschreiben vom 23. August 1934.

---

[3] J. Gauger, Chronik der Kirchenwirren II. Elberfeld 1935, S. 278.
[4] J. Gauger, Chronik der Kirchenwirren II. Elberfeld 1935, S. 279.

Die reformierten Mitglieder der Nationalsynode, unter anderen der Präsident des Landeskirchenrats, Koopmann, und Landessuperintendent D. Dr. Hollweg, nahmen an der Einführung des Reichsbischofs nicht teil, ebensowenig an der auf den 29. November 1934 zur Neubildung des Geistlichen Ministeriums einberufenen Sitzung der im leitenden Amt stehenden Führer der Landeskirchen (Dokument 1).

Inzwischen hatte das Unrechtsregiment des Reichsbischofs immer erschreckendere Formen angenommen: Synoden wurden mit Hilfe der Gestapo aufgelöst. Deutschchristliche Synoden traten an die Stelle, in denen „die Stimmen nicht gezählt, sondern gewogen wurden". Die mit Lug und Trug und Gewalt betriebene Eingliederung der Landeskirchen in die Reichskirche Ludwig Müllers erreichte in Bayern und vor allem in Württemberg, wo sie Widerstand fand, ihren Höhepunkt.

In diesem Augenblick trat am 17. Oktober 1934 der *Landeskirchentag* unserer Kirche zusammen und beschloß einstimmig ein Wort, in dem er zwar seinen ausführenden Organen erneut zur Pflicht machte, den Erfordernissen von Schrift und Bekenntnis entsprechend zu handeln, und als den besten und auf die Dauer wirksamsten Dienst der Kirche für unser Volk und seinen Führer erklärte, daran mitzuarbeiten, daß aus der Kirche alles, was ihrem eigentlichen, von Gott bestimmten Wesen fremd sei, auszuscheiden und von ihr fernzuhalten, zugleich aber seiner Freude darüber Ausdruck gab, daß das Verhältnis unserer Landeskirche zu der (doch mit Lüge und Gewalt arbeitenden) Reichskirchenregierung bis dahin vor ernsten Störungen bewahrt geblieben sei; das Wort des Landeskirchentages tat zwar seine Betrübnis über die in der DEK zunehmend hervorgetretene Beunruhigung in den Herzen und Gewissen ungezählter treuer Christen kund, erklärte aber, sich nicht zum Richter über das, was geschehen sei, machen zu wollen, und wagte nicht, Irrlehre Irrlehre, Unrecht Unrecht zu nennen (Dokument 2).

Demgegenüber sandten, nachdem inzwischen die zweite Deutsche Bekenntnissynode in Berlin-Dahlem am 20. Oktober 1934 das kirchliche Notrecht proklamiert und neue Organe für die Leitung der DEK berufen hatte[5], 38 Pastoren und 13 Kandidaten am 25. Oktober 1934 eine Erklärung an Landeskirchenvorstand und Landeskirchenrat, in der sie ihrer starken Verwunderung und ihrem schmerzlichen Bedauern darüber Ausdruck gaben, daß der Landeskirchentag es an einem klaren Zeugnis wider Irrlehre und Gewaltmethoden habe fehlen lassen und dazu geschwiegen habe, daß unsere Landeskirche durch das Sicherungsgesetz sich aufs allerengste mit der falschen Kirche verbunden und, statt unsere brüderliche Verbundenheit mit der verfolgten Bekenntnis-

[5] J. Beckmann, a. a. O., S. 76—80.

kirche zu bezeugen, denen Beistand geleistet hätte, die die Kirche an die Mächte dieser Welt ausgeliefert hätten. Die genannten Prediger und Kandidaten erklärten, sie würden sich als solche, die sich mit der BK verbunden wüßten und das deutschchristliche Reichskirchenregiment ablehnten, zusammenschließen, im Rahmen ihrer Gemeindearbeit durch gründliche Schulung und geeignete Aufklärung aller durch die Entschließung des Landeskirchentages entstehenden Unklarheit und Gewissensverwirrung entgegenwirken; sie würden einerseits entsprechend der Erklärung der ersten Freien reformierten Synode zu Barmen die berechtigte Vertretung unserer reformierten Belange den Erfordernissen des gemeinsamen evangelischen Bekennens und Handelns gegen den Irrtum und für die Wahrheit nicht überordnen, andererseits aber an dem Zusammenschluß aller nach Gottes Wort reformierten Kirchen und Gemeinden zu der einen reformierten Kirche Deutschlands, die als gleichberechtigtes Glied zur BK gehöre, arbeiten (Dokument 3).

II.

Auf die Erklärung der 38 Pastoren und 13 Kandidaten vom 25. Oktober 1934 gegen das am 17. Oktober 1934 vom Landeskirchentag einstimmig beschlossene Wort antwortete der Landeskirchenvorstand am 15. November 1934 mit einer umfangreichen Kundgebung „Zur Klarstellung", in der sich ein „Zeugnis zur gegenwärtigen Lage" fand. Wie schon am 9. August 1934 die reformierten Mitglieder der Nationalsynode die „Wiederherstellung des kirchlichen Rechtsbodens in vollem Umfang" für die ganze DEK gefordert hätten, so sei auch jetzt binnen 8 Tagen nach jenem Beschluß des Landeskirchentages ein Mitglied des Landeskirchenrates in Berlin persönlich bei den höchsten kirchlichen Stellen vorstellig geworden und habe mit Berufung auf den Auftrag des Landeskirchentages die Einstellung der bisher gepflogenen Methoden und die Entlassung des Rechtswalters Jäger mit aller Dringlichkeit verlangt. Auch habe es der Landeskirchentag keineswegs an einem klaren Zeugnis gegen die Irrlehre, die vornehmlich darin bestehe, daß Substanz und Verfassung der Kirche wesentlich nichts miteinander zu tun hätten, fehlen lassen. Die Kirche habe dadurch, daß der Heilige Geist in ihrer Mitte Wohnung gemacht habe, die Macht empfangen, alle Gegensätze, die in ihrer Mitte hervorbrächen, auf geistlichem Wege zur Lösung zu führen, und sei vor Gott für solche Lösung verantwortlich. Kein kirchliches Regiment dürfe sich einer bestimmten Partei oder Gruppe verschreiben; es müsse unter allen Umständen in sich die Einheit der Kirche darstellen, bezeugen und festhalten. „Das Band des Lebens hält alle Gegensätze in einem Organismus in harmonischer Einheit zusammen." (Dokument 4)

Schon in dieser Schrift „Zur Klarstellung" des Landeskirchenvorstandes wurde der später von dem Reichskirchenminister Kerrl und seinen staatlichen Kirchenausschüssen vertretene verhängnisvolle Grundirrtum sichtbar, der in der Meinung bestand, daß die „Bekenntnisfront" und die „DC" Gruppen innerhalb der Kirche seien, während es sich in Wirklichkeit um den Gegensatz zwischen wahrer und falscher Kirche handelte.

Von Detmold aus, wo zahlreiche Pastoren und Älteste unserer Landeskirche mit anderen zu einer Rüstzeit versammelt waren (um dann an der sich unmittelbar anschließenden Hauptversammlung des Reformierten Bundes teilzunehmen), antworteten die Pastoren und Kandidaten auf das Wort „Zur Klarstellung" des Landeskirchenvorstandes unter dem 28. November 1934: Was der Landeskirchenvorstand als eine Lösung von Spannungen ansehe, sei eine Verkleisterung des Risses zwischen Irrtum und Wahrheit; die Trennung von Substanz und Verfassung sei nur ein Punkt des gesamten Irrlehresystems der falschen Kirche. Wenn wir von der deutschchristlichen Reichskirchenregierung noch nicht vergewaltigt seien, so dürften wir doch nicht dazu schweigen, daß sie unsere evangelischen, besonders unsere reformierten Brüder in anderen Teilen Deutschlands um so brutaler behandelt habe. Wie wir die deutschchristliche Reichskirchenregierung nicht nur wegen einzelner verkehrter Handlungen ablehnten, sondern deshalb, weil das deutschchristliche System die Kennzeichen der falschen Kirche an sich trage, so liege es uns auch fern, bei unserer eigenen Kirchenleitung einzelne Handlungen zu kritisieren, es müsse vielmehr ihre gesamte Marschrichtung unseren sachlich begründeten Widerspruch finden; diese Marschrichtung scheine dahin zu führen, daß man der BK seine Sympathie erkläre, mit der Tat aber die Verbindung mit der Nicht-Kirche aufrecht erhalte. Was unsere Väter zusammengehalten habe, sei nicht ein mystisch-schwärmerisches „Band des Lebens", sondern die Einigkeit des wahren Glaubens (Dokument 5).

Auch die Haltung des am 18./19. April 1934 aus Abgeordneten der reformierten Kirchen, Synoden und freien Konferenzen gebildeten Reformierten Kirchenkonvents in Osnabrück und des aus ihr herausgesetzten Reformierten Kirchenausschusses bestand nicht in einem wirklichen, über eine freundliche Sympathieerklärung hinausgehenden Zusammengehen mit der sich bildenden BK, sondern in der Hauptsache in einem Streben zur rechtlichen Sicherung des reformierten Bekenntnisses, wie sie dann ja auch auf der zweiten Nationalsynode am 9. August 1934 (siehe oben!) erreicht zu werden schien.

Gelegentlich der Hauptversammlung des Reformierten Bundes in

Detmold am 29. und 30. November 1934 entstand dort die *Bekenntnisgemeinschaft innerhalb der Evangelisch-reformierten Landeskirche der Provinz Hannover.* Ein vorläufiger Arbeitsausschuß (Pastor Oltmann-Loga, Vorsitzender; Rechtsanwalt Arends-Neuenhaus; Medizinalrat Dr. Buurman-Loga; Pastor Middendorff-Schüttorf; Pastor Udo Smidt-Wesermünde-Lehe; Pastor Steen-Holthusen, Schriftführer) wurde gebildet, der am 30. November 1934 von Detmold aus eine Werbekundgebung der neugebildeten Bekenntnisgemeinschaft (wie sie sich nannte, um die Verbundenheit mit der Bekenntnisgemeinschaft in ganz Deutschland zu bekunden) ausgehen ließ, in der es u. a. hieß:

„Wir wollen keine Spaltung innerhalb unserer reformierten Landeskirche, vielmehr deren Erbauung ... Nicht rückwärts gerichtete Restauration, sondern vorwärts gerichtete Reformation ... in praktischer Gemeinschaft und kämpfender Bereitschaft mit der gesamten bekennenden Kirche Christi in Deutschland ..."

Stellvertretend für die Landeskirche machte sich die Bekenntnisgemeinschaft die in den Botschaften der Barmer und der Dahlemer Bekenntnissynoden hervorgetretenen Anliegen zu eigen und nahm sie auf ihre Verantwortung. Die entstehende Bekenntnisgemeinschaft nahm in ihren Aufruf die Erklärung auf, in der am Tage zuvor, am 29. November 1934, das Anliegen der in Detmold versammelten reformierten Gemeinden Deutschlands erkannt und zum Ausdruck gebracht war. Darin hieß es:

„Aufgerufen durch die Dahlemer Botschaft der Bekenntnissynode der DEK und in Ausführung des Beschlusses der Freien reformierten Synode in Barmen vom 4. Januar 1934 erklärt die Hauptversammlung des Reformierten Bundes folgendes:
1. Wir erkennen die Bekenntnissynode der DEK, wie sie auf den Tagungen von Barmen und Dahlem in die Erscheinung getreten ist, als die rechtmäßige Leitung der DEK an.
2. Wir fordern die dem Bunde angeschlossenen Gemeinden und Einzelmitglieder auf, sich von jeder Zusammenarbeit mit dem falschen, deutsch-christlichen Kirchenregiment zurückzuziehen.
3. Im Glauben an die eine, heilige, allgemeine Kirche Jesu Christi bejahen wir aufs neue die alte Aufgabe des Reformierten Bundes, die nach Gottes Wort reformierte Kirche in Deutschland zu sammeln und zu ihrer besonderen Verantwortung aufzurufen.
4. Wir halten es um der Arbeitsfähigkeit des Moderamens willen für nötig, daß ihm nur solche Männer angehören, die diese Beschlüsse billigen und durchzuführen bereit sind."

Die Bekenntnisgemeinschaft innerhalb der Landeskirche erklärte es für ihre Aufgabe, an ihrem Teil die Verwirklichung dieser Detmolder Botschaft des Reformierten Bundes durch ihren Dienst an Predigern, Ältesten und Gemeinden auszurichten (Dokument 6).

Wie am 9. Dezember 1934 die „Reformierte Kirchenzeitung" mitteilte, hatte mit anderen Landeskirchen auch die unsere an den Reichsbischof ein Schreiben gerichtet, in dem es unter anderem hieß:

„Die bisherige Reichskirchenregierung unter der Führung des Reichsbischofs Ludwig Müller hat durch bekenntnis- und verfassungswidriges Handeln die DEK zerstört und dadurch die Berechtigung verwirkt, in ihr verantwortlich zu reden und zu handeln. Die Berufung einer neuen Kirchenregierung unter der bisherigen Leitung und unter Aufrechterhaltung des bisherigen Systems gewährleistet daher die Befriedung der Kirche nicht, sondern verschärft den Kampf.“

Diese Äußerung erinnert an den Beschluß der Bekenntnissynode von Dahlem, aber nur in ihrem negativen Teil; die Bejahung der in Dahlem eingesetzten Leitung fehlt.

III.

Bedeutsam war eine von 60 Pastoren und Ältesten beschickte *Versammlung in Neuenhaus* in der Grafschaft Bentheim, in der Vorträge über das Werden, über Wollen und nächste Aufgaben, über die rechtliche Grundlage der Bekenntnisgemeinschaft im Verhältnis zur Reichskirche und zu unserer Landeskirche gehalten wurden. Diese Versammlung fand am 15. Dezember 1934 statt.

Am Tage vorher, am 14. Dezember 1934, war vom Landeskirchenvorstand an die Ältesten eine Warnung vor heimlichem Vorgehen und vor der Beratung weiteren Widerstandes ergangen. In einem von der Versammlung einmütig beschlossenen Antwortschreiben wurden die in dieser Warnung liegenden Vorwürfe als unberechtigt zurückgewiesen.

Zugleich wurden dem Landeskirchenvorstand folgende Fragen vorgelegt:

„1. Hat der Landeskirchenvorstand das von ihm ohne Mitwirkung des Landeskirchentages angenommene sogenannte Sicherungsgesetz offiziell rückgängig gemacht, so daß keinerlei Bindungen unserer Landeskirche an die deutschchristliche Bischofskirche mehr bestehen?

2. Ist der Landeskirchenvorstand willens, jegliche Zahlungen der Landeskirche an die deutschchristliche Bischofskirche einzustellen?“

Eine Antwort wurde nicht gegeben.

Wichtig wurde das sogenannte *Uelsener Protokoll.* Am 21. und 22. Dezember 1934 waren im Pfarrhaus des Pastors Schumacher in Uelsen, Grafschaft Bentheim, eines bekannten Theologen, dieser, der Landessuperintendent D. Dr. Hollweg, der dem Landeskirchenrat angehörige Pastor C. O. Voget aus Stapelmoor, Ostfriesland, mit dem hierzu eingeladenen Professor D. Karl Barth zusammen. Am 22. Dezember wurde Pastor Middendorff aus Schüttorf als Vertreter der Bekenntnisgemeinschaft hinzugezogen.

Die fünf Uelsener Thesen, die in der Hauptsache auf Karl Barth zurückgehen, lauten:

„1. Wir sind einig darin, daß das Leben der nach Gottes Wort reformierten Kirche allein im Gehorsam gegen den einen Herrn Jesus Christus, wie er uns in der Heiligen Schrift bezeugt ist, Grund und Bestand hat.

2. Wir sind einig darin, daß es der Evangelisch-reformierten Landeskirche von Hannover ihrem reformierten Bekenntnis entsprechend wesentlich notwendig ist, mit den anderen bekenntnisbestimmten und bekennenden evangelischen Kirchen Deutschlands gemeinsam zu glauben, zu lieben und zu hoffen.

3. Wir sind einig darin, daß sich der wirkliche Bekenntnisstand unserer reformierten Kirche nach Lehre und Ordnung in einer dem Bekenntnis der Väter entsprechenden praktischen, insbesondere auch kirchenpolitischen Bekenntnishaltung beweisen und bewähren muß.

4. Wir sind einig darin, daß unsere reformierte Kirche mit den anderen reformierten Kirchen Deutschlands in der heutigen Lage aufgerufen ist, sich in Erkenntnis und Leben unter das erste Gebot und unter die erste Frage des Heidelberger Katechismus zu stellen.

5. Wir sind einig darin, daß die den Pastoren unserer reformierten Kirche aufgetragene Arbeit für das Bekenntnis entscheidend in der Richtung eines neuen Ernstnehmens ihrer Aufgabe als Prediger, Lehrer und Seelsorger und der Notwendigkeit gründlichen Studiums zu suchen ist."

Diese Uelsener Thesen wurden bald vom Landeskirchenvorstand, später auch — das sei hier schon vorgreifend erwähnt — von dem vom 24.—27. November 1936 tagenden Landeskirchentag angenommen, der aber zugleich die von einzelnen Bezirkssynoden beantragte Annahme der ersten Barmer Erklärung und die Zuordnung zur Bekenntnissynode und zur VKL ablehnte und mit dem Heidelberger Katechismus allein auskommen zu können meinte. Von demselben Landeskirchentag wurde auch die Lehrmeinung der DC und die Zugehörigkeit zu ihnen als mit dem Bekenntnis unserer Kirche unvereinbar erklärt, was aber nicht hinderte, daß man DC in ihrem kirchenleitenden Amt beließ.

Das Uelsener Protokoll sollte nach Karl Barths ausdrücklich festgestellter Meinung nichts gegen das einstweilige Weiterbestehen und Weiterarbeiten der Bekenntnisgemeinschaft bis zur gesicherten Durchführung des Protokolls durch die Landeskirchenleitung besagen.

Die Bekenntnisgemeinschaft hatte nach zwei Monaten ihres Bestehens fast 1000 Mitglieder. Die Hälfte der Pastoren, später zwei Drittel gehörten ihr an. Die von Pastor Steen in Holthusen mit reicher Dokumentation herausgegebenen Rundbriefe gingen zuerst in 300 Stück, zuletzt in 20 000 Stück hinaus.

Am 8. März 1935 fand eine Besprechung des Arbeitsausschusses der Bekenntnisgemeinschaft mit dem Landeskirchenrat in Aurich statt. Leider trat der Landeskirchenrat nicht auf den Boden der Detmolder Entschließung des Reformierten Bundes vom 29. November 1934, erkannte die Bekenntnissynode nicht als die rechtmäßige Leitung der DEK an, auch nicht die Forderung, sich von jeder Zusammenarbeit mit dem falschen deutschchristlichen Kirchenregiment zurückzuziehen.

Am 16. März 1935 verlangte die Gestapo auf Veranlassung des Kirchenministers von den Pastoren, durch Unterschreibung eines Reverses zu erklären, daß sie die Kundgebung der Bekenntnissynode der Evangelischen Kirche der Altpreußischen Union vom 5. März 1935 gegen das Neuheidentum „Wir sehen unser Volk von einer tödlichen Gefahr bedroht ...“[6] nicht verlesen würden. Einige unterschrieben, weil sie ohnehin die Kundgebung, die nicht an unsere Landeskirche erging, nicht bekanntzumachen beabsichtigten, ja sie vielleicht noch nicht einmal kannten. Andere, die die Tragweite der Unterschriftleistung von vornherein klarer erkannten, verweigerten sie. Wie vielerorten Pastoren infolge dieser Verweigerung verhaftet wurden, so mußten auch in unserer Landeskirche die Pastoren Busmann und Gründler in Veldhausen und Saueressig in Georgsdorf (beides Gemeinden der Grafschaft Bentheim) ins Gefängnis in Neuenhaus wandern, wurden aber nach 24 Stunden wieder freigelassen. Es entstand in den Gemeinden große Erregung. Kreise von Pastoren, die harmlos ihre Unterschrift gegeben hatten, zogen sie durch Mitteilung an die amtlichen Stellen zurück. Sie verlasen nun, was sie ursprünglich nicht beabsichtigt hatten, die Dahlemer Kundgebung gegen das Neuheidentum am folgenden Sonntag von der Kanzel als ein Zeugnis, das um der Kirche Gottes und um unseres Volkes willen in der gegenwärtigen Zeit gesagt werden mußte. In einem Pastorenkreis der Grafschaft Bentheim machten die Amtsbrüder untereinander ab, in Zukunft nichts von der Polizei Vorgelegtes unterschreiben zu wollen, ohne Gelegenheit zur Beratung mit ihrem Kirchenrat und untereinander bekommen zu haben, auch dann, wenn etwas unterschrieben werden solle, um aus der Haft herauszukommen.

Am 19. März fuhren drei Mitglieder des Arbeitsausschusses der Bekenntnisgemeinschaft mit einem der verhaftet gewesenen Pastoren zum Landeskirchenrat nach Aurich, wo sie von Präsident Koopmann und Landessuperintendent D. Dr. Hollweg empfangen wurden. Sie wiesen darauf hin, daß nunmehr unsere Kirche keine intakte Kirche mehr sei, in der noch keinem Pastor ein Haar gekrümmt sei. Sie baten um Anerkennung des Satzes, daß wir in Sachen der Verkündigung allein von der Kirche und von der Kirchenleitung Weisungen entgegenzunehmen hätten, und baten weiter um ein klares Wort einerseits an die Gemeinden, andererseits an den Staat. Auch wurde auf den unerträglichen Zustand hingewiesen, daß die Leitung unserer Landeskirche nach wie vor die Gemeinden verpflichte, das deutschchristliche Kirchengesetzblatt zu halten.

Am 20. März 1935 setzte der Landeskirchenvorstand einen Aus-

---

[6] J. Beckmann, a. a. O., S. 85 f.

schuß ein, den er beauftragte, ein am 31. März von den Kanzeln zu verlesendes *Wort der Landeskirche gegen das Neuheidentum* auszuarbeiten. Dies geschah denn auch. In ausdrücklich hervorgehobener Übereinstimmung mit der Dahlemer Kundgebung vom 5. März ging das an der Heiligen Schrift und am Heidelberger Katechismus orientierte Wort des Ausschusses gegen das Neuheidentum, an dem der Vorsitzende der Bekenntnisgemeinschaft, Pastor Oltmann in Loga, hervorragend mitgearbeitet hatte, als Kundgebung des Landeskirchenvorstandes an die Gemeinden hinaus (Dokument 7).

Die Bitte, das deutschchristliche Gesetzblatt nicht mehr halten zu müssen, wurde dem Landeskirchenvorstand vorgelegt, aber am 30. April von diesem abgelehnt.

IV.

Am 21. März 1935 teilte der Landeskirchenrat mit, der Landeskirchenvorstand erkenne das Geistliche Ministerium des Reichsbischofs nicht an, habe aber auch unsere Landeskirche der VKL nicht angeschlossen (Dokument 8).

Vom 26.—28. März 1935 tagte — von Pastoren und Ältesten unserer Landeskirche sehr zahlreich beschickt — die *zweite Freie reformierte Synode in Siegen*[7]. Wichtig ist ihr Beschluß über den Zusammenschluß der bekennenden reformierten Gemeinden Deutschlands in Klassensynoden, Quartiersynoden und Gesamtsynode, wobei Synoden verfaßter Kirchen bisheriger Ordnung, soweit nicht eine bekenntniswidrige Zusammensetzung oder Leitung die Mitarbeit verbiete, nicht beeinträchtigt werden sollten.

Auf den Tagungen und Synoden der BK — so wurde beschlossen — sollte sich die bekennende reformierte Kirche in reformierten Konventen sammeln.

Unsere Bekenntnisgemeinschaft übernahm keine kirchenleitenden Funktionen.

Am 15. April 1935 fand in Aurich eine Besprechung zwischen den führenden Männern unserer Kirchenleitung und drei Mitgliedern der Bekenntnisgemeinschaft über die Beschlüsse von Siegen statt, bzw. über ihre beschränkte Durchführung in unserer Landeskirche.

Als Ergebnis dieser Besprechung mußte festgestellt werden, daß trotz des Uelsener Protokolls unsere Kirchenleitung noch immer kein Verständnis dafür habe, daß sie durch die Not der Zeit aus dem Be-

---

[7] K. D. Schmidt, Die Bekenntnisse und grundsätzlichen Äußerungen zur Kirchenfrage. Band 3: Das Jahr 1935. Göttingen 1936, S. 80—84.

kenntnisstande zur praktischen Bekenntnishaltung gerufen werde, und daß sie ein praktisches Zusammengehen mit der bekennenden, kämpfenden Kirche Christi ablehne, vielmehr die Verbindung mit dem deutschchristlichen Kirchenregiment aufrechterhalte, daß sie auch, obwohl man zugebe, daß die Sammlung der reformierten Gemeinden Deutschlands über den Weg des Osnabrücker Konvents fehlgeschlagen sei, den dazu von der Siegener Synode beschrittenen Weg nicht mitgehen wolle und in immer stärkere Isolierung gerate. Die Vertreter der Bekenntnisgemeinschaft erklärten ihrerseits der Leitung der Landeskirche, die Bekenntnisgemeinschaft werde die Durchführung der Siegener Beschlüsse verwirklichen und die Bildung von Klassensynoden in die Hand nehmen, die aber bei uns einen vorläufigen Charakter haben und nicht zu einem doppelten Kirchenregiment führen sollten. Die Bezeichnung „Synode" werde im Bereich unserer Landeskirche wegen des Zusammenhangs mit den übrigen Teilen der bekennenden reformierten Kirche Deutschlands gebraucht. Die Bekenntnisgemeinschaft halte den Weg offen für die Zeit, in der unsere Landeskirche geschlossen in die Reihe der bekennenden, kämpfenden Kirche Christi in Deutschland einrücke (Dokument 9).

Am 7. Mai 1935 teilte die Auricher Kirchenleitung mit, daß für unsere Kirche eine anderweitige Regelung der Einrichtung einer staatsgelenkten Finanzabteilung beantragt und erhofft werde.

Am 12. Juni 1935 machte der Landeskirchenvorstand Mitteilung über die Stellung unserer Kirche zur Reichskirche (zwar Glied der DEK durch Unterzeichnung von deren neuer Verfassung vom 11. Juli 1933, Verhältnis zum lutherischen Reichsbischof aber wie immer äußerst locker, Ablehnung eines deutschchristlichen Kirchenregiments wie jedes Parteiregiments); zur BK (Unterstellung unter die Bekenntnissynode unmöglich, „da wir nicht das uns von Gott übertragene Regiment einem anderen fremden unterstellen können"; Ablehnung des Anspruchs einer bestimmten Gruppe, „bekennende Kirche" zu sein, „jeder wahre Christ ist auch bekennender Christ"; die in den Uelsener Thesen ausgesprochene Stellung werde nicht verleugnet, da bei deren Abfassung ausdrücklich Übereinstimmung dahingehend festgestellt sei, daß sie weder die Eingliederung unserer Landeskirche in die Bekenntnisfront noch den Abbruch jedes Verkehrs mit der Reichskirchenregierung bedeuten sollte); zu den übrigen Reformierten in Deutschland und zu den Beschlüssen der Siegener Synode (ernster Wille zum Zusammenschluß mit den reformierten Brüdern auch fernerhin, aber auf dem bisherigen Wege des Osnabrücker Konvents und des Reformierten Kirchenausschusses; Unmöglichkeit, den Weg der Siegener Synode zu beschreiten, weil diese sich unter bewußtem und beabsichtigtem Übergehen unserer geordneten Kirchenleitung unmittelbar an unsere

Gemeinden wende und sie zu einer unmittelbaren Unterstellung unter den Siegener Synodalausschuß und damit unter die VKL zu verleiten suche, was ein geistliches Unrecht sei).

Wenn in einem in der Landeskirche verbreiteten Schriftsatz (Bericht über die Besprechung mit dem Landeskirchenvorstand) die Pastoren Oltmann-Loga, Middendorff-Schüttorf und Udo Smidt-Lehe den ungeheuerlichen Vorwurf erhoben hätten, „daß bei unserer Kirchenleitung ein praktisches Zusammengehen mit der bekennenden, kämpfenden Kirche Jesu Christi abgelehnt werde“, so werde damit unsere Kirchenleitung in die Front des Fürsten der Finsternis eingeordnet. „Unsere Richter werden ihr Votum einmal vor dem gestrengen Richterstuhl unseres Herrn Jesu Christi verantworten müssen“ (Dokument 10).

V.

Ein Beispiel für einen Ratschlag einer freien Quartiersynode im Gegensatz zu dem Votum der landeskirchlichen, synodalen Instanz: Große Beunruhigung hatte das Redeverbot hervorgerufen, das die Staatspolizeistelle Osnabrück am 9. Mai 1935 über Pastor Middendorff in Schüttorf wegen eines am 7. April 1935 in der Kirche gehaltenen Vortrags über die Synode in Siegen verhängt hatte. Der Kirchenrat lehnte es ab, daß dieses Redeverbot sich auch auf das geordnete Predigen in der Kirche beziehen könne. Der Bezirkskirchenrat war der gleichen Meinung, erklärte aber für den Fall, daß unter dem Redeverbot auch das Predigen mitgemeint sei, der Kirchenrat würde nicht gut tun, Pastor Middendorff zu veranlassen, doch zu predigen; er sehe nur aus dem Grunde davon ab, ihm das Predigen anzuraten, weil die Staatspolizeistelle über eine äußere Macht verfüge, der der Kirchenrat eine ähnliche Macht nicht entgegensetzen könne, sondern ihm allein die Macht bleibe, die im Gebet zu dem unsichtbaren, allmächtigen Herrn in der Kirche bestehe. Dagegen riet ihm die nach den Beschlüssen von Siegen für die Grafschaft Bentheim gebildete Quartiersynode zu Neuenhaus, die er um brüderliche Beratung gebeten hatte, sich dem Verbot nicht zu fügen, sondern seinen Dienst weiter zu versehen, da das über ihn verhängte Redeverbot den direkten Angriff einer staatlichen Stelle auf die Substanz der Kirche, nämlich die Verkündigung des Wortes Gottes, bedeute.

Zwei Tage vor dem Sonntag, an dem Pastor Middendorff trotz des Verbotes zu predigen entschlossen war, wurde das Redeverbot hinsichtlich des Predigens aufgehoben, einige Wochen später auf Antrag des Betroffenen sofort auch allgemein.

Etwa zu gleicher Zeit wurde infolge einer Denunziation Pastor Hamer in Weener von der Staatspolizei wegen einer Predigt, die er am 31. März 1935 über Jesus und Barabbas gehalten und in der er Rosenbergs Mythus zitiert hatte, mit einer „letzten Verwarnung" bedacht und einem langen Verhör unterzogen. Die „letzte Verwarnung" wurde in einen „guten Rat" umgedeutet, was aber den Kriminalrat nicht hinderte, zu erklären: „Wenn's nach mir ginge, säßen Sie von der Bekenntnisfront morgen alle im Konzentrationslager."

Ebenfalls große Unruhe gab es in der reformierten Gemeinde Emden und in der ganzen Landeskirche durch die Vorgänge bei der Einführung des Pastors Brunzema in der Großen Kirche zu Emden am 7. Juli 1935 durch einen deutschchristlichen Bezirksvorsitzenden. Dieser hatte trotz aller schriftlichen und mündlichen Anfragen keine Klarheit darüber geben wollen, ob er zu den DC gehöre oder nicht. So sah sich der Einzuführende, von seinem Gewissen bedrängt, veranlaßt, bevor er die bei der Einführungshandlung an ihn gerichteten Fragen beantwortete, den Einführenden zu fragen: „Bist du Deutscher Christ, ja oder nein?" Er wollte sich nicht auf das Bekenntnis verpflichten lassen von einem, der selbst nicht auf dem Boden des Bekenntnisses stand. Der Einführende antwortete: „An dieser Stätte nicht." Die Einführung fand dann statt. Der Kirchenrat erklärte sie aber für nicht rechtmäßig, die Antrittspredigt wurde aufgeschoben. Erst nach langen Verhandlungen kam die Sache zurecht. Die Einführung wurde von der Behörde als rechtmäßig anerkannt. Am 21. Juli 1935 hielt Pastor Brunzema seine Antrittspredigt. Es folgte aber ein Disziplinarverfahren gegen ihn, und er erhielt einen Verweis. Dieser mußte aber später infolge der Entscheidung des Kirchlichen Gerichtshofs am 19. März 1936, der Pastor Brunzema freisprach, zurückgenommen werden. — Von großer Bedeutung ist das Gutachten Professor Karl Barths vom 16. März 1936, das von Gliedern unserer Bekenntnisgemeinschaft in dieser Sache von ihm erbeten war (Dokument 11).

Drei Mitglieder des Arbeitsausschusses der Bekenntnisgemeinschaft bekommen vom Landeskirchenrat einen Verweis. Sie sollen (siehe oben!) in ihrem Bericht über die Besprechung am 15. April 1935 die Landeskirchenleitung, weil sie ein praktisches Zusammengehen mit der bekennenden, kämpfenden Kirche Jesu Christi abgelehnt habe, in die Front des Fürsten der Finsternis eingeordnet haben. — Es war natürlich nicht, wie die Landeskirchenleitung annahm, die Kirche des dritten Artikels, die wir glauben, gemeint — wie kann man mit der „praktisch zusammengehen" —, sondern die BK in Deutschland.

Am 11. Juli 1935 machte der Landeskirchenrat im Namen und Auftrag des Landeskirchenvorstands bekannt, Zugehörigkeit zu den Quartier- und Klassensynoden der Bekennenden reformierten Kirche gemäß den Siegener Beschlüssen vertrage sich nicht mit unserer Verfassung. Niemand könne zwei Herren dienen.

Der Vorsitzende des Schüttorfer Kirchenrats antwortete:

„Es gibt in unserer Landeskirche keine ‚Bezirkssynoden', ‚Gesamtsynode' mehr, sondern nur noch ‚Bezirkskirchentag' und ‚Landeskirchentag'. Das Wort ‚Synode' (seiner Wortbedeutung nach: ‚gemeinsamer Weg') steht demnach für andere kirchliche Gebilde zur Verfügung. Wenn die zur ‚Quartiersynode' vereinigten Freunde am 23. Mai einen Rat gaben, so war das keine kirchenregimentliche Handlung. Wie dem Landeskirchenrat wiederholt dargelegt worden ist, wollen innerhalb unserer Landeskirche die Klassen- und Quartiersynoden keinerlei kirchenregimentliche Funktionen ausüben. Dazu würden sie erst dann übergehen müssen, wenn für sie die Überzeugung unabweisbar würde, daß unsere Landeskirche aufgehört hätte, Kirche zu sein... Die Unmöglichkeit, zugleich den ‚Bezirkskirchentagen' und den ‚Klassensynoden' anzugehören, wird vom Landeskirchenrat mit dem Herrenwort: ‚Niemand kann zwei Herren dienen' begründet und bekräftigt. Die Anführung dieses Wortes an dieser Stelle erscheint unangebracht. Es handelt sich bei dem zitierten Jesuswort um den Dienst zweier Götter, die einen Absolutheitsanspruch an die stellen, die ihnen dienen. Der eine, wahre, lebendige Gott kann durch verschiedene Instanzen uns regieren... Wir können der Leitung unserer Landeskirche und einer Leitung der DEK unterstellt sein, ohne dem Zweiherrendienst zu verfallen. Gleicherweise ist es möglich, daß wir unseren Bezirkskirchentagen und den Klassen- bzw. Quartiersynoden angehören, ohne deswegen zwei Herren zu dienen.

Wir haben durch unsere Zugehörigkeit zur Klassen- und Quartiersynode uns nicht zu einem Ungehorsam gegen unsere Landeskirchenleitung bewegen lassen und hoffen, daß das auch in Zukunft nicht geschehen wird."

VI.

Eine kleinere Gruppe von Pastoren der Grafschaft Bentheim erklärte in einem langen Memorandum vom 2. Juli 1935, zwar habe unsere Landeskirche keineswegs nach dem von ihr angenommenen Uelsener Protokoll gehandelt, sie habe als Bekenntniskirche, um bekennende Kirche zu sein, ihren Platz heute nur an der Seite der BK Deutschlands einzunehmen; unsere Bekenntnisgemeinschaft zerreiße aber, indem sie von unten her durch Zusammenschluß Kirche in der Kirche bilde, den Leib Christi, setze auch die Kirchenleitung unter Druck.

Die Bekenntnisgemeinschaft antwortete am 5. Juli 1935, sie wolle keineswegs die Kirchenleitung unter Druck setzen, sondern ihr treuester Helfer sein. Eine gewisse Organisation (nicht Kirche in der Kirche) sei deshalb unvermeidbar, weil die Nachrichtenbriefe nur an einen geschlossenen Personenkreis abgegeben werden dürfen.

Am 15. Juli 1935 faßte nach langer Beratung die Classis, d. i. die Vereinigung der reformierten Pastoren des Bentheimer Landes, in Neuenhaus die einhellige (einige fehlten) Entschließung:

„Die zur außerordentlichen Classis versammelten Prediger der Grafschaft Bentheim, die zum Teil der Bekenntnisgemeinschaft, zum Teil ihr nicht angehören, erklären nach eingehender Aussprache über die schwebenden Fragen, daß, wenn auch diese und jene auf verschiedenen Wegen das für notwendig erkannte Ziel erreichen zu müssen meinen, unsere Landeskirche als Bekenntniskirche bekennende Kirche sein muß und so ihren Platz nur an der Seite der BK Deutschlands haben kann, d. h. dieser Kirche und ihrer Synode sich praktisch zuzuordnen hat." —

Diese Entschließung wurde dem Landeskirchenvorstand und den Kirchenräten der Grafschaft Bentheim übersandt.

Die Kirchenleitung verbot durch Verordnung vom 17. Juli 1935 den Pastoren und Kirchenältesten, amtliche Schriftstücke der vorgesetzten Behörden und ihrer Vorsitzenden dritten Personen zur Kenntnis zu bringen und öffentlicher Kritik auszusetzen. Ebenso sei es mit ihren Amtspflichten unvereinbar, an den Maßnahmen der Behörden öffentlich oder beschränkt öffentlich, etwa vor Versammlungen von Kirchenältesten anderer Gemeinden, mündlich oder schriftlich Kritik zu üben. Auch dürfe von amtlichen Schreiben der Kirchenräte oder ihrer Vorsitzenden Unbeteiligten keine Kenntnis gegeben werden (Dokument 12).

Gegen diesen „Maulkorberlaß" wurde durch zwei Beauftragte der Bekenntnisgemeinschaft in einem längeren Schreiben Einspruch erhoben. Die Verordnung finde in der Verfassung keine Begründung. Nach ihr seien die Mitglieder der Kirchenräte nur verpflichtet, über Angelegenheiten der Seelsorge, der Kirchenzucht und alle anderen als vertraulich bezeichneten Gegenstände Dritten gegenüber Schweigen zu bewahren. Das Suchen, Ringen und Fragen der kirchlichen und gemeindlichen Gegenwart dürfe nicht auf den Instanzenweg kirchlicher „Behörden" verwiesen werden. Es gehöre zum Wächteramt der Kirchenräte, auch die Maßnahmen der kirchlichen Behörden unter die Beurteilung der Heiligen Schrift zu stellen. Dazu müßten die Kirchenräte sich gegenseitig helfen. Das Schicksal der Einzelgemeinde sei mit dem Gesamtschicksal der Kirche aufs engste verbunden. Jedes Gemeindeglied sei heute zur Verantwortung gerufen, was nicht Aufhebung der Ordnung oder Beiseiteschiebung der Synode bedeute. Alle Ordnung der Kirche habe die Aufgabe, diese Mitverantwortung der Gemeinde und ihrer Glieder zu fördern. Wenn dagegen die Ordnung die Entfaltung kirchlichen Lebens hindere, töte sie die Gemeinde. Da unsere Landeskirchenleitung bisher die praktische Folgerung einer bekennenden Haltung nicht gezogen habe, seien die Kirchenräte verpflichtet, mit doppeltem Ernst auf die Wahrnehmung ihres Wächteramtes bedacht zu sein (Dokument 13).

In seiner Antwort vom 2. August 1935 wies der Landeskirchenrat auf die Gefahr eines Eingriffs des Staates hin, dem an einer Wiederherstellung geordneter Rechtsverhältnisse in der ganzen DEK alles gelegen sei. Der Landeskirchenrat sei mit ganzem Ernst darauf bedacht, Freiheit in der Ordnung und Ordnung in der Freiheit zu sichern. In solcher Ordnung sei ein Schutz gegeben gegenüber den mancherlei geistlichen Verführungen der Zeit. Man könne sich dem Reichsbischof und den DC gegenüber nicht auf Verfassung und Ordnung berufen und dann selber der Bindung an diese Ordnung ausweichen. „Laut Verfassung" — so heißt es in der Antwort — „haben wir nicht nur die Verwaltungsgeschäfte zu führen, sondern auch dem äußeren und inneren Wachstum der Kirche auf dem Grunde des Bekenntnisses zu dienen. Mit dieser Aufgabe ist uns eine ungeheure Verantwortung auferlegt." (Das gilt nach der Verfassung für den Landeskirchentag und in seiner Abwesenheit für den Landeskirchenvorstand; der Landeskirchenrat ist eine Verwaltungskörperschaft.) Die Landeskirchenleitung beweise ihre Bekenntnishaltung eben auch dadurch, daß sie Wahrheiten und Grundsätze bekenne, die unter dem Einfluß des Zeitgeistes gerade auch in den Reihen der „Bekenntnisfreunde" völlig außer acht gelassen würden. Wie sie selbst an die bestehende Ordnung gebunden sei, so hätten ebenso die Kirchenräte sich an den geordneten, vorgeschriebenen Weg zu halten. Die Glieder der Kirche dürften sich nicht willkürlich und nach eigener Wahl zusammentun, sondern so wie Gott die Glieder des Leibes gesetzt habe. Wenn Kirchenräte sich nach eigenem Belieben zur rechten Beurteilung der für das Wohl der Gemeinden notwendigen Maßnahmen zusammenfänden, dann steige die Gefahr ins Unermeßliche (Dokument 14).

Die Geschäfte der staatlichen Finanzabteilung für unsere Kirche waren inzwischen — im Juni oder Juli 1935 — dem Landeskirchenrat übertragen, der dabei aber unabhängig von Landeskirchentag und Landeskirchenvorstand sein sollte.

Von allergrößter Bedeutung war Hitlers Ermächtigungsgesetz für den Kirchenminister Kerrl, das *Gesetz zur Sicherung der DEK*, vom 24. September 1935 mit seiner durch und durch unwahren Präambel und seiner Auffassung von BK und der falschen, von gefährlichem Irrgeist erfüllten und getriebenen Kirche als zweier sich streitender innerkirchlicher Gruppen[8].

Als typisch für die Abwehr der BK sei der am 15. Oktober 1935 gefaßte Beschluß des Kirchenrats Schüttorf ausführlich mitgeteilt:

---

[8] J. Beckmann, a. a. O., S. 101 f.

„Das Reichsgesetz vom 24. September 1935 ermächtigt den Herrn Reichsminister für kirchliche Angelegenheiten, Verordnungen mit rechtsverbindlicher Kraft zu erlassen. Diese Ermächtigung geschieht zur Wiederherstellung geordneter Zustände in der DEK und in den Evangelischen Landeskirchen.

Die Notwendigkeit, geordnete Zustände wiederherzustellen, wird in dem zweiten Absatz der Präambel des Gesetzes damit begründet, daß durch den Kampf kirchlicher Gruppen untereinander und gegeneinander ein Zustand hereingebrochen sei, der in einer die Volksgemeinschaft gefährdenden Weise die Einigkeit des Kirchenvolkes zerreiße und die Glaubens- und Gewissensfreiheit des Einzelnen beeinträchtige.

Diese Begründung zeigt, daß die Reichsregierung den Kampf der Kirche in einer Weise beurteilt, der wir um der Wahrheit willen nicht zustimmen können. Es handelt sich bei dem Kampfe der Kirche nicht um einen Streit verschiedener innerkirchlicher Gruppen, sondern um den Kampf der bekennenden Kirche, die allein auf die Stimme ihres Hirten hört, gegen die von gefährlichem Irrgeist erfüllte und getriebene falsche Kirche oder Nichtkirche. Dieser Kampf wurde dadurch unvermeidlich, daß politische Gewalten von vornherein sich in die Angelegenheiten der Evangelischen Kirche eingemischt und jener falschen Kirche oder Nichtkirche zur Macht verholfen und sie an der Macht erhalten haben. Als ein Irrtum muß die immer wiederholte, aber dadurch nicht richtig gewordene Behauptung zurückgewiesen werden, daß es sich bei dem Kirchenkampf um die äußere Zusammenfassung der vielen, zum Teil kleinen protestantischen Landeskirchen zu einer großen Evangelischen Reichskirche vornehmlich gehandelt habe.

Wenn die Präambel des Gesetzes von einer Beeinträchtigung der Glaubens- und Gewissensfreiheit des Einzelnen durch den Kirchenkampf redet, so ist zuzugeben, daß die Freiheit der Kirche vielfach beeinträchtigt worden ist. Das ist aber nicht etwa dadurch geschehen, daß die Kirche an der Geltung ihres Bekenntnisses festhält. Ohne das würde sie ja aufhören, Kirche zu sein. Es ist dadurch auch der Glaubens- und Gewissensfreiheit keines Menschen zu nahe getreten worden; denn niemand wurde gezwungen, Glied der Kirche zu sein oder zu bleiben. Wohl aber ist die Freiheit der Kirche dadurch beeinträchtigt worden, daß der Staat der falschen Kirche oder Nichtkirche seine Polizeigewalt zur Verfolgung ihrer ungeistlichen und kirchenfremden Zwecke in zahlreichen Fällen zur Verfügung gestellt hat.

Diese Tatsachen werden in der Präambel des Gesetzes völlig verkannt, müssen aber unbedingt klargestellt werden, weil eine Neuordnung auf Grund der Unwahrheit oder einer entstellten Wahrheit von Gott nicht gesegnet werden könnte, sondern von vornherein zum Mißlingen verurteilt sein müßte.

Die im Kirchenkampf offenbar gewordene Not ist eine innere Not. Solch' innere Not zu beseitigen, ist dem Staat nicht möglich. Der Staat kann Verordnungen und Gesetze erlassen, die sein Verhältnis zur Kirche betreffen. Er mag nach wie vor ein Aufsichtsrecht in dem früher üblichen Umfang ausüben; sein jus *circa* sacra soll ihm ungeschmälert bleiben. In die inneren Verhältnisse der Kirche aber kann der Staat nicht hineinregieren; ein jus in sacra ihm zuzubilligen, würde dem Wesen und dem Bekenntnis der Kirche widersprechen. So kann auch die innere Einheit der Kirche nur von innen heraus durch Gottes Wort und Geist in Einigkeit des wahren Glaubens gewonnen werden, nicht aber von außen her durch staatliche Eingriffe und Verordnungen.

Nach § 1, Ziffer 1 der Durchführungsverordnung des Herrn Reichsministers für die kirchlichen Angelegenheiten[9] soll der vom Minister, also vom Staat, ernannte

---

[9] J. Beckmann, a. a. O., S. 102 f.

RKA die DEK leiten und vertreten und Verordnungen in den *innerkirchlichen* Angelegenheiten erlassen. Es muß mit der Möglichkeit gerechnet werden, daß die in diesen RKA berufenen Männer bei der Leitung und der Neuordnung der Kirche bewußt oder unbewußt von den Wünschen des Staates sich leiten lassen werden. Demgegenüber ist geltend zu machen, daß die Kirche nur einen König hat, der sie leitet und regiert; das ist Christus, ihr himmlisches Haupt. Die Leitung der Kirche hat eine *geistliche*, an Schrift und Bekenntnis gebundene zu sein. Daraus ergibt sich, daß die Männer, die die Kirche leiten, *nur von ihr selbst berufen* werden können. Die Rechtshilfe, die die BK vom Staate erwartet, kann nur darin bestehen, daß der Staat der BK den Weg frei gibt, von ihrem Bekenntnis aus die Kirche neu zu ordnen. Wie sie das zu tun gedenke, hat sie dem Herrn Reichsinnenminister seit längerem ausführlich dargelegt, ist aber leider ohne Antwort geblieben.

Wenn es in § 1, Ziffer 1 der genannten Durchführungsverordnung vom 3. Oktober 1935 heißt, der RKA solle in *inner*kirchlichen Angelegenheiten Verordnungen erlassen, so liegt die Vermutung nahe, daß in *äußeren* kirchlichen Angelegenheiten der Staat selbst sich das Verordnungsrecht vorbehalten wolle. Auf der gleichen Linie liegt es, wenn es im Schlußabsatz der Präambel des Gesetzes heißt, es solle vom Staate aus eine Ordnung herbeigeführt werden, die es der Kirche ermögliche, ihre Glaubens- und Bekenntnisfragen in voller Freiheit und Ruhe selbst zu regeln; Verwaltung und äußere Ordnung sind hier nicht genannt. Mit allem Nachdruck ist darauf hinzuweisen, daß in der Kirche zwischen Äußerem und Innerem, Verwaltung und Verkündigung, Gestalt und Gehalt wohl unterschieden werden muß, daß aber beides nicht geschieden werden kann in der Weise, daß etwa das Innere der Kirche überlassen bliebe, das Äußere aber vom Staat geregelt würde. Eine solche Trennung würde der evangelischen Auffassung, besonders dem reformierten Bekenntnis, widersprechen. Es kann keinem Zweifel begegnen, daß in der reformierten Kirche wie in der gesamten evangelischen Kirche auch die Verfassung, auch die äußere Form bekenntnisgebunden ist. Es ist daher auch nicht tragbar, daß die Vermögensverwaltung und das Geldwesen der Kirche in der Hand staatlicher Organe liegen und gemäß § 4 der genannten Durchführungsverordnung auch liegen bleiben sollen.

Aus dem Bewußtsein seiner Verantwortung heraus unterbreitet der Kirchenrat die vorstehend ausgesprochenen Bedenken gegen das Kirchengesetz vom 24. September 1935 und die Durchführungsverordnung vom 3. Oktober 1935 dem *Landeskirchenvorstand* mit tiefer Sorge. Der Kirchenrat bittet um Verständnis für diese Bedenken.

Durch Annahme des Uelsener Protokolls hat der Landeskirchenvorstand erklärt, daß unsere Landeskirche ihrem reformierten Bekenntnis entsprechend mit den anderen bekenntnisbestimmten und bekennenden Kirchen Deutschlands gemeinsam zu glauben, zu lieben und zu hoffen habe, und weiter, daß sich ihr wirklicher Bekenntnisstand nach Leben und Ordnung in einer dem Bekenntnis der Väter entsprechenden praktischen, insbesondere auch kirchenpolitischen Bekenntnishaltung zu beweisen und zu bewähren habe.

Dementsprechend hat die Classis der Grafschaft Bentheim am 15. Juli 1935 beschlossen, unsere Landeskirche habe als „Bekenntniskirche" bekennende Kirche zu sein und so ihren Platz nur an der Seite der BK Deutschlands zu haben, d. h. dieser Kirche und ihrer Synode sich praktisch zuzuordnen.

Nun hat aber der Reichsbruderrat der BK im Einvernehmen mit der VKL gegenüber dem Reichskirchengesetz und seiner Durchführungsverordnung vom 8. und 9. Oktober 1935 in Berlin beschlossen, daß die staatlichen Kirchenausschüsse keinerlei kirchenregimentlichen Funktionen ausüben könnten, daß ihre Vollmacht durch die Tatsache begrenzt sei, daß die Leitung der Kirche eine geistliche, an Schrift und Bekenntnis gebundene zu sein habe, daß der Staat in der Kirche materielles Recht nicht schaffen könne, daß die leitenden Männer der Kirche nur durch die Kirche berufen werden können, daß daher die Organe der BK im Amt zu bleiben hätten und den staatlichen Kirchenausschüssen gegenüber nach wie vor die Leitung der Kirche darstellten[10].

Wir bitten unsere Kirchenleitung ehrerbietigst und dringend, gemäß dem Uelsener Protokoll diese Grundsätze gemeinsam mit der gesamten BK Deutschlands zu vertreten, sie unbedingt festzuhalten und sie insonderheit dem Staate gegenüber immer wieder geltend zu machen.

Der Staat hat ein Gesetz zur Sicherung der DEK gegeben. Wir sehen gerade durch dieses Sicherungsgesetz die Kirche im Innersten bedroht und gefährdet. Eingedenk des uns auferlegten Wächteramtes bezeugen wir, daß wir für die Kirche keine andere Sicherung kennen als die, die beschlossen liegt im Gehorsam gegen das Wort ihres himmlischen Herrn. — —

Als verschiedene Prediger der Grafschaft Bentheim im Jahre 1933 dem Herrn Landessuperintendenten auf der Classisversammlung ihre Betrübnis darüber zum Ausdruck brachten, daß in der Zeit, da der Staat durch die widerrechtliche Einsetzung eines Staatskommissars in die Kirche eingebrochen war, von der Landeskirchenleitung kein Wort des Rates und der Warnung an die Gemeinden und Prediger gekommen sei, erwiderte der Herr Landessuperintendent, in der Kirchenleitung habe man auf den Protest einzelner Kirchenräte, sonderlich aus der Grafschaft Bentheim, gewartet, es sei aber keiner gekommen. Wir haben das obige Wort der Bitte und der Warnung beschlossen, weil wir uns nicht abermals eine derartige Unterlassung vorwerfen lassen möchten." — — —

Der RKA sowie eine Reihe von LKA wurden eingesetzt; der RKA unter Generalsuperintendent D. Zöllner; reformiertes Mitglied wurde unser Präsident Koopmann.

Es folgten die verschiedenen Verordnungen Kerrls. Besonders wichtig und ernst war die vom 2. Dezember 1935, die der BK jede kirchenleitende Tätigkeit verbot[11].

Am 8. November 1935 traten zu Loga bei Leer 121 Älteste und Pastoren aus 42 Gemeinden zu wichtigen Beratungen der Bekenntnisgemeinschaft zusammen. Pastor Goeman aus Kirchborgum gab einen ausführlichen und umfassenden Bericht über die kirchliche Lage. Es wurde ein Schreiben an die Kirchenleitung gerichtet, das erst nach acht Wochen am 6. Januar 1936 kurz mit der Versicherung beantwortet wurde, daß von dieser und anderen Eingaben dem Landeskirchenvorstand Kenntnis gegeben sei, daß dieser mit stets neuem Ernst die Gesamtlage prüfe und als verantwortliches Organ der Landeskirche auf Grund solcher Prüfung seine Entscheidungen fälle.

---

[10] J. Beckmann, a. a. O., S. 103 f.
[11] J. Beckmann, a. a. O., S. 105 f.

VII.

Eine Eingabe von Mitgliedern der Bekenntnisgemeinschaft der Grafschaft Bentheim an den Landeskirchenvorstand vom 14. Dezember 1935 wendete sich gegen die dritte Position über dem Gegensatz von BK und DC, die sich im RKA geltend mache, auch von unserer Kirchenleitung bezogen und festgehalten werde und dem Kirchenminister Kerrl seine Kirchenpolitik ermöglichen helfe, der davon spreche, wenn „der heilige Geist ausbräche", dann würde „der dritte Kirchenmensch" entstehen. Durch diese Auffassung werde der ganze Geisteskampf um die Wahrheit und Freiheit des Evangeliums entwertet und verneint. Zu einem Landeskirchenvorstande, der den RKA im Sinne des Reichskirchenministers anerkenne, könnten wir nicht das vom Landeskirchenvorstand erbetene Vertrauen, aus dem allein der rechte Gehorsam erwachsen könne, haben.

In dem von Rechtsanwalt Arends und 12 Pastoren — manche fehlten wegen Krankheit und aus anderen Gründen — unterzeichneten Schreiben hieß es gegen Schluß:

> „Von unserer Landeskirchenleitung müssen wir verlangen, daß sie von einem RKA, der sich nicht darauf beschränkt, eine Rechtshilfe zur Ausräumung begangenen Unrechts zu sein, sondern auf dem Boden einer Gruppe der Mitte im Sinne des Reichskirchenministeriums stehen und von da her die Kirche regieren will, klar und deutlich abrückt und von Präsident Koopmann den Austritt aus einem solchen RKA fordert" (Dokument 15).

Das Manuskript eines Vortrags, den Pastor Middendorff am 19. Januar 1936 über die Bekennende Evangelische Kirche in Deutschland in der Kirche zu Schüttorf gehalten hatte, wurde vom Landrat eingezogen. Pastor Middendorff wurde mit dem „objektiv sichersten Mittel" bedroht, falls er diese seine Vortragstätigkeit fortsetze.

Am 20. Januar 1936 wurde die Druckschrift von Dibelius „Die Staatskirche ist da!" von der Polizei in den Pfarrhäusern beschlagnahmt.

In einer von der NSDAP-Ortsgruppe Schüttorf einberufenen Versammlung am 23. Januar 1936, zu der die Gliederungen erscheinen mußten, verkündete der Gauredner Jeddeloh aus Rastede Anschauungen, die der Wahrheit des Wortes Gottes und der Lehre unserer reformierten Kirche in vielen Punkten ins Gesicht schlugen, und verletzte dadurch zahlreiche Gemeindeglieder in ihren tiefsten Überzeugungen (abfällige Äußerungen über das Alte Testament — der Mensch, der für sein Volk gewirkt habe, bedürfe keines Mittlers zwischen sich und Gott; wenn er für sein Volk seine Pflicht erfüllt habe, könne er dereinst vor Gott bestehen — der Weg zu Gott gehe über Adolf Hitler — was Ewigkeit sei, das wisse man, wenn man sein schlafendes Kind ansehe: der ewige Blutstrom; und ähnliche, großenteils einem liberalistischen Zeitalter entstammende, durchaus abgestandene und oft widerlegte Anschauungen). Pastoren und Kirchenrat erhoben dagegen schriftlich und — vor versammelter Gemeinde — mündlich feierlich Einspruch und wandten sich sonderlich gegen die unheilvolle Vermischung von Politik und Religion in Parteiversammlungen:

„Uns Predigern ist oft der Vorwurf gemacht worden, daß wir die Politik in die Religion hineinmischten, daß wir im Gottesdienst von der Kanzel herab politische Fragen behandelten, wohl gar reaktionäre Politik trieben. Wir erklären diese Behauptung für nicht der Wahrheit entsprechend. — Wohl haben wir christentumsfeindliche, im Widerspruch zur Heiligen Schrift stehende Anschauungen, wie sie von mancher Seite, so auch von dem mit der weltanschaulichen Schulung Deutschlands beauftragten Manne gepredigt worden sind und in manchen Schulungslagern getrieben werden, zurückgewiesen; wir haben aber in unseren gottesdienstlichen Predigten niemals Politik, weder Kirchenpolitik noch gar Staatspolitik, getrieben. Nicht wir haben uns in die Politik gemischt, wohl aber haben wir mit Bedauern feststellen müssen, daß politische Redner vom Minister herab bis zum Versammlungsredner letzten oder vorletzten Ranges sich immer wieder in Angelegenheiten der Kirche und der christlichen Religion eingemischt haben. Mit allem Ernste bitten wir, um des Friedens unseres Volkes und des Heiles unseres Vaterlandes willen, mitzuhelfen, daß solcher Vermischung von Politik und Religion ein Ende gemacht werde. — Wir dürfen mit der Versicherung schließen, daß die Männer und Frauen, die im Gewissen an Gottes Wort gebunden und ihrem Herrn Christus im Glauben gehorsam sind, zugleich die zuverlässigsten und treuesten Glieder ihres Volkes sind."

Am 16. Februar 1936 bat Pastor Middendorff in Schüttorf den Landessuperintendenten D. Dr. Hollweg in Aurich, die vom Vorsitzenden des RKA an ihn ergangene Berufung in die Theologische Kammer der DEK nicht anzunehmen, da dadurch ein neues Band zwischen unserer Landeskirche und dem im RKA vorhandenen Staatskirchentum geknüpft werde:

„Wir wissen — — —, daß Herr Präsident Koopmann in den RKA hineingegangen und bis heute darin verblieben ist. Wir haben auch Grund zu der Annahme, daß der Landeskirchenvorstand dem Herrn Präsidenten Koopmann hierbei auch nachträglich keine Steine in den Weg gelegt hat, sondern mit seiner Haltung in dieser Sache einverstanden ist. Wenn nun Sie, hochgeehrter Herr Landessuperintendent, in die Theologische Kammer eintreten würden, so wäre das für uns ein neuer Beweis dafür, daß unsere Kirchenleitung den Weg der staatlichen Kirchenausschüsse billigt und die Kerrl'sche Befriedungsaktion mitzumachen bereit ist. Unsere Landeskirchenleitung hätte damit ohne Wissen der Glieder und der Pastoren unserer Kirche in einer allerwichtigsten und hart umstrittenen Frage von sich aus eine Entscheidung getroffen, die im Widerspruch zu dem steht, was sehr viele Glieder und Pastoren der Landeskirche von Schrift und Bekenntnis aus für recht halten. Sie hätte sich einer Sache zugesellt, für die ein unwahrhaftiger öffentlicher Nachrichtendienst und die Geheime Polizei des Staates mit Nachdruck arbeiten und mit der eine Verdunkelung und Vernebelung verbunden ist, von der ich nicht glauben kann, daß sie von dem Vater des Lichtes ist... Legen Sie bitte unsere Bedenken nicht mit dem Vorwurf beiseite, daß wir Vorwitz trieben und uns in Dinge mischten, die nicht unseres Amtes seien! Sagen Sie bitte nicht, daß die Truppe nicht zu wissen brauche, wohin sie marschiert, wenn nur der General es wisse. Es wird manchmal die Meinung ausgesprochen, Dinge, die die ganze Kirche betreffen, könnten nur von dem obersten Organ der Kirche, also dem Landeskirchentag, bzw. -vorstand zur Entscheidung gebracht werden; mag sein, aber doch nur, nachdem sie in den unteren Instanzen, den Gemeinden und Bezirken, durchdacht, durchkämpft und durchbetet worden sind. Die Spitze kann nicht in der Luft schweben, sondern muß auf den unteren Teilen des Baues ruhen. — Nach meiner und vieler Meinung befinden wir uns heute, kirchlich gesehen, in einer Lage, die zu äußerster Wachsamkeit und zu entschlossenem Widerstand aufruft. Es sind wirklich Tage und Jahre der Entscheidung ..." (Dokument 16).

In einem freundlichen Schreiben antwortete Landessuperintendent D. Dr. Hollweg am 20. Februar u. a.:

„Ich bin mir durchaus bewußt, daß auf allen Seiten im kirchlichen Kampfe viel geschehen ist, das durchaus der vergebenden Gnade Gottes bedarf. Ich trete aber in dieses Gremium ein mit dem ernsten Willen, für die Ehre meines Gottes und für seine Wahrheit zu zeugen gegen alles Unrecht, das uns, wo es auch immer sei, begegnen sollte. Ich weiß mich darin eins und verbunden mit D. Kolfhaus, der desselben Willens und der gleichen Absicht ist, und ich sollte meinen, es wäre Ihre und der Amtsbrüder Aufgabe, in dieser schweren und verantwortungsvollen Sache hinter uns zu stehen mit Gebet und Fürbitte. Ich gehe auch in dieses Amt in der klaren Erkenntnis, daß u. U. der Augenblick bald kommen kann, daß ich es niederlegen muß. Aber von vorneherein sagen: Nein, und nochmals Nein, dazu habe ich keine Freudigkeit ..." (Dokument 17).

VIII.

Vom 17.—22. Februar 1936 fand in Bad Oeynhausen die *4. Bekenntnissynode der DEK* statt[12]. Es kam zu wichtigen Beschlüssen über die Kirchenleitung (Stellung zu den staatlichen Kirchenausschüssen mit dem berühmten oder berüchtigten „Mauseloch": „Es gehört zu dem Amt der von der BK berufenen Organe der Kirchenleitung, daß sie bis dahin — bis zum Vorhandensein einer anderen Kirchenleitung, die auf unangefochtener Bekenntnis- und Rechtsgrundlage steht — die Maßnahmen der Kirchenausschüsse am Bekenntnis prüfen und die Gemeinden und Pfarrer brüderlich beraten, wie sie sich dazu verhalten sollen") und über die Schulfrage. Bei den schwierigen Verhandlungen über den ersten Beschluß wurde der Riß sichtbar, der hinfort durch die BK gehen sollte. — Pastor Middendorff wurde in den Reichsbruderrat, bald darauf auch in den Rat der DEK berufen. Als solcher unterzeichnete er das bekannte Memorandum an den Führer vom Mai

---

[12] J. Beckmann, a. a. O., S. 117—123; vgl. auch W. Niemöller, Die vierte Bekenntnissynode der Deutschen Evangelischen Kirche zu Oeynhausen. Göttingen 1960 (AGK 7).

1936[13], an den er auch vorher und nachher persönlich ausführliche Eingaben machte.

Obwohl die 4. Bekenntnissynode der DEK fast einstimmig festgestellt hatte, daß sie das rechtmäßige synodale Organ der DEK sei, schlossen sich die lutherischen Bischofskirchen zusammen und bildeten eine besondere Geistliche Leitung, die später Rat der Evangelisch-Lutherischen Kirche Deutschlands (Lutherrat) genannt wurde. Konfessionelle Haltung und möglichst positive Stellung zum derzeitigen Staat gingen bei ihnen Hand in Hand.

Am 10. März machte der Landeskirchenrat Mitteilung von einer einseitig vom Staate verfügten zentralisierenden *Änderung des Kirchensteuerrechts* (Hebung durch die Finanzämter an eine außergemeindliche Zentralstelle), die starke Unruhe hervorrief. Hierüber hielt Pastor Goeman, Kirchborgum, an verschiedenen Stellen, zuletzt am 23. März 1936 in der Sitzung des Coetus reformierter Prediger in Emden, einen sehr gründlichen und ausführlichen Vortrag, in dem er das Kirchensteuerproblem im Zusammenhang mit der ganzen kirchlichen Lage darstellte (Dokument 18).

Am 18. April 1936 wurde Pastor Middendorff, Schüttorf, nach Verhör durch Kriminalpolizei und Amtsrichter in Bentheim in Untersuchungshaft gebracht wegen einer in einer Kirchenratssitzung auf die Frage eines deutschchristlichen Kirchenältesten, weshalb er am Tage vor der Reichstagswahl nicht habe läuten lassen, gegebenen Antwort: a) es sei keine Anordnung gekommen, b) es widerstrebe ihm eine religiöse Verbrämung eines politischen Aktes im voraus; und wegen eines streng instanzenmäßigen, sorgfältig geheimgehaltenen schriftlichen Einspruchs an Ortspolizeiverwaltung und Ortsgruppenleiter der NSDAP mit der Bitte um Weitergabe an die höheren Stellen gegen den Totalitätsanspruch der nationalsozialistischen Weltanschauung,

„gegen die Art, wie heute die öffentliche Meinung zustande kommt, gegen manche Erscheinung der Innenpolitik,
gegen jede Verstaatlichung der Kirche und jedes Kirchewerden des Staates,
gegen das Betrautsein Rosenbergs als Reichsschulungsleiter und das Herrschen der Gedankenwelt des ‚Mythus' bei vielen Schulungen, gegen den irreführenden Mißbrauch des Wortes vom ‚positiven Christentum',
gegen die Duldung einer haßerfüllten, zum Teil unwahren, des deutschen Volkes unwürdigen Judenhetze,
gegen die Gefährdung des christlichen Sonntags,
und manches andere",

besonders aber gegen die Wahlpropaganda („Wer nicht ja sagt, ist ein Volksverräter") und zahlreiche Verstöße gegen Treu und Glau-

[13] J. Beckmann, a. a. O., S. 130—135; auch in W. Niemöller: Die Bekennende Kirche sagt Hitler die Wahrheit. Bielefeld 1954, S. 9—18.

ben bei der Wahl am 29. März 1936 (geheime Anordnung an die Wahlvorstände, Blankozettel ohne Kreuz im Kreis als Ja-Stimmen zu werten), auch gegen die Verkoppelung von Außen- und Innenpolitik (wenn man Ja zur Außenpolitik sagte, mußte man zugleich Männer wie Kube, Rosenberg, Julius Streicher, Robert Ley in den „Reichstag" wählen).

Nach 11 Tagen wurde Pastor Middendorff auf telegraphischen Befehl des Oberstaatsanwalts beim Sondergericht in Hannover (nicht auf Grund der Amnestie) aus dem Gefängnis entlassen. Einige Wochen später wurde ihm vom Amtsrichter in aller Heimlichkeit mündlich mitgeteilt, daß das Verfahren gegen ihn eingestellt sei. Zwei Tage später aber wurde er bei einem Kreisparteitag in Bad Bentheim vor Hunderten seiner Gemeindeglieder und Konfirmanden von dem Gauleiter Karl Röver als der schlimmste Hetzer und Lügner im Gau Weser-Ems bezeichnet.

Am 3. Juni 1936 richtete der Präsident des Landeskirchenrats, Koopmann, auf einem Bezirkskirchentag in Weener gegen die Pastoren der Bekenntnisgemeinschaft schärfste, zum Teil persönliche Angriffe. Daraufhin richtete der Geschäftsführer der Bekenntnisgemeinschaft, Pastor Steen in Holthusen, namens der Oberrheiderländer Konferenz unter dem 23. Juni an Präsident Koopmann ein 24 Schreibmaschinenseiten umfassendes aufschlußreiches Schreiben. Die verletzende Schärfe, mit der der Präsident gesprochen habe, hänge damit zusammen, daß sein Standpunkt die Bindung an irdische Mächte und Gewalten, an „die Gegebenheiten des Lebens" und nicht die an Gottes Wort zu sein scheine. Sein Hinweis, der Kampf wäre schneller erledigt, wenn nur das Evangelium verkündigt würde und die Pfarrer Seelsorgedienste in ihrer Gemeinde täten, verkenne, daß zur Predigt des Evangeliums auch die Verkündigung der Herrschaft Christi über die Ordnung der Kirche gehöre und daß es Pflicht der Seelsorge sei, Irrlehre und Irrlehrer bei Namen zu nennen. Man könne den Sonntagsblättern nicht verbieten, die kirchenpolitische Lage zu erörtern. Die Sorge um die finanzielle Sicherung der Kirche dürfe nicht im Vordergrund stehen. Der Kampf gegen den „Mythus" sei kein „Schimpfen auf den Staat", der uns doch eine halbe Million Zuschüsse gebe. Wenn man dem Kaiser gebe, was des Kaisers ist, aber auch Gott, was Gottes ist, so arbeite man nicht gegen, sondern für den Bestand und die Autorität des Staates. Man wolle nicht Trennung von Kirche und Staat; ebensowenig aber dürfe man um jeden Preis die Verbindung mit dem Staat um der finanziellen Vorzüge willen behaupten. Wenn der Staat dem Zeugnis, daß die göttlichen Befehle auch für die Ordnung der Kirche gelten, nicht Raum geben und sich deswegen von der Kirche trennen wolle, könnten wir das nicht aufhalten. Man baue damit keine „Kirche in der

Luft"; Gott werde seine Verheißungen wahr machen. Die heutige Gefahr sei nicht der Weg in die Freikirche, sondern der in die Staatskirche. Wie weit man auf dem Weg der Verstaatlichung schon gekommen sei, das zeige die Einrichtung der staatlichen Finanzabteilungen, der staatlichen Beschlußstellen für Rechtsangelegenheiten der Kirche unter Ausschluß der ordentlichen Gerichte, das staatliche Gesetz zur Änderung der Kirchensteuer, die Einsetzung einer Kirchenleitung durch den Staat in Gestalt der staatlichen Kirchenausschüsse. Der RKA solle die verschiedenen „Gruppen" unter einen Hut bringen, reine Lehre und Irrlehre zusammenbinden. Die Kirchenausschüsse hätten schon Gesuche um Einräumung deutschchristlicher Gottesdienste bewilligt, deutschchristliche Pfarrer dahin entsandt, wo bisher keine waren, Prüfungsausschüsse gebildet, in denen DC säßen. Die Kirchenglocken sollten in Zukunft geläutet werden, wenn außerkirchliche Stellen durch Zeitung und Rundfunk dazu aufforderten. — Unsere Kirchenleitung habe trotz des Uelsener Protokolls keine Fühlung mit der kämpfenden Front gesucht, sondern sei in Fühlung — wenn auch einer lockeren — mit dem falschen deutschchristlichen Kirchenregiment geblieben, das Ordnung und Verkündigung nach dem Geist der Zeit und nach Christus, soweit es der Geist der Zeit zulasse, ausrichte. DC seien bei uns in kirchlichen Aufsichtsämtern geblieben. Unsere Kirchenleitung habe nicht aufgerufen zu Opfer und Fürbitte für die bedrängten Brüder. Die Bekenntnisgemeinschaft suche diesen Mangel auszufüllen. Ihr liege daran, daß unsere reformierte Kirche im Kampf der Gegenwart nicht an einem falschen Orte stehe, sondern im wahren Sinne des Wortes nach Gottes Wort reformierte Kirche, Kirche unter dem Worte sei (Dokument 19).

IX.

Nachdem der 1934 in Osnabrück gegründete reformierte Kirchenkonvent, der ein gemeinsames kirchliches Handeln aller reformierten Kirchen und Gemeinden Deutschlands ermöglichen sollte, im Juni 1936 sich aufgelöst hatte, bildete sich auf Beschluß der verfaßten reformierten Kirchen unter Vorsitz unseres Kirchenpräsidenten Horn der *Arbeitsausschuß der reformierten Kirchen Deutschlands*, so daß sich nun zwei Arbeitsausschüsse, der der verfaßten reformierten Kirchen und der der Bekenntnisgemeinschaft, gegenüberstanden. Jener beschrieb sein Selbstverständnis in einem im September 1936 versandten gedruckten Brief, in dem er den RKA als eine bloße Verwaltung verstand und vor einem Kampf nach außen hin und einem Kampf der Brüder untereinander warnte (Dokument 20).

Ein Mitglied des Arbeitsausschusses der Bekenntnisgemeinschaft beantwortete diesen Brief durch folgende Hinweise: Unsere Gemeinden haben nur dann das innere Recht, jedem gegenüber die Forderung auszusprechen, daß sie die reformierten Ordnungen (Lehre, gottesdienstliches Leben, Kirchenordnung) behalten, wenn sie selbst sich dem reformierten Bekenntnis in praktischem Verhalten unterwerfen und bekennenden Entscheidungen, zu denen sie vom Worte Gottes und vom reformierten Bekenntnis her verpflichtet und gerufen sind, nicht ausweichen. — Wenn Christus und seine Herrschaft zwar nicht von der Welt sind, aber in die Welt gekommen sind, um durch die Bezeugung der Wahrheit die Welt zu überwinden und zu gewinnen, so ist das kein Kampf nach außen. — Die allgemein gehaltene Warnung vor dem — gewiß bedauerlichen — Kampf der Brüder untereinander wird der Sache, um die es bei diesem Kampfe geht, in keiner Weise gerecht. — Wenn der Arbeitsausschuß der reformierten Kirchen den RKA als „eine der Kirche für bestimmte Zeit gesetzte Verwaltung" versteht, so ist maßgeblicher, wie der RKA sich selbst versteht. Er hat erklärt, daß ausschließlich ihm die gesamte Leitung und Vertretung der DEK obliege. Er hat den Auftrag, die Verkündigung von Schriftlehre und Irrlehre in einer Kirche zu vereinen, was notwendig dahin führen muß, daß die Verwirrung zunimmt und die Kirche in Bindungen hineingerät, die ihrem Wesen widersprechen.

„Es ist" — so schließt der Antwortbrief — „mein herzliches Verlangen, daß unsere reformierten Kirchen in dem Mut und der Demut, der Einfalt und Festigkeit des Glaubens ihren Weg durch den Kampf der Gegenwart hindurchgehen mögen. So und nur so wird der Segen Gottes sie auf ihrem Wege durch diese Welt und diese Zeit begleiten; so und nur so werden sie dem Staate gegenüber die rechte Stellung finden und Aussicht haben, das von ihm zu erreichen, was erstrebt werden muß; so und nur so wird die Sammlung der Reformierten in Deutschland für uns selbst und für die ganze DEK gesegnet sein." —

Im Oktober 1936 wurde der Schriftleiter des landeskirchlichen „Sonntagsblattes für evangelisch-reformierte Gemeinden", der es 17½ Jahre lang redigiert und während der letzten Jahre in ihm den Kampf gegen falsche Kirche und Mythus unter großen Mühen (immer neue Beschlagnahme, Verbot, endlose Schriftwechsel, Prozesse bis zum Oberverwaltungsgericht, Kuhhandel seitens der Regierung) geführt hatte, aus der Reichsschrifttumskammer ausgeschlossen, weil er „nicht bereit war, sich jederzeit rückhaltlos für den nationalsozialistischen Staat einzusetzen". Sein umfangreicher, aus diesem Anlaß mit der Reichsschrifttumskammer gepflogener Schriftwechsel wurde vom Coetus der reformierten Prediger Ostfrieslands, in dessen Namen er das

Blatt herausgegeben hatte, vervielfältigt und weithin verbreitet (Dokument 21).

Der vom 24.—27. November 1936 in Aurich tagende *Landeskirchentag* nahm zwar das Uelsener Protokoll an und erklärte die Lehre der DC als mit dem reformierten Bekenntnis unvereinbar, übernahm aber nicht, wie vom Bezirkskirchentag Bentheim beantragt war, die Barmer Erklärung über das rechte Verständnis der reformatorischen Bekenntnisse vom 4. Januar 1934, lehnte auch die Zuordnung unserer Kirche zur Bekenntnissynode und zur VKL ab. — Pastor Oltmann in Loga, der Vorsitzende der Bekenntnisgemeinschaft, wurde in den Landeskirchenrat gewählt, konnte in ihm aber kaum mitwirken und starb einige Monate später. — Die Stellung unserer Landeskirche zum RKA blieb auf dem Landeskirchentage ungeklärt. Als darüber verhandelt werden sollte, verließ Präsident Koopmann, Mitglied des RKA, unseren Landeskirchentag, um in Berlin an einer Konferenz der sogenannten Landeskirchenführer teilzunehmen, nachdem er schon am 20. November als „Landeskirchenführer" die Erklärung „Zur kirchlichen Lage"[14] unterzeichnet hatte, ohne dazu ermächtigt worden zu sein. Er nahm dadurch etwas vorweg, worüber gerade der versammelte Landeskirchentag hätte entscheiden sollen, und gab dabei die Kirchenleitung der Bruderräte zugunsten der Kirchenausschüsse preis. Aus der ausführlichen Beurteilung dieser Geschehnisse durch den Arbeitsausschuß der Bekenntnisgemeinschaft sei nur folgender Absatz hier mitgeteilt:

„Wir können darum nur feststellen, daß der Landeskirchentag einen wesentlichen Fortschritt im Sinne des Anliegens des Uelsener Protokolls trotz der Ablehnung der DC nicht erbracht hat. Die Haltung unserer Landeskirche ist nach wie vor dem letzten Landeskirchentag unklar und widerspruchsvoll: Die Nichtannahme der Barmer Erklärung und des Anschlusses an die Bekenntnissynode haben die Annahme des Uelsener Protokolls nicht nur praktisch unwirksam gemacht, sie lassen sich mit ihm gar nicht vereinbaren. Noch deutlicher wird aber die Unklarheit und der innere Widerspruch in der Lage unserer Landeskirche dadurch, daß der Landeskirchentag die Lehre der DC aller Schattierungen als unvereinbar mit dem Bekenntnis der reformierten Kirche erklärt hat, während unsere Landeskirche im staatlichen RKA mitarbeitet, der den DC Heimatrecht in der Kirche geben will und dessen Vorsitzender noch am 30. Dezember 1936 in Dortmund erklärt hat, er wolle die Kirche mit den DC (ohne die Thüringer) bauen. Man kann nicht die DC in einem Teil der Kirche als Irrlehrer bekämpfen und in einem andern Teil der Kirche sie dulden oder gar anerkennen" (Dokument 22).

In der Gemeinde Schüttorf fanden Taufen von Kindern der reformierten Gemeinde Schüttorf durch den lutherischen deutschchristlichen Pfarrer und Führer Heinrich Meyer aus Aurich statt.

---

[14] J. Beckmann, a. a. O., S. 144 ff.

Anfang März 1937 besuchte das reformierte Mitglied der VKL, Superintendent Lic. Albertz-Spandau, die Gemeinden Schüttorf, Neuenhaus, Holthusen, Emden, Groothusen, obwohl er von Aurich her gebeten war, „nicht in ein fremdes Amt einzugreifen".

In Schüttorf wurde eine Versammlung am 6. März 1937, in der Lic. Albertz in dem kirchlichen Gemeindehause vor einer Schar persönlich eingeladener Interessierter über die Lage der Kirche zu berichten gedachte, von der Ortspolizeibehörde verboten, zunächst unter der durchaus nicht zutreffenden Behauptung, es solle in dieser Versammlung über das Thema: „Es geht um die evangelische Schule" geredet werden. Stattdessen redete Lic. Albertz in der Kirche, wo er auch am Vormittag des folgenden Tages, eines Sonntags, predigte.

In Schüttorf entstand am Sonntagabend, dem 18. April 1937, lebhafte Unruhe, die sich dann in den folgenden Tagen und Monaten aufs stärkste fortsetzte. Der provisorische Rektor und drei Lehrer der evangelisch-reformierten Volksschule waren aus der Kirche ausgetreten. Auf pflichtmäßige Anfrage beim Landeskirchenrat riet dieser, die Elternschaft zur Wahrung ihrer bedrohten Ansprüche auf eine geordnete religiöse Erziehung ihrer Kinder anzuhalten durch einen möglichst geschlossenen und einheitlichen Protest beim Schulrat. Der Kirchenrat beschloß, in einer gottesdienstlichen Sonntagabendversammlung in der Kirche die für die christliche Erziehung der getauften Kinder verantwortliche Gemeinde, besonders die Eltern, einen Einspruch dagegen unterschreiben zu lassen, daß unsere evangelische Schule von einem aus der Kirche ausgetretenen Rektor geleitet werde und daß aus der Kirche ausgetretene Lehrer an ihr unterrichteten. Die Versammlung wurde durch den persönlich anwesenden Landrat (einen Parteiführer) und durch ein Aufgebot von Wachtmeistern verhindert. Pastor Middendorff wurde nach dem Rathaus gebracht, bevor er zur Gemeinde hatte sprechen können. Die wohl tausend Menschen zählende Versammlung wurde durch seinen Kollegen Pastor Cramer mit Gebet und Gesang aus der Kirche entlassen. Sie zog auf den nahen Marktplatz vor dem Rathause und sang dort einen Choral nach dem anderen, bis Pastor Middendorff freigelassen worden war. Am Dienstag, dem 20. April, Hitlers Geburtstag, wurde der bisher provisorische Rektor vom Landrat unter Drohungen gegen die Demonstranten persönlich bestätigt und feierlich eingeführt, hingegen bekam der Lehrer und Kirchenälteste Bergmann, der nichts getan hatte, als daß er auf dem Marktplatz, seiner Verantwortung als Kirchenältester bewußt, zur Beruhigung der aufgebrachten Menge einige Choräle hatte mit anstimmen helfen, Aufenthaltsverbot für die Grafschaft Bentheim und wurde nach Lingen strafversetzt, wohin er noch am Abend des gleichen Tages, von einer riesigen Volksmenge zum Bahnhof geleitet, abreisen mußte. Später wurde er dienstentlassen. Pastor Middendorff wurde am 23. April 1937 aus dem Regierungsbezirk Osnabrück ausgewiesen (er wurde mit dem Auto nach Aurich gebracht), am 3. Mai auch aus der ganzen Provinz Hannover, was am gleichen Tage auch Pastor Cramer geschah. 8½ Jahre hat Pastor Middendorff seiner Gemeinde, an der er festhielt, und seiner Heimatprovinz fernbleiben müssen.

Später, am 7. Oktober 1937, schrieb der Landeskirchenrat, die Sammlung der Protestunterschriften der Eltern habe nicht durch den Kirchenrat, nicht in einer Gemeindeversammlung, sondern durch einzelne Eltern bzw. Kirchenratsmitglieder oder Gemeindevertreter geschehen sollen (was unter den damaligen Verhältnissen kaum möglich war); dann wären die Folgen nicht auf die Kirchengemeinde, sondern auf diese einzelnen Veranstalter gefallen (!!), und das, obwohl es zu den Aufgaben des Kirchenrats ausdrücklich gehört, „die christliche Erziehung der Jugend zu beachten und die Interessen der Kirchengemeinde auf dem Gebiet des Schulwesens zu vertreten".

Aus Protest gegen diese Haltung des Landeskirchenrats trat Pastor Udo Smidt-Wesermünde aus dem Landeskirchenvorstand aus.

X.

Der Landeskirchenrat versuchte, Pastor Middendorff, der sein Anrecht auf die Pfarrstelle in Schüttorf aus grundsätzlichen Erwägungen aufrecht erhielt, wider seinen Willen von Schüttorf anderswohin zu versetzen, was aber an dem Bezirkskirchenrat der Grafschaft Bentheim, der die dazu erforderliche Zustimmung nicht gab, scheiterte.

Im August 1938 wurde auch die Familie Pastor Middendorffs von der Staatspolizei aus Schüttorf vertrieben, weil ihr Dableiben die Ruhe und Ordnung gefährden würde. Der Landeskirchenrat hatte sich bemüht, Pastor Middendorff zu veranlassen, seine Familie zum freiwilligen Verlassen Schüttorfs zu bewegen, wozu dieser aber nicht willens war.

Pastor Middendorff saß vom 18. Juni bis 20. Juli 1937 (zugleich mit vielen anderen Männern der BK) im Polizeigefängnis am Alexanderplatz in Berlin, weil er trotz Redeverbots — bei dem aber nicht geklärt war, auf welchen Bereich es sich erstreckte und ob auch das Predigen mitgemeint war — zwei Bekenntnisgottesdienste in Berlin gehalten hatte, die er schon vor Bekanntwerden des Redeverbots übernommen hatte.

Am 1. Juni 1937 stellte der Landeskirchentag in Aurich fest, daß in Schüttorf seitens des Staates Unrecht geschehen sei und daß die dortigen Pastoren recht gehandelt hätten. —

Präsident Koopmann, dessen Amtszeit abgelaufen war, stellte sich nicht wieder zur Wahl; statt seiner wurde Amtsgerichtsrat Kramer in Altona leitender Jurist im Landeskirchenrat.

Es wurde ein Sperrgesetz gegen DC beschlossen, aber die in Leitungsämtern befindlichen DC wurden nicht aus ihnen entlassen. Gegen solche, die eine besonders schwere Irrlehre trieben, sollte ein lehrzuchtartiges Verfahren stattfinden.

Der Landeskirchenrat ordnete für den 29. August 1937 die Verlesung der Botschaft, die am 5. und 6. Juli in Kassel von Vertretern fast aller Landeskirchen, auch der unseren, beraten und beschlossen war („Es geht um Gott, es geht um Christus, es geht um die Kirche")[15], an. In der Grafschaft Bentheim kam es nicht zur Verlesung. — Trotz dieses guten Wortes blieb der Landeskirchenrat bei einer Kirchenpolitik der freien Hand.

Die führenden Männer unserer Kirchenleitung (Horn, Hollweg, Kramer) unterzeichneten ebenso wie Pastor Middendorff, Mitglied des Rates der DEK, die an den Führer und Reichskanzler gerichtete Erklärung der DEK gegen Rosenbergs Schrift „Protestantische Rompilger" und gegen das Neuheidentum (vom Reformationstag 1937)[16].

Veranlaßt durch verschiedene Beschlagnahmungen von Kollekten für die Pflege der männlichen und weiblichen Jugend durch Polizeiorgane und in Nachgiebigkeit gegen den Ministerialerlaß des Innenministers und des Kirchenministers vom 9. Juni 1937, durch den Aufstellung von Kollektenplänen durch einzelne kirchliche Gruppen und die Durchführung anderer als die in den amtlichen Kollektenplänen vorgesehenen Kirchenkollekten mit Strafverfolgung bedroht wurden[18], erklärte der Landeskirchenrat am 16. September 1937, Ausschreibung örtlicher Kollekten durch die Gemeinden sei im Recht unserer Landeskirche nicht vorgesehen; Wünsche zur Einsammlung örtlicher Kollekten müßten der Landeskirchenleitung zur Aufnahme in den landeskirchlichen Kollektenplan gemeldet werden; womit ihr dann ja die Möglichkeit gegeben war, örtliche Kirchenkollekten für ihr nicht genehme Zwecke, z. B. für die BK, unter Umständen zu unterbinden (Dokument 23).

Hiergegen machten die Bekenntnisgemeinschaft und ihr Arbeitsausschuß geltend, seit langem seien in vielen Gemeinden örtliche Kollekten bei Festen der Äußeren und der Inneren Mission, der Jugendarbeit, des Blauen Kreuzes, des Gustav-Adolf-Vereins, für Traubibeln

---

15 J. Beckmann, a. a. O., S. 197—201.
16 J. Beckmann, a. a. O., S. 215 ff.
17 Anmerkung aufgehoben.
18 J. Beckmann, a. a. O., S. 201.

und Kindergottesdienst in der Gemeinde, für die Not von Nachbargemeinden, für die BK, für die die Landes- und Bezirkskirchenleitung keine Kollekten ansetzen, für besondere Aufgaben des Reformierten Bundes usw. gehalten, für die bislang eine Genehmigung weder erbeten noch verlangt worden sei. Dieses wäre auch schwierig gewesen, da manchmal die Notwendigkeit der Ansetzung einer örtlichen Kollekte sich plötzlich ergab. — Von Ausschreibungen könne nur die Rede sein, wo es sich um mehrere Gemeinden handele. Kollekten für die Einzelgemeinde beschließe der Kirchenrat, der ja die eigentliche Kirchenleitung im primären Sinne sei. Solche Kollekten bedürften nicht der Genehmigung durch eine höhere Stelle, wie denn auch die vom Bezirk für seine Gemeinden ausgeschriebenen besonderen Kollekten nicht etwa von der obersten Kirchenleitung genehmigt zu werden brauchten.

Mit vollem Recht rügte es bei dieser Gelegenheit der Landeskirchenrat, daß manche Gemeinden ihrer klaren biblischen Verpflichtung zur regelmäßigen Einsammlung des Armenopfers nicht nachkämen, und machte es ihnen hinfort zur Pflicht; mit vollem Recht wies er auch darauf hin, wie wenig die oft erbärmlich geringen landeskirchlichen Kollektenerträge in manchen Gemeinden zu der Behauptung paßten, die Gemeinde gebe die Kollekte „als ein gottesdienstliches Dankopfer ihrer Liebe, durch das sie die Gnade Gottes preise und die Not der Brüder auf sich nehme" (Dokumente 24—27).

XI.

Wir gehen jetzt auf eine etwas frühere Zeit zurück.

Am 12. Februar 1937 war der RKA zurückgetreten[19]. Der Landeskirchenrat hatte das Schreiben des RKA über seinen Rücktritt den Gemeinden bekanntgegeben. Am 15. Februar hatte der Führer den Reichskirchenminister ermächtigt, die Wahl einer Generalsynode vorzubereiten[20], nachdem zwei Tage zuvor der Kirchenminister erklärt hatte, eine Kirchenwahl käme für absehbare Zeit nicht in Frage (was in einer von ihm nicht gemeinten Weise wahr wurde; denn zu der vom Führer angeordneten Wahl einer Generalsynode ist es nie gekommen).

Ein Wahlausschuß der BK wurde gebildet. VKL und Lutherrat wollten darin zusammenwirken. Nun aber forderte der Lutherrat, in diesem Wahlausschuß solle neben dem reformierten Mitglied der VKL, Superintendent Lic. Albertz, auch ein Mitglied des Arbeitsausschusses

[19] J. Beckmann, a. a. O., S. 151 ff.
[20] J. Beckmann, a. a. O., S. 162.

reformierter Kirchen Deutschlands sitzen, infolge eines im Januar 1937 zwischen Lutherrat und Arbeitsausschuß reformierter Kirchen getroffenen Übereinkommens. Aus diesem Wahlausschuß hätte leicht eine neue Kirchenleitung entstehen können, die aber die Linie der BK nicht verfolgt hätte; denn der Arbeitsausschuß reformierter Kirchen gehörte nicht zur BK, wollte nun aber auf dem Weg über den Lutherrat (!), dessen Stellung zur BK ja auch schon zweifelhaft war, Anschluß an sie gewinnen. Dagegen wandte sich am 22. März 1937 in einem ausführlichen Memorandum der in Hamm i. W. versammelte Vorstand des Reformierten Konvents der DEK (Dokument 28).

Zur *Eidesfrage* wurde am 25. Mai 1938 im Auftrag des Arbeitsausschusses der Bekenntnisgemeinschaft der Landeskirchenvorstand, der von sich aus keinen politischen Eid fordern könne, gebeten, auch nicht irgendwie beim Staat die Vereidigung der Pastoren durch staatliche Stellen anzubieten und anzuregen.

Zugleich wurde ein von 43 Pastoren (die Unterschriftensammlung war noch nicht abgeschlossen) unterschriebenes Wort des Arbeitsausschusses überreicht. Es hatte folgenden Wortlaut:

„I. Die Unterzeichneten lehnen die Ablegung eines von der Kirchenleitung geforderten staatlichen Treueides ab.
- a) Die Kirchenleitung hat über die rechte Verkündigung des Wortes Gottes zu wachen. Es ist nicht ihres Amtes, von den Dienern am Wort einen staatlichen Treueid zu verlangen.
- b) Der von der Kirchenleitung geforderte staatliche Treueid entwertet das Ordinationsgelübde, das in der Bindung an das Wort Gottes den rechten Gehorsam gegen die Obrigkeit einschließt.

II. Ein vom Staat geforderter Treueid könnte von den Dienern am Wort nur geleistet werden unter Hinweis auf das schriftgemäße Verständnis des Eides. Dieser Hinweis müßte nach zwei Seiten hin geschehen:
- a) von der Kirchenleitung dem Staate gegenüber; falls die Kirchenleitung diese Erklärung nicht abgibt, ist sie bei der Vereidigung von jedem einzelnen zu geben;
- b) den Gemeinden gegenüber.

Dieser öffentliche Hinweis auf das rechte Verständnis des Eides ist notwendig, weil der staatliche Treueid heute von maßgeblicher Seite so verstanden wird, daß er die unbegrenzte Bindung an den Willen des Führers und Staates sowie die Zustimmung zur nationalsozialistischen Weltanschauung einschließt.
Das schriftgemäße Verständnis des Eides besagt dagegen, daß, wie bei jeder Anrufung Gottes, so auch bei dem Eide unmittelbar eingeschlossen ist, daß vor Gott nichts versprochen und bekräftigt und zu nichts seine Hilfe erbeten werden kann, was seinem geoffenbarten Willen widerspricht."

Ein Consilium zur Frage des „Treueides" der „Geistlichen" von Karl Barth war gewiß hilfreich gewesen.

Am 3. August 1938 durfte der Arbeitsausschuß dem Landeskirchenvorstand einen Dank dafür aussprechen, daß er bis dahin die Leistung eines staatlichen Treueides von den Amtsträgern der Kirche nicht gefordert habe, weil kein staatlicher Auftrag dazu vorgelegen habe. Er bat zugleich den Landeskirchenvorstand, bei dieser Entscheidung zu bleiben, wenn auch die Bekenntnissynode der Altpreußischen Union neuerdings die Eidesforderung bejaht habe.

Es ist auch später zu keiner Eidesforderung und -leistung bei uns mehr gekommen. Offenbar hat der Staat auf eine Eidesleistung fünf oder mehr Jahre nach der Machtergreifung keinen großen Wert mehr gelegt.

Über diejenigen, die auf einer Konferenz der Bruderräte zu der bei drohender Kriegsgefahr von der VKL Ende September 1938 herausgegebenen *Gebetsliturgie*[21] eine Erklärung unterzeichnet hatten, wurde eine Maßregelung verhängt; Gehaltssperre wurde für sie vom Kirchenminister angeordnet. Unser Landeskirchenrat fügte sich und sperrte dem aus unserer Kirche mitbetroffenen Pastor Steen in Holthusen, dem verdienstvollen Geschäftsführer unserer Bekenntnisgemeinschaft und Redakteur der vortrefflichen Rundbriefe, das Gehalt. Erst nach längeren Verhandlungen wurde diese Maßregel aufgehoben.

Endlich sollte doch die am 15. Februar 1937 vom Führer angeordnete Generalsynode in Form eines Großdeutschen Evangelischen Kirchentages stattfinden. Um deren Vorbereitung und Durchführung zu sichern, bedurfte es klarer Grundsätze, die die Kirchenführer unterzeichnen sollten und die der Kirchenminister dem Führer dann vorweisen konnte. Auf der Kirchenführerkonferenz hatten viele Kirchenführer (Wurm, Meiser, zunächst auch Hollweg, Marahrens und andere) Bedenken, die „klaren Grundsätze“ in der vom Kirchenminister gewünschten Form[22] zu unterzeichnen; sie sandten sie ihm am 31. Mai 1939 in einer veränderten, gemilderten Form[23]. Auch in dieser Variata hieß es noch, die Evangelische Kirche weise ihre Glieder an, sich in das völkisch-politische Aufbauwerk des Führers mit voller Hingabe einzufügen; kirchlich-christliches Leben könne sich besonders kraftvoll innerhalb des von Gott geschaffenen Volkstums entfalten; die jüdische Religion der Gesetzlichkeit und politischen Messiashoffnung sei zu bekämpfen; eine ernste und verantwortungsbewußte Rassenpolitik sei zur Reinerhaltung unseres Volkstums erforderlich; die bestehenden Gegensätze innerhalb des deutschen Protestantismus seien einstweilig zu tragen und die geistliche Versorgung der Minderheiten in der Kirche für eine Übergangszeit zu gewährleisten, — als wenn diese Übergangszeit nicht schon Jahre währte und als ob der Kampf darum, was

---

[21] J. Beckmann, a. a. O., S. 263 ff.
[22] J. Beckmann, a. a. O., S. 299 f.
[23] J. Beckmann, a. a. O., S. 300 f.

wahre und was falsche Kirche sei, noch gar nicht gewesen wäre. Schlimmer als das, was in den „klaren Grundsätzen“ auch in veränderter Form gesagt war, war das Schweigen über die Übernationalität der Kirche, über das politische Messiastum des Nationalsozialismus, die Unwahrheit seiner Rassenlehre, über Judenhaß und Judenhetze, über die Unverträglichkeit der Richtung der Thüringer DC mit der BK usw.

Kirchenminister Kerrl gab sich mit den veränderten „klaren Grundsätzen“, der Variata, nicht zufrieden, sondern bestand auf der ursprünglichen, unveränderten Form, der Invariata, die dann nachträglich von Marahrens, Happich, Johnsen, Hollweg doch noch unterschrieben wurde, obwohl es in der Invariata heißt, die nationalsozialistische Weltanschauung sei eine völkisch-politische Lehre, die den deutschen Menschen bestimme und die als solche auch für den christlichen Menschen verbindlich sei (als wenn die politische Weltanschauung von der Mythusreligion des Heilscharakters des nordischen Blutes und der germanischen Charakterwerte zu trennen sei); nur innerhalb des von Gott geschaffenen Volkstums könne sich christlicher Glaube kraftvoll entfalten (als wenn nicht „Volkstum“ ebensosehr Hinderung als Förderung „kirchlich-christlichen Lebens“ sein könnte); ob ein einmütiges Verständnis von der Offenbarung Gottes in Jesu Christo möglich sei, das werde nur entschieden werden, wenn die bestehenden Spannungen (zwischen Thüringer DC und BK) in kraftvoller Lebendigkeit getragen und das notwendige Gespräch im Geist der Wahrhaftigkeit und Verträglichkeit fortgeführt werde (als ob nicht schon klare Entscheidungen gefallen seien).

Vom 15. August bis zum 12. Dezember 1939 befand sich Pastor Middendorff in strenger Einzelhaft im Polizeigefängnis zu Hamburg-Fuhlsbüttel wegen eines an seine Auftraggeber im geschlossenen Brief gesandten, in Wesermünde von der Gestapo geöffneten, genau protokollarischen Berichtes über eine Konferenz der Bruderräte, bei der von Asmussen eine Trauer- und Gedächtnisandacht für den im KZ Buchenwald „so oder so (Gott weiß es!)“ gestorbenen Bruder Paul Schneider-Dickenschiedt gehalten worden war.

Noch im Jahre 1941 am 16. April schrieb der Landeskirchenrat den Pastoren und Kirchenältesten: „Am 20. April begeht der Führer und Reichskanzler mitten im Kriege seinen 52. Geburtstag. Das ganze deutsche Volk schart sich in Verehrung und Dankbarkeit um den Mann, der in dieser Zeit weltgeschichtlicher Ereignisse mit starker Hand die Geschicke seines Volkes lenkt...“ (folgte Anweisung zum Glockenläuten).

Auf den Hinweis des Vorsitzenden der reformierten Gemeinde in Hamburg-Altona, daß jeder, der die Wirklichkeit kenne, auch wenn er 150prozentiger Nationalsozialist sei, wisse, daß es nicht wahr sei, daß das ganze deutsche Volk sich in Verehrung und Dankbarkeit um Hitler schare, bekam er die zweideutige Antwort, seine Eingabe habe peinlich gewirkt.

Zu Anfang des 19. Jahrhunderts war die reformierte Gemeinde in Glückstadt aufgelöst und ihr Vermögen eingezogen worden, aus dessen Erträgen aber der reformierten Gemeinde Altona, die mit der Betreuung der Reformierten in Schleswig-Holstein beauftragt wurde, ein jährlicher Betrag, das sogenannte Aversum (nach Kürzungen etwa 567 Mark betragend), gezahlt wurde. Nach Eingemeindung Altonas in Hamburg hatte der Hamburgische Staat diese Verpflichtung übernommen. Etwa um Kriegsanfang 1939 wurde diese Zahlung an die Gemeinde Altona gesperrt. Damit sollte der mißliebige Pastor Middendorff, der seit dem 1. April 1938 vom Landeskirchenvorstand mit der interimistischen Verwaltung der vakanten Pfarrstelle betraut war, getroffen werden. Dieser hatte nur seine baren Auslagen bei dem ihm obliegenden monatlichen Predigt- und Besuchsdienst in Kiel erstattet bekommen, während aus dem Aversum zugleich z. B. Notleidende in Kiel unterstützt und die Kosten von Besuchen der reformierten Kirchengemeinschaft Kiel bei der Gemeinde in Altona bestritten waren. Der wirklich Getroffene war nicht Pastor Middendorff, sondern die reformierte Gemeinde Altona-Kiel. Nach langen Verhandlungen war es endlich so weit, daß das Aversum wieder gezahlt werden sollte, aber nur unter der Bedingung, daß Pastor Middendorff eine schriftliche Erklärung abgäbe, durch die er alle Gesetze, Verordnungen und Anordnungen des nationalsozialistischen Staates und des Kirchenministers Kerrl anerkenne. Der Landeskirchenvorstand verlangte das von ihm, und dem Pastor Middendorff war es in langem Hin- und Herschreiben nicht möglich, dem Landeskirchenvorstand begreiflich zu machen, daß er das nicht könne, weil er damit zu Bergen von Unrecht, ja zu seiner eigenen Vertreibung aus seiner Gemeinde ja sagen würde. Erst nach dem Zusammenbruch kam die Sache mit dem Aversum in Ordnung.

XII.

Unsere Landeskirchenleitung schloß sich im Jahre 1943 den *Einigungsbestrebungen des Landesbischofs Wurm* und seinen 13 Sätzen über „Auftrag und Dienst der Kirche“[24] an.

---

[24] J. Beckmann, a. a. O., S. 442 f.

Während des zweiten Weltkrieges wurde der Kampf des nationalsozialistischen Staates gegen die Kirche auch an seinen Gewaltmaßnahmen gegen einzelne Glieder und Amtsträger der Kirche besonders sichtbar. An einige sei hier erinnert. Andere mögen dasselbe oder noch mehr durchkämpft und durchlitten haben.

Pastor Hermann *Immer* in Emden hatte im Jahre 1938 die Umwandlung des evangelischen Kindergartens in Emden in einen nationalsozialistischen Kindergarten verweigert, er hatte auch nach der Kristallnacht (9. November 1938) mit der ihm bekannten Frau eines in ein Lager verschleppten jüdischen Arztes auf der Straße gesprochen. Am ersten Kriegssonntag predigte er über Psalm 27. Frauen seiner Gemeinde, Mitglieder der Frauenhilfe (!), hatten die Ausführungen Pastor Immers über das Gebetswort des Psalmisten Vers 9: „Verbirg dein Antlitz nicht vor mir und verstoße nicht im Zorn deinen Knecht!“ so mißverstanden und weiter verbreitet, als habe er gesagt: „Gott hat unser Volk verstoßen.“ Er wurde verhaftet. An hoher Stelle erwog man seine Exekution. Schlichte Arbeiter traten für ihn ein. Nach einigen Tagen wurde er entlassen. Er bekam aber Predigtverbot, das erst im März 1941 aufgehoben wurde. — Als später Emden zerstört war, hieß es bei führenden Stellen der Stadt: „Wer kann noch helfen? Wer weiß noch Rat?“ „Nur einer: Pastor Immer!“ Er sorgte dafür, daß viele Ausgebombte Emdens nach Bethel kamen.

Pastor Heinrich *Bokeloh* in der Doppelgemeinde Marienchor-Böhmerwold predigte am zweiten Kriegssonntag in Böhmerwold über 1. Petrus 5, 5—9 unter Heranziehung von Matth. 24, 1—14. Er wurde denunziert. Der Gestapo-Kommissar war erbost darüber, daß die Sache der Nation in Pastor Bokeloh als Prediger einen so schlechten Vertreter fände. Erschwerend kam hinzu, daß in Bokelohs Gemeinde Marienchor eine Freizeit der Bibelkreise der höheren Schulen des Rheinlandes, als Erntehilfe getarnt, durchgeführt und der Gestapo erst bekannt wurde, als sie zu Ende ging. Pastor Bokeloh wurde verhaftet. Vom 13. September bis zum 15. Dezember 1939 war er in der Einzelhaft im Amtsgerichtsgefängnis in Emden, vom 22. Dezember 1939 bis zum 20. Mai 1942 (!) im Häftlingslager Sachsenhausen bei Berlin. Dann wurde er zum Kriegsdienst entlassen.

In diesem Lager lernte Pastor Bokeloh den Hauptlehrer *Blekker* aus Uelsen, Kreis Bentheim, kennen. Dieser hatte seine Stimme dagegen erhoben, daß nach Einmarsch der Deutschen in Holland dieses Land ausgeplündert wurde und die geplünderten Sachen in Deutschland an Privatleute ausgeteilt und verkauft wurden. Blekker ist im Jahre 1941 im Revier zu Sachsenhausen an den Folgen der Wassersucht (Verhungerns) gestorben.

In derselben Gemeinde Uelsen, Kreis Bentheim, wurde der Pastor

Dr. Heinrich *Bernds* infolge einer Denunziation durch ein Gemeindeglied wegen angeblicher staatsfeindlicher Äußerungen vom Sondergericht Hannover zu 1½ Jahren Gefängnis verurteilt. Die Landeskirche verhängte über ihn ein Disziplinarverfahren, zu dem der Betroffene aus dem Gefängnis Urlaub bekam. Der beamtete Rechtswalter des Landeskirchenrats hielt eine Anklagerede nach Art eines Staatsanwalts, während der ältere Kollege des Angeklagten, Pastor Schumacher in Uelsen, ein feines und geistliches Gutachten über ihn abgab. Nach seiner Entlassung aus dem Gefängnis untersagte die Landeskirche dem Pastor Dr. Bernds ein Auftreten in seiner Gemeinde. Er wurde zum Kriegsdienst eingezogen und ist verschollen.

Fräulein *Brunzema* in Weener (Ostfriesland) wurde im Zusammenhang mit ihrer Mitarbeit in der dortigen Gemeinde (wohl weil sie Kinder gesammelt und unterrichtet hatte) vorübergehend inhaftiert.

Pastor *Wiltfang* in Grimersum über Emden wurde wegen Äußerungen, in denen er seine Entrüstung über den deutschen Einbruch in Holland (Mai 1940) und dessen verlogene Rechtfertigung nicht verbergen konnte, in der Nachbargemeinde Eilsum, wo er stellvertretend Dienst tat, denunziert, wurde verhaftet und ins KZ Dachau gebracht, erlitt, als er in Hannover verhört werden sollte, einen Schlaganfall und wurde als haftunfähig entlassen, tat später — schon während des Krieges — noch Dienst in seiner Gemeinde trotz Verbotes der Geheimen Staatspolizei, bis er im Oktober 1948 einem erneuten Schlaganfall erlag.

Pastor *de Boer* in Emlichheim wurde als Soldat in Frankreich gegen Ende des Krieges wegen einiger offenen Worte zu vier Jahren Gefängnis verurteilt, zunächst aber in eine Strafkompanie gesteckt. Auch hier eröffnete der Landeskirchenrat in nicht gerade lobenswerter Eile und Gesetzestreue ein Verfahren gegen ihn. Letzteres war in seinem Gang und seiner Urteilsfindung dadurch bestimmt, daß die Kirche sich damals in einer schuldhaften Weise an die im Raume des Staates gültigen Gesetze gebunden hatte: Jeder zu mehr als einem Jahr Gefängnis Verurteilte verlor zwangsläufig Amt und Gehalt und mußte die öffentliche Wohnung räumen. Da das Urteil auf vier Jahre Gefängnis lautete, wurden kirchlicherseits obige Konsequenzen im Falle de Boer „als automatische Folge der Verurteilung“ gezogen und später auch mit diesem Hinweis gerechtfertigt! Einem Prediger des Evangeliums wurde so die Tauglichkeit zu seinem Dienst aberkannt, weil er gesprächsweise folgendes geäußert hatte: „Wenn dieser Krieg vorbei und von den Deutschen gewonnen sein sollte, werden nur diejenigen Pastoren im Amt bleiben können, die neben eine gereinigte Bibel — gereinigt von allem Jüdischen — Hitlers „Mein Kampf“ und Rosenbergs „Mythus“ legen und daraus predigen. Außerdem werden in diesem Falle unsere

Kinder noch jahrelang Soldaten sein müssen, weil wir auf der Hut und Wacht gegen unsere vielen Feinde werden bleiben müssen." Daß und wie eine Kirche irrte, die daraufhin solche Urteile wie oben zu fällen wagte, braucht nicht weiter ausgeführt zu werden.

Sicherlich hat es noch manche anderen Gewaltmaßnahmen des nationalsozialistischen Staates gegen Glieder und Amtsträger unserer Kirche gegeben. An dem letztgenannten ernsten Falle kam aber auch noch einmal erschütternd deutlich die tiefgehende Meinungsverschiedenheit zwischen unserer Bekenntnisgemeinschaft und der um den Bestand unserer Landeskirche besorgten Kirchenleitung zum Ausdruck.

DOKUMENTE

1. Erste Mitteilung des Landeskirchenrates der Evangelisch-reformierten Landeskirche der Provinz Hannover. 14. Dezember 1934.

Original.

Der Landeskirchenvorstand hat beschlossen, den Pfarrern und den Kirchenältesten der Gemeinden sowie den Mitgliedern des Landeskirchentages unserer Landeskirche von Zeit zu Zeit kurze Mitteilungen über den Weg zukommen zu lassen, den unsere Landeskirche in der Zeit der kirchlichen Umwälzung gegangen ist.

In Ausführung dieses Beschlusses ergeht hiermit die

Erste Mitteilung.

Auf der Nationalsynode in Berlin am 9. August 1934 wurde von den drei reformierten Abgeordneten folgende Erklärung abgegeben:

„Die reformierten Mitglieder der Nationalsynode sind zu der gegenwärtigen Tagung erschienen, um dadurch ihrem Willen Ausdruck zu geben, am Aufbau der Deutschen Evangelischen Kirche und im Rahmen des reformierten Bekenntnisses, wie es durch die Verfassung geschützt ist, mitzuarbeiten.

Sie möchten jedoch nicht dahin mißverstanden werden, als ob sie durch ihre Mitarbeit die von dem Herrn Reichsbischof und der Reichskirchenregierung insbesondere auch reformierten Presbyterien und Predigern gegenüber getroffenen Maßnahmen oder auch alle in der Zwischenzeit erlassenen Gesetze anerkennen könnten. Insofern sind sie auch selbstverständlich nicht in der Lage, dem der Nationalsynode vorgelegten „Kirchengesetz über die Rechtmäßigkeit von gesetzlichen und Verwaltungsmaßnahmen" ihre Zustimmung zu geben.

Sie möchten auch hier die dringende Forderung und Bitte wiederholen, den kirchlichen Rechtsboden in vollem Umfange wiederherzustellen. Der Erreichung dieses Zieles gilt vornehmlich ihre Mitarbeit.

Koopmann, Präsident des Landeskirchenrats Aurich
D. Dr. Hollweg, Landessuperintendent
W. Langenohl, min. verbi divini Rheydanae"

Am 13. September 1934 ging bei dem Herrn Kirchenpräsidenten, beim Landeskirchenrat und bei den drei reformierten Mitgliedern der Nationalsynode folgende Einladung ein:

Der Rechtswalter
der Deutschen Evangelischen Kirche
S. I. 1745

Berlin-Charlottenburg, Jebensstraße 3
den 12. September 1934

Am Sonntag, dem 23. ds. Mts., findet die feierliche Einführung des Herrn Reichsbischofs statt.

Morgens um 9 Uhr werden sich das Geistliche Ministerium und die Deutsche Evangelische Nationalsynode mit den Landesbischöfen und Bischöfen, den Mitgliedern aller Landes- und Provinzialsynoden bzw. mit Abordnungen dieser Synoden und mit den Dekanen der theologischen Fakultäten im Preußenhaus zu Berlin zu einem Festakt versammeln.

Die Einführung selbst findet um 12 Uhr im Dom zu Berlin statt.

Nähere Nachrichten ergehen in Kürze.

Jäger

Alle Geladenen lehnten ab, der Einladung zu folgen. Das Antwortschreiben der drei reformierten Mitglieder der Nationalsynode hatte folgenden Wortlaut:

Die reformierten Mitglieder
der Nationalsynode

Aurich und Rheydt,
den 15. September 1934

Die unterzeichneten reformierten Mitglieder der Nationalsynode der Deutschen Evangelischen Kirche möchten nicht verfehlen, für die ihnen zugesandten Einladungen zu dem am 23. September 1934 stattfindenden Festakt im Preußenhaus zu Berlin und zu der um 12 Uhr mittags im Dom vorgesehenen feierlichen Einführung des Herrn Reichsbischofs ihren verbindlichen Dank auszusprechen. Sie sind jedoch nicht in der Lage, an den vorgesehenen Festakten teilnehmen zu können. Gemäß der bereits auf der 1. Nationalsynode in Wittenberg eingenommenen Stellung haben sie sich grundsätzlich noch nie an einer Handlung beteiligt, die die Person des Herrn Reichsbischofs betrifft, und können das auch diesmal aus bekenntnismäßigen Gründen nicht tun. Zudem aber sind sie zu dieser Haltung auch aus der Erkenntnis heraus genötigt, daß in einer Zeit, da die Deutsche Evangelische Kirche aus tausend Wunden blutet und in einer bisher ungekannten Zer-

4 7719 AzGK 8

klüftung auseinanderfällt, da ganze reformierte Gemeinden und viele einzelne unserer reformierten Glaubensgenossen, deren innerste Anliegen voll und ganz auch die unsrigen sind, zu Gott schreien um Hilfe für seine bedrängte Kirche, eine Teilnahme an diesen Feiern unsere innere Wahrhaftigkeit verletzen würde. Dabei erklären wir erneut, daß wir nach wie vor jederzeit zu jeder ernsten Arbeit, der Kirche aus dem Streit zum Frieden, aus der Zerrissenheit zur Einheit zu verhelfen, von Herzen willig und bereit sind. Auch wünschen wir dem Herrn Reichsbischof, daß Gott, der Herr, ihn in seinem so unendlich verantwortungsvollen Amte schenken wolle ein reiches Maß seines Heiligen Geistes, und daß er ihn fertig machen wolle zu allem guten Werk, zu tun seinen Willen, und in ihm schaffe, was vor ihm gefällig ist, durch Jesum Christ; welchem sei Ehre von Ewigkeit zu Ewigkeit!

Koopmann,
Präsident des Landeskirchenrats

D. Dr. Hollweg,
Landessuperintendent

Langenohl,
min. verbi divini Rheydanae

An die Deutsche Evangelische Kirche in Berlin-Charlottenburg,
Jebensstraße 3

Am 19. November 1934 ging folgendes Schreiben beim Landeskirchenrat ein:

Der Reichsbischof
S. II 3484

Berlin-Charlottenburg, den 17. November 1934
Jebensstraße 3

Eilt sehr!

Um einer wirklichen kirchlichen Befriedung die Wege zu ebnen und die Rechtslage der Deutschen Evangelischen Kirche auf dem Grunde ihrer Verfassung vom 11. Juli 1933 klarzustellen, habe ich mich entschlossen, eine Neubildung des Geistlichen Ministeriums in Angriff zu nehmen. Ich lade zu diesem Zweck die im leitenden Amt stehenden Führer der Landeskirchen zu einer Sitzung ein

auf Freitag, den 23. November 1934, vormittags 10 Uhr,
in das Dienstgebäude Berlin-Charlottenburg, Jebensstr. 3.

Die Ladung ist gerichtet an sämtliche Landeskirchen, wie sie bei Inkrafttreten der Verfassung bestanden; inzwischen rechtmäßig zusammengeschlossene Landeskirchen sind jedoch nur einmalig geladen. Ich mache darauf aufmerksam, daß, wenn es bei Aufstellung der Vorschläge gemäß Art. 7 Abs. 4 der Verfassung zu Schwierigkeiten kommen sollte, die Landeskirchen nur mit den in Art. 3 der Verordnung zur Einführung der Verfassung der Deutschen Evangelischen Kirche vorgesehenen Vertretern vorschlagsberechtigt sind und daß sich die nach dieser Bestimmung zusammengehörigen Landeskirchen gegebenenfalls auf einen gemeinsamen Vertreter zu einigen haben.

Ludwig Müller

An die im leitenden Amt stehenden Führer der Landeskirchen.

Darauf erhielten wir von dem Herrn Reichsbischof telegrafisch zunächst die Nachricht, daß die Tagung der Landeskirchenführer kurzfristig verschoben werde, und sodann, daß sie am Donnerstag, dem 29. November, stattfinden solle. Letzteres wurde auch noch durch Schreiben vom 24. November mitgeteilt.

Darauf ist folgende Antwort erteilt worden:

Der Landeskirchenvorstand
der Evangelisch-reformierten
Landeskirche der Provinz Hannover
Nr. 8256

Aurich, den 27. November 1934

Herr Reichsbischof!

Für die mit dem Schreiben vom 24. ds. Mts. — S. II 3484 III — erfolgte Einladung zu einer Sitzung am 29. November 1934, vormittags 10 Uhr, sprechen wir unsern verbindlichsten Dank aus.

Zu unserm Bedauern sehen wir uns jedoch genötigt, die Befürchtung auszusprechen, daß die von Ihnen in Aussicht genommenen Maßnahmen für eine wirkliche Befriedung nicht ausreichen. Bei dem allerorts zur Zeit sich offenbarenden Verfall der Reichskirche sehen wir uns augenblicklich außerstande, eine Persönlichkeit für die Mitgliedschaft im Geistlichen Ministerium zu benennen, da wir uns von der Arbeit des geplanten Ministeriums einen wirklich durchgreifenden Erfolg nicht versprechen können. Ein solcher würde unseres Erachtens nur durch eine völlige Neubildung der Reichskirchenregierung zu erreichen sein.

Infolgedessen dürfen Sie, Herr Reichsbischof, mit einer Teilnahme unserer Landeskirche an den Beratungen des 29. November 1934 nicht rechnen.

Horn[25] Koopmann

An den Herrn Reichsbischof in Berlin-Charlottenburg 2, Jebensstraße 3

---

[25] Name des damaligen Kirchenpräsidenten.

2. Entschließung des 7. außerordentlichen Landeskirchentages der Evangelisch-reformierten Landeskirche der Provinz Hannover. 17. Oktober 1934.

Kirchliches Gesetz- und Verordnungsblatt für die Evangelisch-reformierte Landeskirche der Provinz Hannover, 7. Band, Nr. 66, 18. Oktober 1934.

Der vollzählig versammelte Landeskirchentag hat den Bericht über die Entwicklung der kirchlichen Lage entgegengenommen und erklärt sich einmütig dazu, wie folgt:

1. Der Landeskirchentag hat aus dem ihm erstatteten Bericht die Überzeugung gewonnen, daß der Landeskirchenvorstand und insonderheit sein ausführendes Organ, die Herren Präsident Koopmann und Landessuperintendent Hollweg, die oft außerordentlich schwierigen Verhandlungen und Arbeiten zur Regelung des Verhältnisses unserer Reformierten Landeskirche zur Deutschen Evangelischen Kirche nach bestem Wissen und Gewissen, mit viel Selbstverleugnung und Mühewaltung und in dem redlichen Bestreben durchgeführt haben, die unserer Landeskirche nach der Verfassung der Deutschen Evangelischen Kirche zustehenden Rechte zu wahren. Wir sprechen ihnen dafür den Dank der Kirche aus und versichern sie unseres Vertrauens auch für die verantwortungsschweren Aufgaben der nächsten Zukunft.

2. Der Landeskirchentag hat ferner mit Genugtuung davon Kenntnis genommen, daß die Reichskirchenregierung die Bekenntnisgebundenheit der Verfassung für die Reformierte Kirche ausdrücklich anerkannt und ihre Willigkeit erklärt hat, die praktischen Folgerungen aus dieser Tatsache zu ziehen.

3. Der Landeskirchentag freut sich ferner, feststellen zu können, daß das Verhältnis unserer Landeskirche und ihrer Aufsichtsorgane zu der Reichskirchenregierung bis heute vor ernsten Störungen bewahrt geblieben ist. Er möchte an seinem Teile alles tun zur Wiederherstellung geordneter und friedlicher Verhältnisse in der ganzen Deutschen Evangelischen Kirche.

4. Der Landeskirchentag weiß sich gliedlich verbunden in erster Linie mit allen reformierten Gemeinden, dann aber auch mit der übrigen evangelischen Kirche, zunächst in Deutschland. Die Mitverantwortung, welche sich aus diesem gliedlichen Verbundensein unmittelbar ergibt, für alles, was gegenwärtig in der deutschen Gesamtkirche geschieht, müssen wir auf uns nehmen, wenn wir uns nicht am Ganzen versündigen wollen.

5. Der Landeskirchentag darf deshalb nicht achtlos daran vorübergehen, daß die Vorgänge innerhalb der Deutschen Evangelischen Kirche seit dem Sommer vorigen Jahres überhaupt und letztlich wieder seit dem August ds. Js. in den Herzen und Gewissen ungezählter treuer Christen — Gemeindeglieder wie Pfarrer — in reformierten Presbyterien, in ganzen Gemeinden und Landeskirchen schwerste Beunruhigung hervorgerufen haben. Die weitgehende, starke Verwirrung, welche dadurch im ganzen Lande Platz gegriffen hat, ist noch immer im Zunehmen begriffen und eine Klärung der Lage bis heute nicht abzusehen.

Indem wir diese tiefbetrübende Tatsache feststellen, machen wir uns nicht zum Richter über das, was geschehen ist, sondern es liegt uns aufrichtig am Herzen, an der Heilung des entstandenen, überaus ernsten Schadens mit zu helfen.

6. Der Landeskirchentag beauftragt demgemäß hierdurch seine ausführenden Organe, Mittel und Wege für die Abstellung der oben berührten Schäden und zur Wiederherstellung geordneter kirchlicher Verhältnisse zu suchen.

Der Landeskirchentag macht es ihnen erneut zur Pflicht, im Vertrauen auf den Herrn der Kirche den Erfordernissen von Schrift und Bekenntnis entsprechend zu handeln, es komme, was wolle.

7. Der Landeskirchentag bittet die verantwortlichen reformierten Stellen außerhalb unserer Landeskirche, sich mit seinen ausführenden Organen erneut zusammenzuschließen und die Fühlung mit ihnen zu gemeinsamer Weiterarbeit an der Wiederherstellung normaler kirchlicher Verhältnisse wieder aufzunehmen.

8. Wir können als Vertreter der Kirche unserm Volk und seinem Führer keinen besseren und auf die Dauer wirksameren Dienst leisten als den, daß wir mit Einsatz unserer ganzen Person daran mitarbeiten, daß aus der Kirche alles, was ihrem eigentlichen, von Gott bestimmten Wesen fremd ist, ausgeschieden und von ihr ferngehalten wird.

3. Erklärung von Pastoren und Kandidaten der Evangelisch-reformierten Landeskirche der Provinz Hannover zur Entschließung des 7. außerordentlichen Landeskirchentages. 25. Oktober 1934.

Kirchliches Gesetz- und Verordnungsblatt für die Evangelisch-reformierte Landeskirche der Provinz Hannover, 7. Band, Nr. 69, 20. November 1934.

Wir Unterzeichneten haben von der Entschließung des Landeskirchentages am 17. Oktober d. J. Kenntnis genommen. Der Einmütigkeit, mit der diese Entschließung gefaßt worden ist, stellen wir die Einmütigkeit unserer starken Verwunderung und unseres schmerzlichen Bedauerns über den Inhalt dieser Entschließung entgegen.

In Gottes Wort gebunden, geben wir zu der Entschließung des Landeskirchentages folgende Erklärung ab:

Vom Landeskirchentag mußten wir erwarten:

1. Ein durch keinerlei Rücksichten getrübtes klares Zeugnis wider die Irrlehre und die Gewaltmethoden der Reichskirchenregierung. Statt dessen hat der Landeskirchentag dazu geschwiegen, daß durch das Sicherungsgesetz unsere ev.-reformierte Landeskirche erneut aufs allerengste mit der falschen Kirche verbunden worden ist. Das ist geschehen trotz der Erklärung des Landeskirchenrates vom 12. Juni 1934, daß „es unmöglich erscheint, an weiteren Aufgaben der Reichskirche mitzuarbeiten, ehe der klare Rechtsboden wieder betreten worden ist".

Vom Landeskirchentag mußten wir erwarten:

2. Eine ebenso eindeutige Bezeugung der brüderlichen Verbundenheit mit der bedrängten und verfolgten Bekenntniskirche Deutschlands. Statt dessen ist durch die Entschließung des Landeskirchentages der Kampf der bekennenden Kirche erschwert. Während die Entschließung des Landeskirchentages sagt, daß „aus der Kirche alles, was ihrem eigentlichen, von Gott bestimmten Wesen fremd ist, ausgeschieden und von ihr ferngehalten" werden soll, hat man in Wahrheit mit der Tat denen Beistand geleistet, die die Kirche an die Mächte dieser Welt ausgeliefert haben.

Angesichts dieser Feststellung halten wir folgendes für unsere Pflicht:

1. Unter Achtung der uns in unserer Landeskirche gesetzten Ordnung schließen sich die Prediger zusammen, die sich mit der bekennenden Kirche Deutschlands verbunden wissen und das deutsch-christliche Reichskirchenregiment ablehnen. Wir verharren damit auf dem Boden der Barmer Erklärung[26], aus der wir in diesem Zusammenhang den Satz hervorheben:

> Abgelehnt ist die Ansicht: es dürfe oder müsse die berechtigte Vertretung lutherischer, reformierter oder unierter „Belange" noch immer den Erfordernissen des gemeinsamen evangelischen Bekennens und Handelns gegen den Irrtum und für die Wahrheit übergeordnet werden.

2. Im Rahmen der Gemeindearbeit ist durch gründliche Schulung und geeignete Aufklärung aller Unklarheit entgegenzuwirken, die

---

[26] Erste Freie reformierte Synode in Barmen am 3. und 4. Januar 1934; s. S. 10, Anm. 2.

durch die Entschließung des Landeskirchentages entsteht und die Gewissen verwirrt.

3. Wir arbeiten an dem Zusammenschluß aller nach Gottes Wort reformierten Gemeinden und Kirchen zu der einen reformierten Kirche Deutschlands, die als gleichberechtigtes Glied zur bekennenden Kirche gehört.

Die Pastoren:

Beer-Lage, Behrends-Bunde mit grundsätzlicher Zustimmung, Bode-Uttum, Bomfleur-Schüttorf, Busmann-Veldhausen, Cöper-Hinte, Cramer-Schüttorf, Dirksen-Sattenhausen, Duit-Blumenthal, Ferlemann-Weenermoor, Goeman-Kirchborgum, Gründler-Veldhausen, Hamer-St. Georgiwold, Hamer-Gildehaus, Hamer-Neermoor, Hamer-Weener, Immer-Emden, Immer-Norden, Krüger-Suurhusen, Löpmann-Bunde mit grundsätzlicher Zustimmung, Machert-Bentheim, Middendorff-Schüttorf, Dr. Nordbeck-Schüttorf, Pastor i. R. Oltmann-Loga, Pannenborg-Groothusen, Petersen-Möhlenwarf, Poets-Ihrenerfeld, Ringena-Gildehaus, Rosenboom-Neuenhaus, Saueressig-Georgsdorf, Scherz-Ditzumerverlaat, Smidt-Hameln, Smidt-Lehe, Steen-Holthusen, Voget-Larrelt, Warsing-Spanbeck, Wiltfang-Grimersum, Züchner-Ihrhove;

nichtordinierte Hilfsprediger und Kandidaten:

Bokeloh-Kleinmidlum, Bos-Critzum, Bretzler-Esklum, Buisman-Visquard, Dahm-Papenburg, E. Hamer, Herlyn-Twixlum, Löpmann-Dykhausen, Mennen-Tergast, Müntinga, van Ophuysen-Aumund, Petersen-Upleward, Smidt-Emden

4. „Zur Klarstellung". Kundgebung des Landeskirchenvorstandes der Evangelisch-reformierten Landeskirche der Provinz Hannover. 15. November 1934.

Kirchliches Gesetz- und Verordnungsblatt für die Evangelisch-reformierte Landeskirche der Provinz Hannover, 7. Band, Nr. 69, 20. November 1934.

Eine Anzahl von Predigern und Kandidaten unserer Landeskirche hat unter dem 25. Oktober in der Nr. 44 der Reformierten Kirchenzeitung vom 4. November ds. Js. eine

Erklärung

gegen die Entschließung des Landeskirchentages vom 17. Oktober veröffentlicht, in welcher überaus schwere Vorwürfe gegen diese Entschließung erhoben und sofort auch weit über die Grenzen unserer Kirche hinaus bekanntgegeben werden. Dabei ist die Veröffentlichung der Entschließung des Landeskirchentages in der Reformierten Kirchenzeitung solange zurückgehalten worden, bis sie zugleich mit dieser siebenfachen Anklage erscheinen konnte. Eine ruhige, vorurteilsfreie Prüfung der Entschließung wurde dadurch sofort unterbunden.

Gemäß § 92 unserer Verfassung hat der Landeskirchenvorstand ein gewichtiges Recht, das übereilte Beschlüsse eines Landeskirchentages in ihrer Auswirkung verhindern soll. Es heißt nämlich in diesem Paragraphen:

„Falls der Landeskirchenvorstand einen vom Landeskirchentag gefaßten Beschluß als den kirchlichen Interessen schädlich erachtet, hat er die Ausführung des Beschlusses auszusetzen und eine abermalige Beschlußfassung des Landeskirchentages herbeizuführen."

Wenn also Prediger oder Gemeinden oder überhaupt Glieder unserer Landeskirche sich durch einen Beschluß des Landeskirchentages beschwert fühlen, so ist der gegebene Weg für sie dieser, daß sie ihre Beschwerde mit der nötigen Begründung an den Landeskirchenvorstand als das verantwortliche Organ des Landeskirchentages gelangen lassen und die Aussetzung des Beschlusses mit dem Ziel seiner völligen Aufhebung durch einen besser zu unterrichtenden Landeskirchentag beantragen. Es war zwischen dem 25. Oktober und dem 4. November Zeit genug zu solchem ordnungsmäßigen Vorgehen.

Wiewohl nun der Landeskirchenvorstand die Weise des Vorgehens der genannten Brüder nur tief bedauern kann, sieht er sich doch durch den § 92 der Verfassung verpflichtet, nachdem die schweren Bedenken mancher Prediger und Gemeindeglieder gegen jene Entschließung des Landeskirchentages zu seiner Kenntnis gelangt sind, in eine erneute, gründliche und gewissenhafte Prüfung jener Entschließung einzutreten und das Ergebnis dieser Überprüfung bekanntzugeben.

Der Landeskirchentag hat sich seine Zusammensetzung nicht selbst gegeben; er hatte das Ergebnis der letzten kirchlichen Wahlen, obwohl viel Sünde dabei vorgekommen ist, aus Gottes Hand hinzunehmen und sich als von Gott gerade so zusammengeordnet zu betrachten. Sonst hätte er überhaupt nicht aus Glauben heraus handeln können. Im übrigen durfte er sich in seinen Beschlüssen in keiner Weise von dem Verlangen bestimmen lassen, menschliche Erwartungen zu befriedigen. Ihn durfte nur eines leiten: dem feierlichen Gelübde, welches jedes Mitglied des Landeskirchentages abgelegt hat, entsprechend „gehorsam dem göttlichen Wort, in Treue gegen den Glauben und die Ordnungen der evangelisch-reformierten Kirche

die Ehre Gottes

und

das Wohl der Kirche

unverrückt im Auge zu behalten".

Es mußte die *erste* Aufgabe des Landeskirchentages sein, das bisherige Verhalten der Regierung unserer Kirche einer sorgfältigen Nachprüfung zu unterziehen und auf diese Weise, wenn möglich, ein einwandfreies, schattenloses Verhältnis des Vertrauens zwischen sich und seinen ausführenden Organen herzustellen. Denn auf denselben ruhte naturgemäß die ganze Last der Verantwortung für alles weitere praktische Handeln. Und ein Haus, das wider sich selbst uneins ist, kann nicht bestehen; ein Heer, dessen Leitung mit der Truppe zerfallen ist, ist schon geschlagen, ehe es in den Kampf zieht. Konnte ein solches, von dem ungeheuren Ernst der gegenwärtigen kirchlichen Lage gefordertes restloses Vertrauensverhältnis nicht aufgerichtet werden, so war der Landeskirchentag gehalten, seine bisherigen Organe zu entlassen und andere an ihre Stelle zu setzen.

Die mit der Durchführung der jeweils notwendigen Maßnahmen betrauten Männer sind diesem Ansinnen nicht ausgewichen, sondern haben jeden ihrer Schritte klargelegt und begründet, jede Frage beantwortet, jedes Bedenken zu Worte kommen lassen. Daß dabei Dinge zur Sprache kommen mußten, die nicht für die Öffentlichkeit geeignet sein konnten, ist für jeden, der etwas von dem Charakter der vergangenen kirchenpolitischen Kämpfe weiß, von vornherein klar.

Die Kundgebung des Vertrauens durch den Landeskirchentag war weder erbeten noch erzwungen. Sie war das natürliche, wie von selbst sich herausstellende Ergebnis der mehrstündigen freien Aussprache. Sie hatte natürlich nicht den Sinn, als ob jedes Mitglied des Landeskirchentages mit jeder Handlung der Behörde einverstanden sei oder für jeden Schritt derselben die Verantwortung übernehme.

Jede verantwortliche Leitung kommt in die Lage, aus ihrer Kenntnis der Tatsachen und aus ihrer Beurteilung derselben heraus handeln zu müssen, ohne daß es ihr möglich ist, jeden Entschluß sofort vor der ganzen Körperschaft, die sie vertritt, zu rechtfertigen. Es gibt eine Verantwortung für regimentliches Handeln, welche keine Instanz der Spitze abnehmen kann. Wenn ein Volk oder eine Kirche oder eine Truppe ihrer rechtmäßigen Leitung nur soweit folgen will, als jede Weisung und jeder Befehl *im Augenblick* verstanden und gebilligt wird, so hört alles entscheidende Regieren überhaupt auf und Chaos und Anarchie tritt an die Stelle der von Gott gesetzten Ordnungen. Wirkliches *Vertrauen* sowohl gegen Gott wie auch gegen die, durch deren Hand Gott uns regieren will, ist immer irgendwie *ein Sprung ins Dunkle*. Und solcher Gehorsam des Glaubens ist die eigentliche Frucht, die der Herr in seiner Kirche sucht.

Es entspricht nicht den Tatsachen, wenn die „Erklärung" behauptet, es fehle in der Entschließung des Landeskirchentages *das klare*

Zeugnis wider die Irrlehre. Der eigentliche verhängnisvolle Irrtum, welcher zur Zeit sich so unheilvoll auswirkt, wie er von Anfang an die Kirche zu verwüsten drohte und sie verwüstet hat, ist doch dieser: „Substanz und Verfassung der Kirche hätten wesentlich nichts miteinander zu tun. Die Kirche empfange allerdings ihr (geistliches, ewiges) Leben, ihre Lehre und ihr Bekenntnis von Gott durch Jesum Christum im Heiligen Geiste als unantastbare Güter, ihre Verfassung aber, die Form und Gestalt dieses Lebens könnten nach menschlichem Belieben durch zeitgebundene Gesetzgebung mit Rücksicht auf die wechselnden staatlichen und völkischen Verfassungsformen gemodelt werden."

Gegen diesen Irrtum hat die Bekenntnisfront hauptsächlich gestritten. Dieser Irrtum wollte auch unsere Landeskirche ergreifen. Er ist durch Gottes Gnade in ernsten anhaltenden Kämpfen von derselben ferngehalten worden.

Daß die Reichskirchenregierung im letzten Augenblick unsere auf das Bekenntnis gegründeten Forderungen anerkannt hat, daß sie sich ausdrücklich bereit erklärte, die praktischen Folgerungen aus diesem Anerkenntnis für unsere Landeskirche zu ziehen, und ihr die notwendige Freiheit zugestanden hat, und daß also dieses ernste Ringen um die Grundrechte der reformierten Kirche zu diesem vorläufigen Siege führte, ohne daß es zu einer Spaltung zwischen uns und der Deutschen Evangelischen Kirche kam, war allerdings eine Ursache zur Freude und zum Dank gegen Gott. Wir erkennen nämlich darin zugleich auch eine späte Frucht des Gehorsams, mit dem unsere reformierten Väter sich auch für die äußeren Ordnungen der Kirche an die Schrift gebunden wußten.

Der Landeskirchentag hat absichtlich das „Sicherungsgesetz" in seiner Entschließung überhaupt nicht erwähnt. Dasselbe ist ohne ihn beschlossen und verkündet worden. Eine Ablehnung nachträglich wäre unverantwortlich und nicht frei von Schwärmerei (Überglaube) gewesen. Wir hätten selbst den Damm durchstochen, den nicht wir, sondern der Gehorsam unserer Väter gebaut hat, und wir hätten dazu nur Verwirrung geschaffen.

Die Entscheidungen mußten auf einem anderen Boden gesucht werden. Die „Wiederherstellung des kirchlichen Rechtsbodens in vollem Umfang", und zwar für die ganze Deutsche Evangelische Kirche mußte nach dem letzten Satz der im Namen aller reformierten Mitglieder der Nationalsynode am 9. August abgegebenen Erklärung das zu erreichende Ziel bleiben. Das Sicherungsgesetz gilt als erster Schritt zu diesem Ziel. Es wäre aber verlorene Zeit gewesen, sich damit noch länger zu befassen. Der Kampf um die Erneuerung der Kirche geht weiter, und für diesen Kampf mußte der Landeskirchentag seinen ausführenden Organen die Richtung anzeigen und sie zur Führung desselben ermächtigen.

Nur, wenn man die klaren und unmißverständlichen diesbezüglichen Weisungen des Landeskirchentages an seine ausführenden Organe, die ausdrückliche Beauftragung und Ermächtigung derselben als fromme Redensarten und „blauen Dunst" betrachtet, kann man die dagegen erhobenen schweren Vorwürfe aufrecht erhalten. So waren sie aber wahrlich nicht gemeint!

Man hat von dem Landeskirchentag die Fällung eines richterlichen Spruches über die Geschehnisse in der Deutschen Evangelischen Kirche erwartet. Es ist eine überaus ernste Sache um einen Richterspruch, zumal in Kirchenfragen. Ein Richterspruch setzt immer voraus, daß beide, der Kläger und der Beklagte, in allem, was sie zu sagen haben, gehört und daß die Zeugen vernommen werden. Erst wenn der Tatbestand nach allen Seiten hin klargestellt ist, kann ein gerechtes Urteil gefällt werden, und zwar nicht von jedermann, sondern nur von dem dazu bestellten Richter. Der Landeskirchentag war zu einem solchen Richterspruch über die Geschehnisse in der Deutschen Evangelischen Kirche nicht imstande. Die Kirchengeschichte ist voll von den erschütterndsten Beispielen, was für entsetzliche Fehlgriffe bei solchem Richten schon geschehen sind. Haben doch zum Beispiel Kirchenmänner anderer Konfession die Reformierten als Pest oder gar schlimmer als die Pest bezeichnet. Wir waren gehalten, vor solchen Übereilungen uns in der Furcht Gottes zu hüten. Die verschiedenen Gruppen, welche heute die Deutsche Evangelische Kirche zerreißen, waren wohl alle nach Gottes Zulassung im Landeskirchentag vertreten. Sollten wir sie gegeneinander in den Bruderkrieg führen? Sollten wir durch Mehrheitsbeschlüsse die Minderheit an den Boden zwingen, ohne sie zu überzeugen? Das wäre parlamentarisches, fleischliches und kein kirchliches und geistliches Handeln gewesen. Statt dessen wurden wir, ohne vorherige Berechnung, einen Weg geführt, auf welchem in unserer Mitte alles Parteibewußtsein e r s t a r b. Wir wußten uns lediglich als Glieder e i n e r Kirche, die zusammen wirkten, das Wort herauszubringen, was sie in ihrer gegenwärtigen Verfassung in Einmütigkeit, in der Wahrheit und in der Liebe sagen konnten und mußten. Der Landeskirchentag steht und fällt mit dieser seiner Entschließung dem Herrn der Kirche, vor dessen Angesicht wir sie gefaßt haben. Der Landeskirchentag hat uns gezeigt, daß es wirklich einen Weg gibt, auf welchem die Spannungen innerhalb der Kirche zu einer L ö s u n g kommen ohne faulen Kompromiß. Freilich ist das ein Weg der G e d u l d, wo einer des anderen harrt und alle sich auf das Erbarmen des Herrn geworfen wissen.

Bei der Besinnung auf das Wesen der Kirche, die uns allen in dieser

Zeit neu geschenkt ist, geziemt uns allererst das Bekenntnis, daß wir und unsere Väter gesündigt haben. Die Irrwege, die wir gegangen sind, wären nicht möglich gewesen, wenn uns nicht die klare Erkenntnis der göttlichen Wahrheit, wie sie in unsern Bekenntnissen niedergelegt ist, verlorengegangen wäre. Das gänzliche Fehlen der brüderlichen Zucht hat ein nicht abzusehendes Elend über unsere Kirche gebracht. Unsere Sünden in der Vergangenheit tragen die Schuld an dem Elend der Gegenwart, und in der Qual der Gegenwart hat uns das gerechte Gericht Gottes getroffen.

Die Trauer und das Leidtragen um unsere und die allgemeine große Schuld der Kirche muß unsere Grundgesinnung bleiben, aus welcher heraus wir allein unsern irrenden und fehlenden Brüdern zurechthelfen können. Die Bezeugung solcher Gesinnung Christi, der die Sünden der Welt als seine eigenen Sünden trug, war für den Landeskirchentag wichtiger als alles andere.

Wir verstehen und würdigen die ernste Sorge der Unterzeichner der „Erklärung" und ihren Eifer für unsere Landeskirche, daß sie in dieser großen Entscheidungsstunde ihre heilige Pflicht gegen Gott und die übrigen Kirchen versäumen möchte. Aus diesem Grunde nehmen wir auch davon Abstand, unsere ebenso ernsten Bedenken gegen die Art ihres Vorgehens weiter auszusprechen. Statt zu ermahnen und zu tadeln möchten wir um das Vertrauen auch dieser Männer bitten, das es uns ermöglicht, unsere schwere Aufgabe mit Freudigkeit durchzuführen, gestärkt durch den Rückhalt an einer in sich geschlossenen Kirche.

Binnen 8 Tagen nach jenem Beschluß des Landeskirchentages ist ein Mitglied des Landeskirchenrates in Berlin persönlich bei den höchsten kirchlichen Stellen vorstellig geworden und hat mit Berufung auf den Auftrag des Landeskirchentages die Einstellung der bisher gepflogenen Methoden und die Entlassung des Rechtswalters Jäger mit aller Dringlichkeit gefordert. Dies war der erste Schritt, der sich auf die einmütige Entschließung des Landeskirchentages stützte.

Wir hatten von Herzen gehofft und gewünscht, daß die entscheidenden Verhandlungen, welche in den letzten Tagen gepflogen wurden, eine wirkliche Bereinigung der kirchlichen Fragen gebracht hätten. Das ist aber bis jetzt nicht geschehen. Wir sehen uns deshalb veranlaßt,

unser Zeugnis zur gegenwärtigen Lage

zu geben:

1. Die Kirche hat von Gott dadurch, daß der Heilige Geist in ihrer Mitte Wohnung gemacht hat, die Macht empfangen, alle Gegensätze, welche in ihrer Mitte hervorbrechen, auf geistlichem Wege zur Lösung zu führen. Sie ist deshalb vor Gott für solche Lösung zu jeder Zeit und in jedem Fall verantwortlich.

2. Da Christus „durch seinen Geist und durch sein Wort seine Kirche sammelt, schützt und erhält“, so bedarf sie in ihrem Kampf keiner anderen Mittel. Die Anwendung von Gewaltmaßregeln oder Zwangsmaßnahmen können ein vorhandenes Übel nur ärger machen, aber niemals heilen. Solche Mittel sind also grundsätzlich und gänzlich abzulehnen.

3. Die Aufrichtung eines neuen Papsttumes inmitten der evangelischen Kirche bedeutet für uns eine Verleugnung der Reformation, einerlei, ob dieses Papsttum konfessionell oder anders gefärbt ist. Wir haben darüber zu wachen, daß auch nicht der Schatten eines päpstlichen Systems auf unsere Kirche fällt.

4. Die Reichskirchenregierung hat uns bisher in keiner Weise vergewaltigt. Um der Wahrheit willen dürfen wir das nicht verschweigen. Wir dürfen ihr deshalb, wie jedem Regiment, das Gott bestehen läßt, den schuldigen Gehorsam nicht verweigern, in dem, was nicht wider Gottes Wort und unsere Bekenntnisse sowie das geltende Recht streitet. Das entbindet uns nicht davon, Gott mehr zu gehorchen als den Menschen, so oft ein solcher Fall eintritt. Der Gehorsam gegen Gott steht über jeder menschlichen Bindung.

5. Wir sind also in unserer Landeskirche durch die Hand Gottes einen besonderen Weg geführt worden. Wir haben die göttliche Vorsehung in dieser Beziehung zu beachten, auch wenn wir ihre Absichten mit uns bis heute nicht verstehen.

6. Kein kirchliches Regiment darf sich einer bestimmten Partei oder Gruppe innerhalb der Kirche verschreiben, anderenfalls verleugnet es seine von Gott ihm angewiesene Stellung. Es muß unter allen Umständen in sich die Einheit der Kirche darstellen, bezeugen und festhalten. Spaltungen innerhalb einer Kirche sind immer Krankheitserscheinungen, die den Verfall und die Auflösung und den geistlichen Tod ankündigen. Das Band des Lebens hält alle Gegensätze in einem Organismus in harmonischer Einheit zusammen.

7. Es ist uns unmöglich, der Bekenntnisfront uns einfach einzugliedern. Wir erkennen an, daß ihr Kampf für die Freiheit der evangelischen Kirche und zur Abwehr drohender Gefahren notwendig war und vielleicht weiter nötig sein wird. Wir achten die Männer hoch, welche um ihrer Überzeugung und um der Sache Christi willen alles aufs Spiel setzen: ihr Amt, ihre Stellung, ihre Familien, ja ihr Leben! Wir stehen hinter ihnen zur Abwehr jedes Irrtums, jedes Rechtsbruches, jedes bekenntniswidrigen Eingriffs, die sich gegen die Kirche erheben. Wir sind bereit, wenn es sein muß, mit ihnen um der Wahrheit des Evangeliums willen und zur Erhaltung der Freiheit und Selbständigkeit der Kirche zu leiden. Aber unsere Erkenntnis des göttlichen Wortes ebenso wie die Führung Gottes mit unserer Kirche er-

lauben es uns nicht, denselben Weg zu gehen, welchen diese Männer für richtig halten, obwohl unsere Ziele weithin dieselben sind. Wir möchten mit den verantwortlichen Führern dieser Bewegung ein herzliches Verhältnis gegenseitigen Vertrauens pflegen und, wo wir irren, ihrer brüderlichen Zurechtweisung uns unterwerfen, wie andererseits auch uns die Liebe es gebietet, mit unsern Bedenken und Sorgen, welche uns für sie erfüllen, nicht zurückzuhalten.

Wir müssen aber auch ernst bezeugen, daß die Liebe und die Furcht Gottes unter uns nicht wohnt, wenn wir trotz der Warnung des Wortes Gottes einander beißen und fressen, wenn wir entgegen der Belehrung unseres Katechismus einander unverhört und leichtlich verdammen helfen, wenn wir nicht allerlei Lügen und Trügen als eigene Werke des Teufels bei schwerem Gotteszorn vermeiden und nicht unseres Nächsten Ehre und Glimpf nach unserem Vermögen retten und fördern.

Wir wissen nicht, was für schwere Kämpfe in der nächsten Zukunft uns bevorstehen mögen, was für folgenschwere Entscheidungen von uns getroffen werden müssen. Nur eines kann uns durch die Wirrnisse dieser bösen Tage sicher hindurchbringen: daß wir den Weg gehen, auf welchem Gott mit uns sein, auf welchem Er sich zu uns bekennen wird. Es ist unser tiefstes Anliegen, daß uns dieser Weg gezeigt werden möge, und daß unsere Herzen allezeit willig gemacht seien, diesen Weg auch wirklich zu gehen. In dieser letzten Absicht glauben wir uns auch mit den Unterzeichnern der Erklärung eins zu wissen.

Die Mitglieder des Landeskirchentages aber bitten wir, fest zu stehen in ihrem Sinn und sich durch nichts abwendig machen zu lassen von dem, was uns am 17. Oktober gemeinsam aus Gnaden geschenkt wurde.

Wir sind gewiß, daß wir nicht einem Betrug zum Opfer gefallen sind, sondern daß es sich am Ende klar zeigen wird: Gott sah uns freundlich an, wie wir es von Ihm erflehten und erhofften, und zeigte uns einen Weg, auf welchem der ganzen Kirche geholfen werden könnte, wenn sie ihn gehen wollte.

Der Landeskirchenvorstand
Horn Koopmann

5. Antwort von Pastoren und Kandidaten der Evangelisch-reformierten Landeskirche der Provinz Hannover auf die Kundgebung „Zur Klarstellung" des Landeskirchenvorstandes. 28. November 1934.

Original.

Der Landeskirchenvorstand bittet in seiner Kundgebung „Zur Klarstellung" vom 15. November um das Vertrauen der Unterzeichner der Erklärung. Das gibt uns den Anlaß, folgendes zu antworten:

I.

1. Unsere Erklärung ist einige Tage vor ihrem Erscheinen in der „Reformierten Kirchenzeitung" ordnungsmäßig dem Landeskirchenvorstand übersandt worden. Daß wir dabei nicht die Aussetzung des Beschlusses des Landeskirchentages mit dem Ziele seiner völligen Aufhebung durch einen besser zu unterrichtenden Landeskirchentag beantragt haben, ist leicht verständlich aus der Tatsache, daß die Entschließung des Landeskirchentages am 17. Oktober einmütig und unter starker Mitwirkung von Mitgliedern gerade des Landeskirchenvorstandes gefaßt worden ist.

2. Die Notwendigkeit der Veröffentlichung unserer Erklärung in der „Reformierten Kirchenzeitung" ergibt sich daraus, daß

a) die Entschließung des Landeskirchentages weithin in den Tageszeitungen abgedruckt worden ist,
b) zahlreiche Gemeindeglieder verwirrt hat,
c) manche Pastoren, deren ablehnende Stellung gegenüber der jetzigen Reichskirchenregierung in ihren Gemeinden bekannt war, bloßgestellt hat,
d) unsere Brüder in ganz Deutschland, die erwartungsvoll auf unsere Landeskirche schauten, durch die Entschließung des Landeskirchentags bitter enttäuscht waren.

3. Nicht die Entschließung des Landeskirchentages ist in der „Reformierten Kirchenzeitung" zurückgehalten worden; vielmehr ist ein Bericht, der diese Entschließung in ihrer Einmütigkeit als ein Gnadengeschenk Gottes pries, um eine Woche zurückgestellt worden, damit nicht ein Eindruck entstehe, der der in der Landeskirche weithin vorhandenen Überzeugung durchaus nicht entsprach.

II.

1. Was wir laut unserer Erklärung vom Landeskirchentage erwarteten, war nicht die Befriedigung unserer menschlichen Wünsche, sondern der Gehorsam gegen den Willen Gottes.

2. Der Gehorsam des Glaubens weist uns gerade als Glieder unserer Landeskirche unter Überwindung geographischer Grenzen und regionaler Gesichtspunkte in die Gemeinschaft der gesamten bekennenden Kirche Deutschlands.

3. Von solcher Haltung aus erscheint uns die Ablehnung des Sicherungsgesetzes, das schon an sich in seinem Werte zweifelhaft ist, nicht als „Überglaube" und „Schwärmerei", sondern als ein schlichtes Zeugnis der Glaubens- und Schicksalsverbundenheit mit der übrigen bekennenden Kirche.

4. In solcher Glaubens- und Schicksalsverbundenheit mit der bekennenden Kirche wie auch in der Ablehnung des häretischen (= irrgläubigen und unbiblischen) deutsch-christlichen Systems wissen wir uns frei von jedem „Parteibewußtsein", das uns der Landeskirchenvorstand vorzuwerfen scheint.

5. Wir meinen auch durch solche Haltung uns keineswegs zu Richtern über Personen aufzuwerfen, wohl aber zu der Forderung an den Landeskirchentag berechtigt zu sein, daß er in Ausübung seines synodalen Wächteramtes die Geister prüfe.

Dazu wäre er um so leichter in der Lage gewesen, als nicht nur zahlreiche weltliche Gerichte ihr Urteil über die Geschehnisse innerhalb der Deutschen Evangelischen Kirche klar ausgesprochen haben, sondern auch der Irrgeist des deutsch-christlichen Systems aus zahlreichen Aussprüchen und Handlungen für ein geistliches Urteil klar genug erkennbar war.

6. Solches geistliche Urteil über geistige Bewegungen hat mit „Beißen" und „Fressen", mit einem „unverhört und leichtlich verdammen Helfen", mit „allerlei Lügen und Trügen" nichts zu tun.

III.

1. Der Landeskirchenvorstand ist der Meinung, daß auf dem Landeskirchentage eine Lösung der Spannungen gelungen sei. Da es eine Einmütigkeit zwischen Deutschen Christen und bekennenden Christen nicht geben kann, sehen wir in dem, was dem Landeskirchenvorstand eine Lösung von Spannungen zu sein scheint, eine

Verkleisterung des Risses, der zwischen Irrtum und Wahrheit besteht.

2. „Die Sünden der Welt mit zu tragen" bedeutet nicht, den Verfälschern der Wahrheit in der Kirche Christi Raum zu gewähren, was ja auch klar durch die von maßgeblichen Männern unserer Kirchenleitung beim Osnabrücker Konvent anerkannte „Barmer Erklärung"[27] ausgeschlossen sein sollte.

3. Die Irrlehre des häretischen deutsch-christlichen Systems, von der wir abrücken müssen, bezieht sich nicht nur auf den einen vom Landeskirchenvorstand angeführten Punkt (Trennung von Substanz und Verfassung); dieser ist vielmehr nur ein Teil des gesamten Irrlehre-Systems der falschen Kirche.

4. Wenn der Landeskirchenvorstand es nicht verschweigen zu dürfen meint, daß die deutsch-christliche Reichskirchenregierung, in der wir die falsche Kirche sehen, uns bisher in keiner Weise vergewaltigt hat, so meinen wir erst recht nicht dazu schweigen zu dürfen, daß sie unsere evangelischen, insbesondere unsere reformierten Brüder in anderen Teilen Deutschlands um so brutaler behandelt hat.

5. Unsere ablehnende Stellung zu der deutsch-christlichen Reichskirchenregierung hat ihren Grund nicht nur in einzelnen verkehrten Handlungen dieser Reichskirchenregierung, sondern darin, daß das deutsch-christliche System die Kennzeichen der falschen Kirche an sich trägt;

wie es uns andrerseits auch ganz fern liegt, bei unserer eigenen Kirchenleitung einzelne Handlungen zu kritisieren, sondern vielmehr die gesamte Marschrichtung unserer Kirchenleitung unseren sachlich begründeten Widerspruch finden muß.

6. Diese Marschrichtung scheint uns dahin zu führen, daß man der bekennenden Kirche seine Sympathie erklärt, mit der Tat aber die Verbindung mit dem deutsch-christlichen Kirchensystem, der Nicht-Kirche, aufrecht erhält. Daß uns von unserem reformierten Bekenntnis her und zugleich aus unserer Verbundenheit mit der bekennenden Kirche heraus die Hinnahme des Sicherungsgesetzes aus den Händen der „Nationalsynode", deren Unrechtmäßigkeit auch neuerdings wieder von höchsten Gerichten und Staatsbehörden festgestellt ist, als unmöglich erscheint, das ist kein „Überglaube" und keine „Schwärmerei", sondern ergibt sich uns ohne weiteres aus der uns nach unserer Überzeugung von Gott gewiesenen Marschrichtung.

---

[27] Vom 4. Januar 1934; s. S. 10, Anm. 2.

Auch meinen wir, daß wir uns durch die Weigerung, das Sicherungsgesetz aus den Händen dieser „Nationalsynode" hinzunehmen, nicht eines Durchstechens des von den Vätern gebauten Dammes schuldig gemacht haben würden, müssen vielmehr zu unserem tiefen Schmerz feststellen, daß unsere Kirchenleitung schon seit längerer Zeit im Begriff gewesen ist, diesen Damm zu zerstören. Dabei weisen wir hin

a) auf die Tatsache, daß im Juni 1933 die Kirchenräte nicht gewarnt worden sind, dem Ansinnen des deutsch-christlichen Staatskommissars Jäger Folge zu leisten,

b) daß man durch Benennung und Ernennung eines Beauftragten uns zugemutet hat, den unlauteren Machenschaften des Reichsbischofs hinsichtlich der Eingliederung der evangelischen Jugend in die Hitler-Jugend uns zu fügen,

c) daß man trotz der anderslautenden vorherigen Erklärung des Landeskirchenrats vom 12. Juni 1934 mit der sogenannten Nationalsynode als ordnungsmäßiger Kirchensynode zusammengearbeitet und sich ihrer allgemeinen Gesetzgebung unterstellt hat.

7. Umgekehrt hat unsere Kirchenleitung durch ihr praktisches Verhalten mit zunehmender Deutlichkeit einen Damm gegenüber der bekennenden Kirche aufgerichtet.

War es wirklich göttliche Vorsehung, daß unsere Landeskirche einen anderen Weg ging als die gesamte bekennende Kirche Deutschlands, oder hätte nicht gerade unsere Kirche vom Bekenntnis der Väter her auf dem Wege der bekennenden Kirche vorangehen müssen?

8. Was in der Kundgebung des Landeskirchenvorstandes gesagt wird über „das Band des Lebens, das alle Gegensätze in harmonischer Einheit zusammenhalte", scheint uns mehr den Gedankengängen eines mystischen und theosophischen Schwärmertums und der Art Schleiermacherscher Theologie als dem reformierten Bekenntnis unserer Väter zu entsprechen. Was unsere Väter zusammenhielt und auch uns zusammenhält, ist die Einigkeit des wahren Glaubens.

9. Wo eine Kirche gesund im Glauben ist, hat sie die Kraft, durch Bezeugung der Wahrheit den Irrtum zu überwinden und Krankheitsstoffe aus ihrem Organismus auszuscheiden.

Das bedeutet praktisch in der heutigen Lage, daß auf einer Synode Einmütigkeit zwischen Deutschen Christen und bekennenden Christen nicht möglich ist und daß in der praktischen Haltung klare Scheidung von der deutsch-christlichen Reichskirchenregierung vollzogen wird.

Wir haben uns ernstlich bemüht, im Kampf um die Erneuerung der Kirche den Weg des Gehorsams gegen die erkannte Wahrheit zu gehen. Mit Dank gegen Gott bezeugen wir, daß dieser Weg uns vom deutsch-christlichen Kirchensystem gelöst und in die bekennende Kirche hineingeführt hat.

Wir sind überzeugt, daß wir nur so unserer Landeskirche den notwendigen Dienst tun können.

Beer-Lage,
Cramer-Schüttorf,
Gründler-Veldhausen,
Hamer-Gildehaus,
Hamer-Weener,
Immer-Emden,
Immer-Norden,
Krüger-Suurhusen,
Machert-Bentheim,
Middendorff-Schüttorf,
Oltmann-Loga,
Poets-Ihrenerfeld,
Ringena-Gildehaus,
Rosenboom-Neuenhaus,
Saueressig-Georgsdorf,
Scherz-Ditzumerverlaat,
Udo Smidt-Lehe,
Steen-Holthusen

Mit grundsätzlicher Zustimmung schließen sich an:

Ferlemann-Weenermoor,
Petersen-Möhlenwarf,
Züchner-Ihrhove,
und ein anderer.

Nicht ordinierte Hilfsprediger und Kandidaten:

Bokeloh-Kleinmidlum,
Bos-Critzum,
Buisman-Visquard,
Hamer-Canum,
Hensmann-Hamswehrum,
Herlyn-Twixlum,
Löpmann-Dykhausen,
Müntinga-Arkel,
van Ophuisen-Aumund,
Petersen-Upleward,
Smidt-Emden,
und ein anderer.

Nachträglich:

Bomfleur-Schüttorf,
Busmann-Veldhausen,
Cöper-Hinte,
Dirksen-Sattenhausen,
Duit-Blumenthal,
Goeman-Kirchborgum,
Hamer-Neermoor,
Pannenborg-Groothusen,
Smidt-Hameln,
sowie drei andere, die ihre Namen unter die an den Landeskirchenvorstand gegangene Antwort gesetzt haben.

Mit grundsätzlicher Zustimmung:

Dahm-Papenburg

Ferner als Gäste:

Dr. Bernds-Frankfurt/M.,
Herrenbrück-Uelsen,
Jakobs-Elberfeld

Die Sammlung der Unterschriften ist noch nicht abgeschlossen.

6. Kundgebung des Arbeitsausschusses der Bekenntnisgemeinschaft innerhalb der Evangelisch-reformierten Landeskirche der Provinz Hannover. „Was sie will und wie es zu ihr kam." 30. November 1934.

Original.

1. Wir wollen keine Spaltung innerhalb unserer reformierten Landeskirche, vielmehr deren Erbauung im Sinne von Eph. 2, 19—22, dem Vorspruch unserer Kirchenverfassung, und von Eph. 4, 3—6, im Zusammenhang mit der gesamten bekennenden Kirche Deutschlands.

2. Im gegenwärtigen Kampf der gesamten evangelischen Kirche Deutschlands ist das Ziel unseres Dienens und Betens nicht eine kirchliche oder konfessionelle Restauration (d. h. Festhalten am Alten und Wiederherstellung früherer Zustände). Nicht rückwärts gerichtete Restauration, sondern vorwärts gerichtete Reformation! Unser Einsatz gilt der allein aus Gottes Wort durch den Heiligen Geist zu erneuernden Kirche und Gemeinde. Aufgerufen sind wir dazu gerade durch das Erbe und die Verantwortung unseres nach Gottes Wort reformierten Bekenntnisses. Solche Verantwortung muß, wie einst, so auch heute in der Zugehörigkeit zur gesamten evangelischen Kirche sich bewähren. In Gottes Wort gebunden glauben wir, daß unsere reformierte Landeskirche neu gesegnet wird, wenn sie heute in praktischer Gemeinschaft und kämpfender Bereitschaft mit der gesamten bekennenden Kirche Christi in Deutschland zusammensteht.

3. Dieses Anliegen wurde auf der Tagung des Reformierten Bundes in Detmold am 29. November 1934 als Anliegen der dort versammelten reformierten Gemeinden Deutschlands erkannt und auf folgende Weise zum Ausdruck gebracht:
„Aufgerufen durch die Dahlemer Botschaft der Bekenntnissynode der Deutschen Evangelischen Kirche und in Ausführung des Beschlusses der freien reformierten Synode in Barmen vom 4. Januar 1934 erklärt die Hauptversammlung des Reformierten Bundes folgendes:
1. Wir erkennen die Bekenntnissynode der Deutschen Evangelischen Kirche, wie sie auf den Tagungen von Barmen und Dahlem in die Erscheinung getreten ist, als die rechtmäßige Leitung der Deutschen Evangelischen Kirche an.
2. Wir fordern die dem Bunde angeschlossenen Gemeinden und Einzelmitglieder auf, sich von jeder Zusammenarbeit mit dem falschen, deutsch-christlichen Kirchenregiment zurückzuziehen.
3. Im Glauben an die eine, heilige, allgemeine Kirche Jesu Christi bejahen wir aufs neue die alte Aufgabe des Reformierten Bundes, die

nach Gottes Wort reformierte Kirche in Deutschland zu sammeln und zu ihrer besonderen Verantwortung aufzurufen.
4. Wir halten es um der Arbeitsfähigkeit des Moderamens willen für nötig, daß ihm nur solche Männer angehören, die diese Beschlüsse billigen und durchzuführen bereit sind."

Wir sehen es als unsere Aufgabe an, an unserem Teil die Verwirklichung dieser Botschaft durch unseren Dienst an Predigern, Ältesten und Gemeinden auszurichten.

4. Diesem Zweck dient die Bildung einer Bekenntnisgemeinschaft innerhalb unserer Landeskirche. Unsere Hoffnung, daß unsere Landeskirche geschlossen in ihrer verantwortlichen Vertretung das in den Botschaften der Barmer und der Dahlemer Bekenntnissynode hervorgetretene Anliegen sich zu eigen machen werde, hat sich bislang nicht erfüllt. Wir unsererseits wollen nunmehr diese Aufgabe für unsere Kirche auf unsere Verantwortung nehmen. So entstand in Detmold auf der Hauptversammlung des Reformierten Bundes die Bekenntnisgemeinschaft innerhalb unserer evangelisch-reformierten Landeskirche der Provinz Hannover. Wir nennen uns Bekenntnisgemeinschaft, um dadurch unsere Verbundenheit mit der Bekenntnisgemeinschaft in ganz Deutschland zu bekunden. Zur Durchführung ihrer Aufgabe bestellt die Bekenntnisgemeinschaft einen aus Predigern und anderen Ältesten bestehenden Arbeitsausschuß.

Glieder unserer Landeskirche, die auf dem Boden der oben mitgeteilten Entschließung des Reformierten Bundes vom 29. November 1934 stehen, sind als Mitglieder der Bekenntnisgemeinschaft willkommen und werden gebeten, sich bei dem vorläufigen Schriftführer, Pastor Steen in Holthusen bei Weener, Ostfriesland, möglichst bald anzumelden.

Der vorläufige Arbeitsausschuß:

Pastor Oltmann in Loga, Vorsitzender,

Rechtsanwalt Arends in Neuenhaus, Medizinalrat Dr. Buurmann in Loga, Pastor Middendorff in Schüttorf, Pastor Steen in Holthusen, vorläufiger Schriftführer.

7. Kundgebung des Landeskirchenvorstandes der Evangelisch-reformierten Landeskirche der Provinz Hannover an die Gemeinden der Landeskirche. 28. März 1935.

Kirchliches Gesetz- und Verordnungsblatt für die Evangelisch-reformierte Landeskirche der Provinz Hannover; 8. Band, Nr. 5, 4. April 1935.

In Übereinstimmung mit den Kundgebungen der „Vorläufigen Leitung der DEK" vom 21. Februar 1935[28] und der „Bekenntnissynode der evangelischen Kirche der Altpreußischen Union" vom 5. März 1935[29] richten wir folgendes Wort an die Gemeinden unserer Landeskirche:

Auch wir sehen unser Volk von einer tödlichen Gefahr bedroht. Die Gefahr besteht in einer neuen Religion, der sogenannten Deutschen Glaubensbewegung und aller ihr verwandten Bestrebungen. Kein Glied unserer reformierten Kirche darf darüber im Zweifel sein: Wer sich dieser neuen Religion ergibt, ist damit von Christus und seiner Kirche abgefallen.

Was wir zu sagen haben, ist das einmütige Zeugnis der ganzen christlichen Kirche aller Zeiten:

I. Wir bekennen Gott, den Vater unseres Herrn Jesus Christus, den allmächtigen Schöpfer Himmels und der Erden, der keine anderen Götter haben will neben sich, und der seine Ehre keinem andern geben will.

Damit verwerfen wir auf Grund der Schrift alle Versuche, anstatt des einigen wahren Gottes, der sich in seinem Wort hat geoffenbaret, oder neben demselben etwas anderes zu erdenken, worauf der Mensch sein Vertrauen setzt.

Blut und Rasse, Volkstum, Ehre und Freiheit sind die wertvollsten Grundlagen für den natürlichen Aufbau jedes Volkes; macht man sie aber zu ewigen Höchstwerten, dann treibt man Abgötterei.

> Jeremia 9, 22 f.:
> So spricht der Herr: Ein Weiser rühme sich nicht seiner Weisheit, ein Starker rühme sich nicht seiner Stärke, ein Reicher rühme sich nicht seines Reichtums.
> Sondern wer sich rühmen will, der rühme sich des, daß er mich wisse und kenne, daß Ich der Herr bin, der Barmherzigkeit,

---

[28] J. Beckmann, a. a. O., S. 84 f.
[29] J. Beckmann, a. a. O., S. 85 f.

Recht und Gerechtigkeit übet auf Erden; denn solches gefällt mir, spricht der Herr.
Heidelberger Katechismus Frage 26. 94. 95.

II. Wir bekennen Jesus Christus, den Sohn Gottes, der geboren ist aus dem Samen Davids nach dem Fleisch, den gekreuzigten und auferstandenen Herrn, der für alle unsere Sünden vollkömmlich bezahlet und uns aus aller Gewalt des Teufels erlöset hat.

Wir verwerfen auf Grund der Schrift jeden Versuch, die Würde des Christus und seines Werkes einem anderen zu geben, oder einen heldischen Jesus an die Stelle des Lammes Gottes zu setzen. Damit wird das Ärgernis des Kreuzes zunichte gemacht und der einige Trost im Leben und im Sterben uns geraubt.

Jesaja 42, 8:
Ich, der Herr, das ist mein Name; und will meine Ehre keinem andern geben, noch meinen Ruhm den Götzen.
1. Korinther 1, 21—25:
Denn dieweil die Welt durch ihre Weisheit Gott in seiner Weisheit nicht erkannte, gefiel es Gott wohl, durch törichte Predigt selig zu machen die, so daran glauben;
sintemal die Juden Zeichen fordern und die Griechen nach Weisheit fragen,
wir aber predigen den gekreuzigten Christus, den Juden ein Ärgernis und den Griechen eine Torheit;
denen aber, die berufen sind, Juden und Griechen, predigen wir Christum, göttliche Kraft und göttliche Weisheit.
Denn die göttliche Torheit ist weiser, als die Menschen sind, und die göttliche Schwachheit ist stärker, als die Menschen sind.
Heidelberger Katechismus Frage 1. 31.

III. Wir bekennen den heiligen Geist, gleich ewigen Gott mit dem Vater und dem Sohn, der uns gegeben ist, und der uns in alle Wahrheit leitet. Er allein macht uns Christi und aller seiner Wohltaten teilhaftig.

Wir verwerfen auf Grund der Schrift als einen Betrug des Satans den Wahn, als sei der natürliche Seelengrund Gott, und als hörten wir Gott in der Stimme unseres Blutes.

Römer 5, 5:
Die Liebe Gottes ist ausgegossen in unser Herz durch den heiligen Geist, welcher uns gegeben ist.
1. Korinther 2, 14:
Der natürliche Mensch (natürlich = seelisch) aber vernimmt nichts

vom Geist Gottes; es ist ihm eine Torheit, und er kann es nicht erkennen; denn es muß geistlich gerichtet sein.

Joh. 10, 27:

Meine Schafe hören meine Stimme, und ich kenne sie, und sie folgen mir.

Heidelberger Katechismus Frage 53. 7. 8.

IV. Wir bekennen uns zu dem ganzen, ungeteilten Worte Gottes Alten und Neuen Testaments, dem untrüglichen Wegweiser des Heils, der alleinigen Quelle der Offenbarung des dreieinigen Gottes.

Wir verwerfen auf Grund der Schrift jeden Versuch, die Bibel als ein Buch der Juden abzuwerten. In die Irre führen auch alle Versuche, die Geschicke der Völker und der einzelnen Menschen ohne das Licht des Wortes und Geistes Gottes zu deuten.

Matth. 5, 17—19:

Ihr sollt nicht wähnen, daß ich gekommen bin, das Gesetz oder die Propheten aufzulösen; ich bin nicht gekommen, aufzulösen, sondern zu erfüllen.

Denn ich sage euch wahrlich: Bis daß Himmel und Erde zergehe, wird nicht zergehen der kleinste Buchstabe noch ein Tüttel vom Gesetz, bis daß es alles geschehe.

Wer nun eins von diesen kleinsten Geboten auflöst und lehrt die Leute also, der wird der Kleinste heißen im Himmelreich; wer es aber tut und lehrt, der wird groß heißen im Himmelreich.

Heidelberger Katechismus Frage 19.

V. Wir bekennen, daß die Bibel uns lehrt, im Staate eine von Gott gesetzte Ordnung zu erblicken, und daß wir deshalb gerade als Christen dem Staate auf dem ihm von Gott zugewiesenen Gebiete alle Ehre, Liebe und Treue beweisen sollen, dieweil uns Gott durch seine Hand regieren will.

Wir verwerfen auf Grund der Schrift in gleicher Weise jede heimliche und offene Auflehnung gegen die Staatsautorität, wie auch eine Staatsauffassung, die sich dessen nicht bewußt bleibt, daß jedes Regiment seine Macht und Aufgabe letztlich nicht von den Menschen, sondern von dem lebendigen Gott hat, dem es verantwortlich ist.

Alle irdische Ordnung der Dinge ist zeitlich; wir strecken uns deshalb verlangend aus nach dem Tage, da der Herr Christus wiederkommt und die Verheißung erfüllt wird:

Es sind die Reiche dieser Welt unseres Herrn und seines Christus geworden, und Er wird

regieren von Ewigkeit zu Ewigkeit! (Offenbarung 11, 15.)
Römer 13, 1:
Jedermann sei untertan der Obrigkeit, die Gewalt über ihn hat. Denn es ist keine Obrigkeit ohne von Gott; wo aber Obrigkeit ist, die ist von Gott verordnet.
2. Petri 3, 13:
Wir warten aber eines neuen Himmels und einer neuen Erde nach seiner Verheißung, in welchen Gerechtigkeit wohnt.
Heidelberger Katechismus Frage 104.

Der Landeskirchenvorstand

Horn Koopmann

8. Vierte Mitteilung des Landeskirchenrates der Evangelisch-reformierten Landeskirche der Provinz Hannover. 21. März 1935.

Original.

1. Aufgrund eines Beschlusses des Landeskirchenvorstandes vom 27. Februar 1935 haben wir durch ein Schreiben vom 1. März ds. Js. dem Herrn Reichsminister des Innern unter eingehender Begründung mitgeteilt, daß der Landeskirchenvorstand das zeitige Geistliche Ministerium des Herrn Reichsbischofs als rechtmäßig nicht anerkennt.

2. Der unter dem 23. November 1934 zunächst als „Das vorläufige Kirchenregiment der Deutschen Evangelischen Kirche" eingesetzten und seit dem 1. Dezember 1934 als „Die vorläufige Leitung der Deutschen Evangelischen Kirche" sich bezeichnenden Vorläufigen Kirchenleitung Marahrens hat der Landeskirchenvorstand bislang unsere Evangelisch-reformierte Landeskirche der Provinz Hannover nicht angeschlossen.

3. Unter dem 5. März 1935 hat die Bekenntnissynode der Evangelischen Kirche der Altpreußischen Union eine Kundgebung „An die Gemeinden" erlassen[30], in der auf die Gefahr der „Deutschen Glaubensbewegung" als einer „neuen Religion" hingewiesen wird. Am 16. und 17. März ds. Js. sind von den Polizeiorganen auch Pfarrern unserer Landeskirche Reverse vorgelegt worden, durch deren Unterzeichnung sie sich verpflichten sollten, von der Verlesung dieser Kundgebung auf der Kanzel sowie von der anderweitigen Bekanntgabe derselben an die Gemeinden Abstand zu nehmen. Zum Teil sind die

[30] S. Anm. 29.

Unterschriften mit Gewalt erzwungen worden, zum Teil ist zur Anwendung der Schutzhaft gegriffen worden. Wir haben uns sofort von sämtlichen Kirchenräten Bericht erstatten lassen. Mit diesen Vorgängen hat sich auch bereits der Landeskirchenvorstand in seiner gestrigen Sitzung befaßt. Aufgrund seines gestrigen Beschlusses haben wir heute namens des Landeskirchenvorstandes ein eingehend begründetes Protestschreiben an den Herrn Reichsminister des Innern gerichtet.

4. In der Angelegenheit, betreffend die „Deutsche Glaubensbewegung", werden weitere Maßnahmen vorbereitet.

Der Landeskirchenrat

9. Bericht über eine Besprechung zwischen der Leitung der Evangelisch-reformierten Landeskirche der Provinz Hannover und drei Mitgliedern des Arbeitsausschusses der Bekenntnisgemeinschaft.
15. April 1935.

Original.

„Am 15. April waren die unterzeichneten Mitglieder des Arbeitsausschusses der Bekenntnisgemeinschaft auf Einladung des Landeskirchenvorstandes zu einer Besprechung in Aurich. Von seiten der Landeskirchenleitung nahmen teil: Kirchenpräsident Horn, Landessuperintendent D. Dr. Hollweg, Präsident Koopmann und Pastor Voget. Der Gegenstand der Besprechung war: Die Beschlüsse der Siegener Synode, insbesondere die Durchführung des Beschlusses über die Sammlung der reformierten Gemeinden Deutschlands.

Das Ergebnis der Besprechung und die sich für uns daraus ergebenden Folgerungen fassen wir in folgende Sätze zusammen:

1. Die Leitung unserer Landeskirche hat zu dem gesamtkirchlichen Geschehen im wesentlichen dieselbe Haltung und Zurückhaltung beibehalten, die wir seit zwei Jahren an ihr kennen.

a) Noch immer lehnt die Leitung unserer Landeskirche die Anerkennung der Bekenntnissynode der Deutschen Evangelischen Kirche als der rechtmäßigen Leitung der Deutschen Evangelischen Kirche ab und hält nach wie vor die Verbindung aufrecht mit dem deutschchristlichen Kirchenregiment.

b) Noch immer hat unsere Kirchenleitung kein Verständnis für den

Weg, auf dem die bekennende Evangelische Kirche Deutschlands durch die Not der Zeit aus dem Bekenntnis**stande** zur praktischen Bekenntnis**haltung** im Sinne der 1. Freien Reformierten Synode zu Barmen (Januar 1934), sowie der beiden Bekenntnissynoden der Deutschen Evangelischen Kirche zu Barmen (Mai 1934) und Dahlem (Oktober 1934) geführt wurde. Diese Haltung ist um so weniger zu verstehen, als es in Punkt 3 des von dem Landeskirchenvorstand angenommenen Uelsener Protokolls heißt: „Wir sind einig darin, daß sich der wirkliche Bekenntnisstand unserer reformierten Kirche nach Leben und Ordnung in einer dem Bekenntnis der Väter entsprechenden praktischen Bekenntnishaltung beweisen und bewähren muß"[31].

2. Obwohl man zugibt, daß die **Sammlung der reformierten Gemeinden Deutschlands** über den Weg des Osnabrücker Konvents fehlgeschlagen hat, obwohl man auch keinen neuen Weg hin zu der einen reformierten Kirche Deutschlands gezeigt hat, lehnt man aus den in Punkt 1 genannten Gründen den von der Siegener Synode[32] beschrittenen Weg zur Sammlung der reformierten Gemeinden Deutschlands ab.
3. Mit tiefem Schmerz haben wir festzustellen, daß bei unserer Kirchenleitung ein praktisches Zusammengehen mit der bekennenden, kämpfenden Kirche Christi abgelehnt wird. Dadurch findet die in der Eigenart einer nach Gottes Wort reformierten Kirche begründete Gesamt-Verantwortung heute keine entsprechende Verwirklichung.
4. Dieser Weg führt zu einer immer stärkeren **Isolierung unserer Landeskirche** auf Kosten des brüderlichen und kirchlichen Zusammenschlusses aller Reformierten in Deutschland und auf Kosten des Zusammenstehens mit der gesamten bekennenden Kirche Deutschlands.
5. Wir sind der Überzeugung, daß wir an unserem Teil dieser eben genannten gesamtkirchlichen Aufgabe, damit aber auch unserer eigenen Landeskirche am besten dienen, wenn wir die **Durchführung der Siegener Beschlüsse** verwirklichen und die **Bildung der Klassensynoden** in die Hand nehmen.
6. An der Hand der Siegener Beschlüsse haben wir der Leitung unserer Landeskirche erklärt:

a) **Der Weg der Sammlung zu freien Synoden führt nicht zu einem doppelten Kirchenregi-**

[31] Das Uelsener Protokoll s. S. 16 f.
[32] s. S. 19, Anm. 7.

ment auf dem Gebiet unserer Landeskirche (vergl. Punkt 6 des Siegener Beschlusses!).

b) Entsprechend der bisherigen Haltung unserer Bekenntnisgemeinschaft hat auch die straffere Zusammenfassung zu freien Synoden auf dem Gebiet unserer Landeskirche vorläufigen Charakter.

c) Das in den Bezeichnungen „Klassensynode", „Quartiersynode", „Gesamtsynode" enthaltene Wort „Synode" hat dort sein notwendiges Recht, wo die wahre Kirche zerstört ist, wird aber im Bereich unserer Landeskirche wegen des Zusammenhangs mit den übrigen Teilen der bekennenden reformierten Kirche Deutschlands gebraucht.

d) Indem wir die praktische Kirchengemeinschaft mit den reformierten Gemeinden des gesamten Deutschland vorbereitend herstellen, halten wir den Weg offen für die Zeit, in der, wie wir hoffen, unsere Landeskirche geschlossen in die Reihe der bekennenden, kämpfenden Kirche Christi in Deutschland einrückt."

Oltmann Udo Smidt Middendorff

10. Erklärung des Landeskirchenvorstandes der Evangelisch-reformierten Landeskirche der Provinz Hannover. 12. Juni 1935.

Original.

In der letzten Zeit ist uns aus den Gemeinden der Landeskirche verschiedentlich die Bitte vorgetragen worden, wir möchten die grundsätzliche Haltung der Landeskirche in den kirchlichen Wirren der Gegenwart in klarer und unmißverständlicher Weise zum Ausdruck bringen. Wir kommen diesen Wünschen hiermit nach und äußern uns dazu, wie folgt:

1. Unser Verhältnis zur Reichskirche.

a) Durch die Unterzeichnung der Verfassung der DEK vom 11. Juli 1933 ist unsere Landeskirche gleichzeitig mit sämtlichen anderen deutschen evangelischen Landeskirchen Glied der DEK geworden. Diese Verfassung hat durch das Gesetz der Reichsregierung vom 14. Juli 1933 öffentlich-rechtliche Anerkennung gefunden. Dieser Rechtsordnung sind wir unterstellt; sich ihr durch einen einseitigen Willensakt zu entziehen, liegt nicht in unserer Macht; sie kann auch nur durch das

Zusammenwirken aller an ihrer Schaffung beteiligten Organe verändert werden.

b) Was insbesondere unsere Stellung zu dem lutherischen Herrn Reichsbischof betrifft, so ist unser Verhältnis zu ihm auf Grund der genannten Verfassung stets ein äußerst lockeres gewesen. Ist doch das große und entscheidende Gebiet kirchlichen Handelns, das der Wahrung und Pflege des Bekenntnisses dient, von vornherein gemäß Artikel 6 Ziffer 3 Absatz 2 seiner Befugnis restlos entzogen. Trotzdem aber haben wir in dem Bewußtsein, als Glied der DEK mit verantwortlich zu sein für das, was in ihrem Raume geschah, unser Zeugnis erhoben, wo wir Unrecht und Irrlehre sahen.

c) Wenn uns erst kürzlich wieder von Pastoren der Landeskirche der Vorwurf gemacht wurde, daß wir nach wie vor „die Verbindung mit dem deutsch-christlichen Kirchenregiment" aufrecht erhielten, so können wir darin nur eine bedauerliche, weil irrige und deshalb in die Irre führende Beurteilung unseres Handelns erblicken. Ein deutsch-christliches Kirchenregiment wie jedes Parteiregiment lehnen wir grundsätzlich ab; gegen die Irrtümer der deutsch-christlichen Theologie haben wir mit Entschiedenheit unseren Widerspruch erhoben; aus dieser grundsätzlichen Haltung heraus haben wir uns folgerichtig im Rahmen des Gesetzes von dem Regiment der DEK je länger desto mehr zurückgezogen, und stehen deshalb zu ihm in einem so losen, rein äußerlichen Verhältnis wie nur wenige Landeskirchen, von denen unseres Wissens keine einzige ihre Beziehungen zur Reichskirche restlos abgebrochen hat.

Durch diese Haltung wird wesentlich mitbestimmt:

2. Unser Verhältnis zur „Bekennenden Kirche" Deutschlands.

a) Mit der „Bekennenden Kirche" wissen wir uns in ihren H a u p t - a n l i e g e n eins, ein einheitliches Handeln war bislang zu unserm Bedauern jedoch nicht möglich:

Die Bekenntnissynode der DEK, wie sie auf den Tagungen in Barmen und Dahlem in die Erscheinung getreten ist, als die rechtmäßige Leitung der DEK zu erkennen und sich ihr zu unterstellen, geht nicht an, da wir das uns von Gott übertragene Regiment nicht eigenmächtig einem anderen fremden unterstellen und die uns auferlegte Verantwortung nicht auf andere Schultern legen können.

Wir lehnen es aber auch von der Schrift her ab, daß eine bestimmte Gruppe für sich den Anspruch, „bekennende Kirche" zu sein, erhebt und es dadurch anderen Kirchen und Gemeinden abspricht, die andere Wege zu gehen sich genötigt sehen. Jeder wahre Christ ist auch bekennender Christ; und ohne bekenntnismäßige Haltung gibt es kein

Heil (Röm. 10, 10). Man hüte sich aber vor dem gefährlichen Wahn, eine Gemeinde sei durch die Annahme bestimmter Erklärungen oder durch eine bestimmte kirchenpolitische Haltung bereits eine „bekennende", oder der Einzelne sei durch die Unterzeichnung einer Karte ein „Bekenner". Wirkliches „Bekennen" ist im übrigen nur dem Auge dessen offenbar, der die Herzen kennt und die Nieren prüft.

b) Besonders heben wir noch hervor, daß diese Haltung in keiner Weise eine Verleugnung der in den Uelsener Thesen ausgesprochenen Stellung bedeutet. Denn bei ihrer Abfassung wurde ausdrücklich Übereinstimmung dahingehend festgestellt, daß diese Thesen

weder die Eingliederung unserer Landeskirche in die Bekenntnisfront,

noch den Abbruch jedes Verkehrs mit der Reichskirchenregierung

bedeuten sollen.

3. Unser Verhältnis zu den übrigen Reformierten Deutschlands und zu den Beschlüssen der Siegener Synode.

a) Unser herzliches Verlangen, mit allen denen, die Christum ihren Herren heißen, gemeinsam zu glauben, zu lieben und zu hoffen, gilt in besonderer Weise für das Verhältnis zu unseren reformierten Brüdern. Wir bedauern, daß der Versuch zu einer Vereinigung unserer Landeskirche mit der Lippischen Landeskirche, wie sie durch unseren Vertrag mit Lippe im Juni 1933 in die Wege geleitet war, ohne unser Zutun gescheitert ist. Später haben wir auf dem Wege über den Osnabrücker Konvent und den Reformierten Kirchenausschuß[33] unseren ernsten Willen zum Zusammenschluß kundgetan, wir werden auch fernerhin auf diesem Wege gehen. Wenn man aber heute versucht, die Arbeit dieser Instanzen beiseite zu schieben, so wird dadurch die von uns allen gewünschte Sammlung aller Reformierten nicht nur nicht gefördert, sondern aufgehalten und die Verwirrung auf kirchlichem Gebiet vermehrt.

b) Auf keinen Fall aber können wir den Weg, den die Siegener Synode beschreitet, billigen. Wenn die Siegener Synode sich unter bewußtem und beabsichtigtem Übergehen unserer geordneten Kirchenleitung unmittelbar an unsere Gemeinden wendet und sie zu einer unmittelbaren Unterstellung unter den Siegener Synodalausschuß und damit unter die Vorläufige Leitung der DEK zu verleiten sucht, so begeht sie damit ein geistliches Unrecht, ein Unrecht, das durch die betonte Versicherung, man wolle die kirchliche Ordnung verfaßter Kirchen mit bekennnitsmäßiger Leitung nicht stören, nicht aus der Welt

---

[33] s. S. 14. 20. 34.

geschafft wird. Unser Herr Christus sagt: „Niemand kann zwei Herren dienen.“ Deshalb sind wir auch nicht willens, dem Ausbau einer neuen Kirchenorganisation innerhalb unserer Landeskirche, wie ihn die Siegener Beschlüsse tatsächlich vorsehen, schweigend zuzuschauen, wie es uns denn unsere Verfassung in ihrem 87. Paragraphen zur Pflicht macht, „die Einheit der Kirche gegen zersetzende Bestrebungen zu wahren“. Schon in der Unterscheidung von „bekennenden“ und „nicht bekennenden“ reformierten Gemeinden, die die Siegener Beschlüsse auch in unsere Kirche hineintragen, sehen wir eine nicht zu unterschätzende, große innere Gefahr.

Zum Schlusse weisen wir noch auf folgendes hin: Wenn in einem kürzlich in der Landeskirche verbreiteten Schriftsatz der Pastoren Heinrich Oltmann-Loga, Friedrich Middendorff-Schüttorf und Udo Smidt-Lehe der ungeheuerliche Vorwurf erhoben wird: „daß bei unserer Kirchenleitung ein praktisches Zusammengehen mit der bekennenden, kämpfenden Kirche Jesu Christi abgelehnt wird“, so ist dieser hinter unserem Rücken erhobene Vorwurf allerdings das Belastendste, was uns bisher geboten worden ist. Wir nehmen auch diesen Vorwurf, der unsere Kirchenleitung tatsächlich von der Kirche Jesu Christi scheidet und damit in die Front des Fürsten der Finsternis einordnet, hin. Unsere Richter werden ihr Votum einmal vor einem höheren Gericht, vor dem gestrengen Richterstuhl unseres Herrn Jesu Christi, verantworten müssen.

11. Gutachten Karl Barths. Erbeten für eine Verhandlung des Obersten Gerichtshofes der Evangelisch-reformierten Landeskirche der Provinz Hannover gegen einen Pastoren der Bekenntnisgemeinschaft. 16. März 1936.

Vervielfältigte Abschrift.

1. Vertreten die Deutschen Christen eine mit dem Bekenntnis der reformierten Kirche unvereinbare Irrlehre?

Antwort: Ja. Der entscheidende und beherrschende Satz der Lehre der Deutschen Christen besteht in der Behauptung, daß die Kirche außer auf das in der Heiligen Schrift bezeugte Wort Gottes in Jesus Christus auch noch auf eine dem deutschen Volk in seiner Geschichte, insbesondere im Jahre 1933 und seither, widerfahrene direkte Gottesoffenbarung zu hören habe, und jene erste nach Maßgabe dieser zweiten Offenbarung zu verstehen sei. Diese Behauptung ist mit Frage 1 des Heidelberger Katechismus, mit den hinsichtlich des Wortes Gottes, der Offenbarung und der Heiligen Schrift abgegebenen ausdrücklichen Erklärungen aller reformierten Bekenntnisschriften, aber auch mit der ganzen Grundrichtung der calvinischen (wie der lutherischen!) Kirchenreformation unverträglich. In diesem Sinn hat sich denn auch die erste freie reformierte Synode (4. 1. 1934 in Barmen-Gemarke) in ihrer „Erklärung über das rechte Verständnis der reformatorischen Bekenntnisse in der Deutschen Evangelischen Kirche der Gegenwart" (vgl. besonders die Abschnitte I, II, III und V, 3—4) entschieden und unzweideutig ausgesprochen. Und es haben sich die Hauptversammlung des Reformierten Bundes für Deutschland (29.—30. November 1934 in Detmold) und die 2. freie reformierte Synode (26.—28. März 1935 in Siegen) ausdrücklich auf den Boden der auf der Bekenntnissynode der Deutschen Evangelischen Kirche (31. Mai 1934 in Barmen-Gemarke) beschlossenen, im gleichen Sinn gehaltenen theologischen Erklärung (vgl. besonders Satz 1, 3 und 6) gestellt. Die Vereinbarkeit der deutschchristlichen Lehre mit den Bekenntnisschriften der reformierten Kirche ist m. W. von keiner reformiert kirchlichen Körperschaft oder Vereinigung öffentlich behauptet oder gar zu beweisen versucht worden.

2. Lag die Bejahung dieses Satzes auch im Sinn des sogen. Uelsener Protokolls vom 21. 12. 1934?[34]

Antwort: Ja. Dieses Protokoll stammt in allen entscheidenden Bestandteilen aus meiner eigenen Feder, und ich würde nicht daran gedacht haben, es zu unterzeichnen, wenn ich nicht der Überzeugung gewesen wäre, daß sein Inhalt eben diesen Sinn habe. Satz 1 dieses Protokolls ist inhaltlich identisch mit den zweifellos gegen die Deutschen Christen gerichteten Sätzen II, 1 der Erklärung der ersten freien reformierten Synode und 1 der Erklärung der Barmer Bekenntnissynode der DEK (s. o.), und es kann unter Voraussetzung der guten Treue aller Unterzeichner des Uelsener Protokolls auch darüber keine Meinungsverschiedenheit bestehen, daß sie sich darüber einig waren, mit diesem Satz die Lehre der Deutschen Christen als Irrlehre zu bezeichnen.

3. Ist die Bejahung dieses Satzes durch das Uelsener Protokoll als eine kirchliche Entscheidung der reformierten Landeskirche Hannover anzusprechen?

Antwort: juristisch: Nein; moralisch: Ja. Wir gingen in Uelsen nach meiner bestimmten Erinnerung auseinander im Bewußtsein, eine für

[34] s. S. 16 f.

beide verhandelnden Teile, also auch für die reformierte Landeskirche Hannover gültige und bindende Verständigungsbasis geschaffen zu haben. P. Middendorff als Vertreter der reformierten hannöverschen Bekenntnisgemeinschaft durfte — vorbehaltlich der späteren Ratifizierung durch die reformierten hannöverschen Kirchenbehörden — angesichts der Vertretung der Gegenseite durch die Persönlichkeiten des Landessuperintendenten D. Dr. Hollweg und des P. Voget des Glaubens sein, daß die reformierte Landeskirche sich inskünftig an das Uelsener Protokoll als an eine von ihr selbst vollzogene Entscheidung halten werde.

4. Unter welchen Umständen kann unter den Voraussetzungen von 1, 2 und 3, ein erklärter Deutscher Christ in der reformierten Landeskirche Hannover ein Aufsichtsamt bekleiden?

Antwort: Unter keinen Umständen. Satz 3 des Uelsener Protokolls hat ausdrücklich erklärt: „daß sich der wirkliche Bekenntnisstand unserer reformierten Kirche nach Lehre und Ordnung in einer dem Bekenntnis der Väter entsprechenden praktischen, insbesondere auch kirchenpolitischen Bekenntnishaltung beweisen und bewähren muß." Was heißt „praktische, insbesondere auch kirchenpolitische Bekenntnishaltung", wenn darunter nicht auch und gerade eine bestimmte Haltung in allen Amtsbesetzungsfragen verstanden sein soll? Gab es zur Zeit des Uelsener Protokolls noch einen erklärten Deutschen Christen, der in der reformierten Landeskirche Hannover ein Aufsichtsamt bekleidete — was mir persönlich damals nicht bekannt war —, so mußte er, gutgläubige Auslegung des Uelsener Protokolls vorausgesetzt, am 22. Dezember 1934 aus diesem Amt entfernt werden. Wenn ich der durch die Herren D. Hollweg und P. Voget vertretenen reformiert hannöverschen Kirchenleitung zugetraut hätte, Maßnahmen in dieser Richtung nach wie vor zu unterlassen, so würde ich das Uelsener Protokoll nicht unterschrieben haben.

5. Hat die reformiert hannöversche Landeskirchenleitung, nachdem sie einen erklärten Deutschen Christen in seinem kirchlichen Aufsichtsamt belassen hat, das Recht und die Vollmacht, einen Prediger oder ein anderes Glied der Kirche der Verletzung der kirchlichen Ordnung zu bezichtigen, wenn diese ihren Grund in einem durch diese Unterlassung verursachten Gewissenskonflikt hat?

Antwort: Nein. Wenn die reformiert hannöversche Landeskirchenleitung tatsächlich einen erklärten Deutschen Christen in seinem kirchlichen Aufsichtsamt belassen oder ihm ein solches gegeben hat, dann hat sie ihre im Uelsener Protokoll von ihr selbst anerkannte kirchenregimentliche Pflicht in dieser Hinsicht nicht erfüllt. Es ging dann die kirchenregimentliche Entscheidungsbefugnis, d. h. die Befugnis der Entscheidung über die rechte Wahrnehmung der kirchlichen Ordnung in dieser Hinsicht, d. h. hinsichtlich des Verkehrs mit dem betreffenden deutschchristlichen Aufsichtsbeamten von der ordentlich bestellten Kirchenleitung zurück auf die zu diesem Verkehr genötigten Prediger oder anderen Glieder der Kirche. Es konnte also eine scheinbare Verletzung der (durch die Kirchenleitung zuvor sicher verletzten!) Kirchenordnung tatsächlich eine rechte und pflichtmäßige Wahrnehmung dieser Ordnung sein. Es konnte und kann aber das Urteil darüber, ob es sich im konkreten Fall einer scheinbaren Verletzung der Ordnung nicht tatsächlich um deren rechte und pflichtmäßige Wahrnehmung handelte, in dieser Hinsicht nicht Sache der durch jene Unterlassung indirekt zur Partei gewordenen Landeskirchenleitung sein. Sie hat mit der in jener Unterlassung sicher vorliegenden Verletzung der Ordnung die Prediger und die anderen Glieder der Kirche geradezu dazu gezwungen, sich in allen mit der Existenz jenes deutschchristlichen Aufsichtsbeamten zusammenhängenden Angelegenheiten nach bestem eigenen Wissen und Gewissen zu entscheiden.

Prof. D. Karl Barth

12. Bekanntmachung des Landeskirchenrates der Evangelisch-reformierten Landeskirche der Provinz Hannover. 17. Juli 1935.

Kirchliches Gesetz- und Verordnungsblatt für die Evangelisch-reformierte Landeskirche der Provinz Hannover; 8. Band, Nr. 10, 1. August 1935.

Aus gegebenem Anlaß haben wir im Einverständnis mit dem Landeskirchenvorstand die Herren Pfarrer und Kirchenältesten darauf hinzuweisen, daß es mit ihren Amtspflichten nicht zu vereinbaren ist, amtliche Schriftstücke oder sonstige Verfügungen der vorgesetzten Behörden, des Landeskirchenvorstandes, des Landeskirchenrates, des Herrn Landessuperintendenten, der Bezirkskirchenräte oder ihrer Vorsitzenden dritten Personen auf irgendeine Weise zur Kenntnis zu bringen, sei es durch mündliche Mitteilung, Herausgabe des Schriftstückes, besondere schriftliche Mitteilung oder gar Vervielfältigung irgendwelcher Art. Die Innerkirchlichen Mitteilungen gehören mit zu diesen amtlichen Kundgebungen. Der Inhalt derselben kann zwar in den Versammlungen der kirchlichen Körperschaften zur Besprechung gestellt, darf aber nicht über diesen Rahmen hinaus zu einem Gegenstand öffentlicher Kritik gemacht werden. Desgleichen darf auch von den amtlichen Schreiben der Kirchenräte oder ihrer Vorsitzenden Unbeteiligten keine Kenntnis gegeben werden.

Weiterhin ist es mit den Amtspflichten unvereinbar, an Maßnahmen vorgenannter Behörden öffentlich oder beschränkt öffentlich, etwa vor Versammlungen von Kirchenältesten anderer Gemeinden als der betroffenen, Kritik zu üben, mündlich oder schriftlich. Glauben Pfarrer und Kirchenälteste, berechtigte Kritik üben zu müssen, so hat dies auf dem dafür vorgesehenen ordnungsmäßigen Wege zu geschehen.

Ganz abgesehen von der grundsätzlichen Ordnungswidrigkeit des hier gerügten Verhaltens gibt uns zu dieser Anordnung die Tatsache das innere Recht, daß wir uns jederzeit unseren Pfarrern, Ältesten und Gemeindegliedern zur Aussprache über etwa vorhandene Bedenken zur Verfügung gestellt haben und auch weiterhin stellen werden.

Jeden uns bekannt werdenden Verstoß gegen diese Amtpflichten werden wir ahnden müssen.

Der Landeskirchenrat
Koopmann

13. Schreiben von zwei Beauftragten der Bekenntnisgemeinschaft innerhalb der Evangelisch-reformierten Landeskirche der Provinz Hannover an den Landeskirchenrat. Juli 1935.

Durchschlag des Originals.

Die Bekanntmachung Nr. 46 in Nr. 9 des Kirchlichen Gesetz- und Verordnungsblatts[35] veranlaßt uns zu folgender Erklärung:

I. In der Verordnung des Landeskirchenrats vom 17. Juli 1935 (Kirchliches Gesetz- und Verordnungsblatt Seite 45) ist folgendes ausgesprochen:

„Desgleichen darf auch von den amtlichen Schreiben der Kirchenräte oder ihrer Vorsitzenden Unbeteiligten keine Kenntnis gegeben werden."

Diese Auffassung steht im Widerspruch zum § 15 der Verfassungs-

[35] Die Bekanntmachung war in dieser Nummer nur unvollständig abgedruckt worden; sie wurde im vollständigen Wortlaut wiederholt in Nr. 10 des Kirchlichen Gesetz- und Verordnungsblattes vom 1. August 1935.

urkunde vom 8. Mai 1924, wo es ausdrücklich heißt: „Jedes Mitglied des Kirchenrats ist verpflichtet, über Angelegenheiten der Seelsorge und der Kirchenzucht und allen anderen als vertraulich bezeichneten Gegenständen Dritten gegenüber Schweigen zu bewahren.“ Daraus ist die Schlußfolgerung zu ziehen, daß abgesehen von diesen drei besonders hervorgehobenen Merkmalen die Kirchenräte berechtigt sind, von ihren Beschlüssen Dritten Kenntnis zu geben. Dieses Recht der Kirchenräte wird aber durch die obige Verordnung vom 17. Juli 1935 angetastet.

Die Verfassung enthält auch nichts darüber, daß von amtlichen Schriftstücken der Kirchenbehörde, soweit sie nicht ausdrücklich für vertraulich erklärt sind, dritten Personen keine Kenntnis gegeben werden darf.

Ebenso steht es jedem Kirchenrat frei, über gemeinsame gesamtkirchliche Angelegenheiten mit anderen Kirchenräten sich zu besprechen oder sonstwie Fühlung zu nehmen.

II. In dieser Verordnung findet sich der Begriff einer Behörde vor, wie er in einer langen, schmerzvollen Geschichte der Anlehnung an den Staat und in einer Infektion der Kirche mit säkularem Denken seine Ursache hat. Durch diese Haltung der Kirche ist den Gemeinden und ihren Gliedern weithin das Verantwortungsbewußtsein für das Gesamtschicksal, ja überhaupt für die Angelegenheit des Seins der sichtbaren Kirche in der Welt geschwunden. Kirche wurde Behördensache. Sollen wir nun in dieser Zeit der Not, wo so hoffnungsvolle Neuansätze da sind, die Gemeinde und ihre Glieder zum Dienst, zum Kampf, zum Bekennen zu rufen, alles Suchen, Fragen und Ringen der kirchlichen und gemeindlichen Gegenwart auf den Instanzenweg verweisen? Es dient nicht dem Wohl der Kirche, wenn auf diese Weise wiederum die Kirchenräte und die anderen Instanzen in das enge, trostlose Bett der Verwaltungsgeschäfte zurückgeworfen werden sollen.

Was wäre heute, menschlich gesprochen, die evangelische Kirche auf deutschem Boden, wenn in geordneten Behörden, die nun einmal so und nicht anders sind, das Schicksal der Kirche ruhen müßte.

III. Alle Maßnahmen kirchlicher Behörden stehen unter Gottes Wort. Das Wächteramt, das die Kirchenräte in der Gemeinde nach Gottes Wort haben, gibt ihnen nicht bloß das Recht, sondern auch die Pflicht, auch die Maßnahmen der kirchlichen Behörden unter die Beurteilung (Kritik) der Heiligen Schrift zu stellen. Zur rechten Ausrichtung dieses Wächteramtes muß die Möglichkeit bestehen, daß die Kirchenältesten mehrerer Gemeinden zusammentreten, um sich zur rechten Beurteilung (Kritik) der für das Wohl der Gemeinden notwendigen Maßnahmen zu helfen. In der gegenwärtigen Lage unserer reformierten Landeskirche geht es zudem nicht um einzelne Maßnahmen unserer Kirchenleitung, die von untergeordneter Bedeutung sind, sondern um die grundlegende Frage, ob unsere Landeskirche als Bekenntniskirche eine bekennende Haltung einnimmt. Das Schicksal der Einzelgemeinde ist mit dem Gesamtschicksal der Kirche aufs engste verbunden.

IV. In der kirchlichen Not der Gegenwart ist uns die Erkenntnis wieder geschenkt, daß jeder heute zur Verantwortung aufgerufen ist, der um die Not und Verheißung der Kirche Christi weiß. Das bedeutet nicht Aufhebung der Ordnung oder Beiseiteschiebung der Synode. Gerade Johannes a Lasko lehrt uns aber ernst zu machen mit dem calvinischen Grundsatz, daß die Gemeinde die Trägerin des kirchlichen Lebens ist.

Wie sollen sich Verantwortungsbewußtsein und Fürbitte finden, wenn die Gemeinden daran gehindert werden, miteinander sich den Weg zu suchen.

Alle Ordnung der Kirche hat die Aufgabe, diese Mitverantwortung der Gemeinde und ihrer Glieder zu fördern. Wenn dagegen die Ordnung die Entfaltung kirchlichen Lebens hindert, tötet sie die Gemeinde. Ordnung ist nicht um der Ordnung willen da, sondern um des Herrn und seiner Gemeinde willen.

V. Der Notstand unserer Landeskirche macht es uns zur Pflicht, darüber keine Unklarheit zu lassen, daß die Fortsetzung des bisherigen Weges unserer Kirchenleitung unseren Gemeinden schweren Schaden bringt. Der Notstand unserer Kirche zeigt sich darin, daß ihre Leitung sich nicht zu solcher bekennenden Haltung auch in kirchenpolitischen Fragen entschieden hat, wie sie durch Annahme des Uelsener Protokolls verpflichtet gewesen wäre, wobei wir natürlich nicht verschweigen, daß sie auch ohne Unterzeichnung des Uelsener Protokolls zu solcher Haltung aufgerufen ist.

Solche bekennende Haltung, die wir meinen, finden wir in der Entschließung der Classis der reformierten Prediger Bentheims vom 15. Juli 1935, wenn sie sagt:

> „Es herrscht Einigkeit darin, daß unsere Landeskirche, weil sie Bekenntniskirche ist, bekennende Kirche sein muß und so ihren Platz nur an der Seite der Bekennenden Kirche Deutschlands haben kann, d. h. dieser Kirche und ihrer Synode sich praktisch zuzuordnen hat."

Wenn unsere Landeskirchenleitung die ihr gemäß der Entschließung der Bentheimer Classis zukommende Haltung einnehmen würde, dürfte sie gewiß sein, alle Gemeinden der Landeskirche geschlossen hinter sich zu haben, die aus ihrem Bekenntnisstand die entsprechende Bekenntnishaltung zu ziehen entschlossen sind.

Unsere landeskirchliche Leitung hat diese praktische Folgerung einer bekennenden Haltung bisher nicht gezogen. Dieses Versäumen unserer landeskirchlichen Leitung verpflichtet die Kirchenräte, mit doppeltem Ernst darauf bedacht zu sein, daß das Wächteramt in den Gemeinden nicht schweige und daß die Kirchenräte ihrerseits sich nicht durch Stillschweigen des Versäumens unserer landeskirchlichen Leitung schuldhaft teilhaftig machen.

Es ist wider Gottes Wort und wider das Wohl unserer Landeskirche, wenn kirchenbehördliche Maßnahmen das Wächteramt in den Gemeinden mundtot machen wollen. Auch wenn eine Kirchenbehörde zeigt, daß sie auf das den Kirchenräten anvertraute Wächteramt nicht hören will, darf doch der Kirchenrat nicht müde werden, einzeln und gemeinsam mit anderen Kirchenräten das zu bezeugen, was von der Heiligen Schrift her über die bekennende Haltung einer Bekenntniskirche gesagt werden muß.

Dieses Zeugnis der Wahrheit den Gemeinden und ihren Gliedern zu verbieten, hat keine Behörde vor Gott das Recht.

14. Antwort des Landeskirchenrates der Evangelisch-reformierten Landeskirche der Provinz Hannover auf das Schreiben von zwei Beauftragten der Bekenntnisgemeinschaft. 2. August 1935.

Original.

1. Der Sinn und die Absicht dieses Hinweises wird völlig verkannt, wenn man darin, wie aus an uns gerichteten Eingaben ersichtlich ist, einen Versuch erblickt:

„einen weltlichen Behördenbegriff in unserer Kirche wieder neu aufleben zu lassen";
„alles Suchen, Fragen und Ringen der kirchlichen und gemeindlichen Gegenwart auf den Instanzenweg zu verweisen";
„die Kirchenräte und die andern Instanzen der Kirche in das enge, trostlose Bett der Verwaltungsgeschäfte zurückzuwerfen";
durch „kirchenbehördliche Maßnahmen das Wächteramt in den Gemeinden mundtot machen zu wollen";
die „Mitverantwortung der Gemeinde" oder die Verantwortung der einzelnen Gemeindeglieder lahmzulegen oder gar aufzuheben;
„die Gemeinden daran zu hindern, miteinander sich den Weg zu suchen".

Der Hinweis ist kein *Knebelungsparagraph*, darauf berechnet, die dem Bekenntnis*stand* unserer Kirche entsprechende Bekenntnis*haltung* zu unterbinden. Etwas ganz anderes liegt uns am Herzen.

2. *Der Staat*, dem an der Wiederherstellung geordneter Rechtsverhältnisse in der ganzen DEK im eigenen Interesse alles gelegen ist, hat, wie bekannt, bereits die nötigen Vorkehrungen getroffen und wird sie noch weiter treffen, um *seinerseits* diese Ordnung mit den *ihm* zur Verfügung stehenden *Mitteln* und durch die dem Wesen des Staates entsprechenden *Maßregeln* überall da herzustellen, wo es den Kirchen nicht gelingt, aus dem Wesen der Kirche heraus und mit kirchlichen Mitteln die notwendige Rechtssicherheit und Ordnung wieder aufzurichten.

Vor solchem Eingriff möchten wir unsere Kirche bewahren!

3. Daß „Ordnung nicht um ihrer selbst willen, sondern um des Herrn und seiner Gemeinde willen da ist", daß sie „die Entfaltung des kirchlichen Lebens nicht hindern" darf, sondern sie fördern und schützen soll, ist uns wohl bewußt und steht uns beständig vor Augen.

Mit ganzem Ernst sind wir darauf bedacht, unserer Kirche Freiheit in der Ordnung und Ordnung in der Freiheit zu sichern. Gott hat uns in solchen Ordnungen einen Schutz gegeben gegenüber den mancherlei geistlichen Verführungen der Zeit. Unter solchem Schutz kann die Kirche ihrer großen Aufgabe, allen Menschen das Zeugnis Gottes zu bringen, *im Frieden walten* und zugleich den ihr verordneten *Kampf* gegen alle Lüge und Bosheit so *kämpfen*, daß sie keine Luftstreiche tut.

Es geht nicht an, daß man sich etwa dem Herrn Reichsbischof oder den „Deutschen Christen" gegenüber auf Verfassung und Ordnung der Kirche beruft und wirkliche oder vermeintliche Verletzungen derselben auf das schärfste brandmarkt und dann selber der Bindung an dieselbe Ordnung dadurch ausweicht, daß man das „Leben" gegen die „Ordnung" ausspielt.

Wir sind in unserm Amt der *Aufsicht* und *Leitung* ebenso an die bestehende Ordnung gebunden wie die Kirchenräte und die Pfarrer, und wir sind außerdem durch unser Gelübde feierlich verpflichtet, für die Erhaltung dieser Ordnung zu sorgen, indem wir dabei die Ehre Gottes und das Wohl der Kirche unverrückt im Auge behalten. Wir *können* deshalb offensichtlichen Bruch der Ordnung ohne Pflichtverletzung nicht ungeahndet lassen.

4. Laut unserer Verfassung haben wir nicht nur *die Verwaltungsgeschäfte* zu führen, sondern auch „dem *äußeren und inneren* Wachstum der Kirche auf dem Grunde ihres Bekenntnisses zu *dienen*". Mit dieser Aufgabe ist uns eine ungeheure

Verantwortung auferlegt, die angesichts der gegenwärtigen kirchenpolitischen Entwickelung täglich größer wird. Nur das Bewußtsein, von Gott in dieses Amt gesetzt zu sein, und nur ein beständiges Zusammenwirken mit allen übrigen Organen der Kirche, die wir auch bei aller menschlichen Sünde und Unvollkommenheit als zur Zeit von Gott gesetzt im Glauben anerkennen, macht es uns möglich, unsern Dienst mit Freudigkeit zu tun. Ohne die vertrauensvolle und verständige Mitarbeit der Pfarrer und Kirchenräte können wir unserer Aufgabe niemals gerecht werden. Deshalb unser ernster Hinweis, der dazu dienen soll, Pfarrer und Kirchenälteste zu gleichem Verantwortungsbewußtsein praktisch aufzurufen.

5. Man wirft uns vor, wir ließen die rechte Bekenntnishaltung fortwährend vermissen und schafften dadurch einen Notstand in unserer Kirche. Demgegenüber bezeugen wir, daß wir unsererseits bestimmte, in Gottes Wort und in den Bekenntnissen der Kirche klar bezeugte Wahrheiten und Grundsätze mit Wort und Tat zu vertreten und zu bekennen haben, die heute unter dem Einfluß des Zeitgeistes gerade auch in den Reihen der „Bekenntnisfreunde“ völlig außer acht gelassen werden. Die rechte Bekenntnishaltung erfordert, daß jedesmal nach rechts und nach links, nach oben und nach unten die Wahrheiten bezeugt und bekannt werden, die gerade der Verleugnung ausgesetzt sind.

6. Der geordnete Weg, die rechte Bekenntnishaltung zu bewähren, wird in unserer Verfassung ganz klar gezeigt: die §§ 13 ff. handeln von den Aufgaben und dem Wirkungskreis der Kirchenräte als Organe der einzelnen Kirchengemeinden. Sobald es sich um gemeinsame Beratungen und gemeinsames Handeln der Kirchenräte, insofern sie auch Organe der gesamten Landeskirche sind, handelt, treten die §§ 65 ff. in Kraft. Es gehört zum Wesen der Kirche, daß ihre Glieder sich nicht willkürlich und nach eigener Wahl zusammentun, sondern daß sie in ihrem Zusammenwirken die Ordnung des Leibes beachten so, wie Gott die Glieder gesetzt hat (1. Kor. 12, 14 ff.). Sobald dieses Grundgesetz außer acht gelassen wird, entstehen für die einzelnen Glieder geistliche Gefahren. Wenn nun gar ganze Körperschaften, wie die Kirchenräte, sich nach eigenem Belieben zusammenfinden, „um sich zur rechten Beurteilung (Kritik) der für das Wohl der Gemeinden notwendigen Maßnahmen (der kirchlichen Behörden) zu helfen“, so steigt die Gefahr ins Unermeßliche. Wir sind heilig verpflichtet, diesen Schaden, der uns augenblicklich tatsächlich droht, von unserer Kirche abzuwehren.

7. Wir dürfen die tief betrübende und überaus ernste Tatsache nicht verschweigen, daß diejenigen, welche uns in der Furcht Gottes bei der Durchführung der uns befohlenen Aufgaben behilflich sein sollten,

uns mündlich und schriftlich, im Geheimen und Öffentlichen auf das Schwerste verdächtigen und beschuldigen und dadurch Argwohn und Mißtrauen in viele Gemüter säen. Oder ist es etwas anderes, wenn uns die oben unter Nr. 1 genannten kirchenzerstörenden Absichten unterschoben werden? Wenn es mit Anspielung auf uns heißt, daß eine Kirchenbehörde auf das den Kirchenräten anvertraute Wächteramt nicht hören will, daß sie das Zeugnis der Wahrheit den Gemeinden und ihren Gliedern verbietet? Was soll man dazu sagen, wenn unsere Absicht, mit den Pfarrern unserer Landeskirche zu einer offenen und gründlichen Aussprache über die schwebenden Fragen zu kommen, von vornherein fälschlich dahin ausgelegt wird, unser Zweck sei augenscheinlich der, die Position der Kirchenleitung zu festigen...? Wir suchen dieselbe gründliche, freie und offene Aussprache auch mit unseren Kirchenältesten. Ist es vor Gott und Menschen recht, die Möglichkeit, sich gegenseitig in dem von uns allen klarer und tiefer zu erkennenden Willen Gottes zu finden, von vornherein durch solches Gericht über die Beweggründe unseres Handelns in Frage zu stellen?

8. Unser Hinweis vom 17. Juli resp. 31. Juli ds. Js. mit seinem ernsten Schlußsatz findet in dem Gesagten seine Begründung und Rechtfertigung.

Wenn von uns verlangt wird, daß wir unsere Landeskirche der Vorläufigen Leitung der DEK zuordnen, so ist das schon deshalb nicht möglich, weil wir keinen Schritt über den Rahmen unserer Kirche hinaus tun können, solange nicht innerhalb unserer Landeskirche wirkliches Vertrauen, gegenseitige Achtung und ordnungsmäßiges Handeln, das sich allein an Gott gebunden weiß, wieder eingekehrt ist.

Der Landeskirchenrat
Koopmann

15. Eingabe von Mitgliedern der Bekenntnisgemeinschaft der Grafschaft Bentheim innerhalb der Evangelisch-reformierten Landeskirche der Provinz Hannover an den Landeskirchenvorstand.
14. Dezember 1935.

Beglaubigte Abschrift.

In der gegenwärtigen Stunde der Deutschen evangelischen Kirche glauben wir unserer Landeskirchenleitung folgendes sagen zu sollen:

Unsere Landeskirche hat am 17. Oktober 1934 in einer Entscheidung fordernden Stunde nicht die bekennende Haltung eingenommen, die von ihr hätte erwartet werden müssen.

In den Uelsener Verhandlungen ist festgelegt worden, daß unsere Landeskirche von ihrem reformierten Bekenntnis her gemeinsam mit den bekenntnisbestimmten und bekennenden evangelischen Kirchen Deutschlands zu glauben, zu lieben und zu hoffen, auch ihren Bekenntnisstand in einer praktischen, besonders kirchenpolitischen Bekenntnishaltung zu beweisen und zu bewähren habe.

Auch ist in den mündlichen Verhandlungen zu Uelsen am 22. Dezember 1934 ausdrücklich betont worden, daß es unmöglich sei, eine dritte Position über den Gegensätzen zu beziehen.

Gleichwohl hat hernach unsere Landeskirchenleitung diese Position bezogen und festgehalten bis heute. Sie hat dadurch jene dritte Gruppe in der Mitte bilden und stärken helfen, die allein dem Kirchenminister Kerrl seine Kirchenpolitik ermöglicht. Der Minister hat davon geredet, daß in der Kirche mehrere Auffassungen bestünden, aus denen „der dritte Mensch", „der dritte Kirchenmensch" entstehen müsse, der die Offenbarung richtig hinnehme. Durch diese Auffassung wird der ganze Geisteskampf um die Wahrheit und die Freiheit des Evangeliums, der während der letzten Jahre durchkämpft worden ist, entwertet und verneint. Ein Vertreter des Staates mag keine andere Auffassung als die geschilderte haben können; doch wird eben hierdurch völlig offenkundig, wie unmöglich es ist, daß der Staat in den Dingen der evangelischen Kirche, abgesehen von dem jus circa sacra, mitrede. Von unserer Landeskirchenleitung müssen wir verlangen, daß sie von einem Reichskirchenausschuß, der sich nicht darauf beschränkt, eine Rechtshilfe zur Ausräumung begangenen Unrechts zu sein, sondern auf dem Boden einer Gruppe der Mitte im Sinne des Reichskirchenministers stehen und von da her die Kirche regieren will, klar und deutlich abrückt und von Präsident Koopmann den Austritt aus einem solchen Reichskirchenausschuß fordert.

Zu einem Landeskirchenvorstand, der den Reichskirchenausschuß im Sinne des Reichskirchenministers bejaht, können wir das — von ihm in seiner „Zur Klarstellung" vom 15. November 1934 erbetene — Vertrauen, aus dem allein der rechte Gehorsam erwachsen kann, nicht haben. —

Mit schmerzlichem Befremden erfüllt es uns, daß der Landeskirchenrat es nicht für notwendig hält, auf so manche, aus tiefer Sorge geborenen Schreiben unserer Kirchenräte zu antworten. Wir müssen zum mindesten die baldige Beantwortung der am 8. November 1935 von 121 Ältesten aus 42 Gemeinden an den Landeskirchenvorstand ergangenen Anfrage erwarten.

Arends-Neuenhaus
Beer-Lage
Dr. Bernds-Uelsen
Bomfleur-Schüttorf
Busmann-Veldhausen
Cramer-Schüttorf

Gründler-Veldhausen
Hamer-Gildehaus
Machert-Bentheim
Middendorff-Schüttorf
Ringena-Gildehaus
Rosenboom-Neuenhaus
Saueressig-Georgsdorf

16. Schreiben von Pastor Middendorff an den Landessuperintendenten D. Dr. Hollweg. 16. Februar 1936.

Durschlag des Originals.

Hochgeehrter Herr Landessuperintendent!

Seit langem hatten wir den Wunsch, daß einmal einer der Brüder von der Bekennenden Kirche in Wuppertal uns hier in der Grafschaft besuchen und uns das Wort Gottes verkündigen möge. So hat denn Pastor D. Hesse aus Elberfeld heute vormittag hier über Epheser 5, 6—14 gepredigt. Er war einer Einladung gefolgt, die ich mit Zustimmung unseres Kirchenrats an ihn gerichtet hatte. Eben ist er weiter gefahren nach Neuenhaus, wo er heute abend auf eine Einladung von dort her predigen soll. Von D. Hesse hörte ich etwas, was mich veranlaßt — ganz aus eigener Initiative — ein Wort der Bitte in Ehrerbietung an Sie zu richten.

D. Hesse erzählte mir, er habe von Pastor D. Kolfhaus gehört, daß in die Theologische Kammer der DEK als Reformierte Sie, Professor D. Goeters und Pastor D. Kolfhaus von Generalsuperintendent D. Zoellner berufen seien. Ich weiß natürlich nicht, ob Sie diese Berufung (vielleicht ist es auch erst nur eine Anfrage; aber das tut ja kaum etwas zur Sache) annehmen werden oder nicht. Es will mir aber scheinen, daß eine Annahme dieser Berufung eine Anerkennung des Reichskirchenausschusses als gegenwärtiger, wenn auch nur vorläufiger Leitung der DEK irgendwie in sich schließen würde.

Es ist nichts darüber verlautbart, wie sich die Kirchenleitung unserer reformierten Landeskirche zu dem Gesetz Hitlers und Kerrls zur Sicherung der Evangelischen Kirche vom 24. September 1935[36] und zu den staatlichen Kirchenausschüssen des Ministers Kerrl sowie zu seinen verschiedenen Verordnungen, besonders der vom 2. Dezember[37], gestellt hat und stellt. Niemand wird leugnen können, daß es sich hierbei um eine brennende Frage allerersten Ranges handelt, und es kann besonders für die Pastoren der Landeskirche nicht gleichgültig sein, wie die Leitung der Landeskirche, in der sie ihren Dienst tun, zu dieser Frage steht. Wir wissen amtlich nur, daß Herr Präsident Koopmann

---

[36] s. S. 25, Anm. 8.
[37] s. S. 28, Anm. 11.

in den Reichskirchenausschuß hineingegangen und bis heute darin verblieben ist. Wir haben auch Grund zu der Annahme, daß der Landeskirchenvorstand dem Herrn Präsidenten Koopmann hierbei auch nachträglich keine Steine in den Weg gelegt hat, sondern mit seiner Haltung in dieser Sache einverstanden ist. Wenn nun Sie, hochgeehrter Herr Landessuperintendent, in die Theologische Kammer eintreten würden, so wäre das für uns ein neuer Beweis dafür, daß unsere Kirchenleitung den Weg der staatlichen Kirchenausschüsse billigt und die Kerrlsche Befriedungsaktion mitzumachen bereit ist. Unsere Landeskirchenleitung hätte damit ohne Wissen der Glieder und der Pastoren unserer Kirche in einer allerwichtigsten und hart umstrittenen Frage von sich aus eine Entscheidung getroffen, die im Widerspruch zu dem steht, was sehr viele Glieder und Pastoren der Landeskirche von Schrift und Bekenntnis aus für recht halten. Sie hätte sich einer Sache zugesellt, für die ein unwahrhaftiger öffentlicher Nachrichtendienst und die Geheime Polizei des Staates mit Nachdruck arbeiten und mit der eine Verdunklung und Vernebelung verbunden ist, von der ich nicht glauben kann, daß sie von dem Vater des Lichts ist. Ich erlaube mir, mit aller Bescheidenheit, aber auch mit allem Ernst Sie zu fragen, ob Sie durch den Eintritt in die Theologische Kammer ein neues Band zwischen unserer Landeskirche und dem im Reichskirchenausschuß vorhandenen und sicherlich nicht auf zwei Jahre sich beschränkenden Staatskirchentum knüpfen wollen, obwohl

1. die Präambel des Sicherungsgesetzes vom 24. September 1935 und damit das Gesetz selbst u n w a h r ist,
2. das Werk der staatlichen Kirchenausschüsse auf der Annahme aufgebaut ist, Bekennende Kirche und Deutsche Christen seien zwei G r u p p e n innerhalb der Evangelischen Kirche, die, wenn nur „der Heilige Geist unter ihnen ausbreche“, sich finden würden und miteinander arbeiten müßten und könnten,
3. der Vater des ganzen Befriedungswerkes, der Auftraggeber der staatlichen Kirchenausschüsse, Reichskirchenminister Kerrl, mit völlig genügender Deutlichkeit Anschauungen kundgegeben hat, die man als nationalsozialistische Religion gelten lassen kann, die aber alles andere sind als das, was die Heilige Schrift und der Heidelberger Katechismus uns lehren,
4. auf mancherlei Weise, z. B. in verschiedenen Äußerungen des Generalsuperintendenten D. Eger, auf wahrhaft erschreckende Art sichtbar wird, wie in der staatskirchlichen, parteigeschwängerten Luft die christliche Substanz zerfällt und kirchliches Denken entartet.

Sehr geehrter Herr Landessuperintendent, nehmen Sie bitte meine Bedenken, die ich Ihnen — zweifellos in innerer Übereinstimmung mit vielen, vielen — vorzutragen mir erlaube, nicht leicht! Sie werden doch nicht der Meinung sein, daß reaktionäre Gesinnung, Oppositionslust, persönliche Ambitionen u. dgl. uns treiben. Würdigen Sie bitte das, was wir immer wieder sagen und wie in einen leeren Raum hinein rufen, als eine Stimme ehrlicher Überzeugung! Legen Sie bitte auch unsere Bedenken nicht mit dem Vorwurf beiseite, daß wir Vorwitz trieben und uns in Dinge mischten, die nicht unseres Amtes seien! Sagen Sie bitte nicht, daß die Truppe nicht zu wissen brauche, wohin sie marschiert, wenn nur der General es wisse. Es wird manchmal die Meinung ausgesprochen, Dinge, die die ganze Kirche betreffen, könnten nur von dem obersten Organ der Kirche, also dem Landeskirchentag bzw. -vorstand, zur Entscheidung gebracht werden; mag sein, aber doch nur, nachdem sie in den unteren Instanzen, den Gemeinden und Bezirken, durchdacht, durchkämpft und durchbetet worden sind. Die Spitze kann nicht in der Luft schweben, sondern muß auf den unteren Teilen des Baus ruhen.

Nach meiner und vieler Meinung befinden wir uns heute, kirchlich gesehen, in einer Lage, die zu äußerster Wachsamkeit und zu entschlossenem Widerstand aufruft. Es sind wirklich Tage und Jahre der Entscheidung. Wie sie fallen wird, das mag bedeutsam sein für viele Geschlechter.

Gott gebe in Gnaden Ihnen und uns allen die rechte Klarheit und Kraft zu einer Entscheidung, die Seinem heiligen Willen entspricht!

Mit den besten Grüßen Ihr in Ehrerbietung sehr ergebener

Fr. Middendorff

17. Antwortbrief von Landessuperintendent D. Dr. Hollweg auf das Schreiben von Pastor Middendorff. 20. Februar 1936.

Original.

Sehr verehrter Bruder Middendorff!

Hiermit bestätige ich Ihnen mit Dank den Empfang Ihres Briefes vom 16. Februar. Trotz Ihrer Vorstellungen habe ich mich entschlossen, einer Berufung in die theologische Kammer Folge zu leisten. Dabei bin ich mir durchaus bewußt, daß auf allen Seiten im kirchlichen Kampfe viel geschehen ist, das durchaus der vergebenden Gnade unseres Gottes bedarf. Ich trete aber in dieses Gremium ein, mit dem ernsten Willen, für die Ehre meines Gottes und für seine Wahrheit zu zeugen gegen alles Unrecht, das uns, wo es auch immer sei, begegnen sollte. Ich weiß mich darin eins und verbunden mit D. Kolfhaus, der desselben Willens und der gleichen Absicht ist, und ich sollte meinen, es wäre Ihre und der Amtsbrüder Aufgabe, in dieser schweren und verantwortungsvollen Sache hinter uns zu stehen mit Gebet und Fürbitte. Ich gehe auch in dieses Amt in der klaren Erkenntnis, daß u. U. der Augenblick bald kommen kann, daß ich es niederlegen muß. Aber von vorneherein sagen: Nein, und nochmals: Nein, dazu habe ich keine Freudigkeit. Und wer will deshalb einen Stein auf mich werfen!?

Ich grüße Sie und die Ihrigen herzlich als Ihr ergebener

Hollweg

18. Vortrag von Pastor G. H. Goemann, Kirchborgum: „Die grundlegende Änderung des Kirchensteuerrechts durch den Herrn Reichs- und Preußischen Minister für kirchliche Angelegenheiten." März 1936.

Vervielfältigte Abschrift.

Es ist außerordentlich schwer, heute in dieser Lage der Kirche in Deutschland über eine solche Frage erschöpfend und sachlich zu reden. Wir haben es gelernt, daß heute alle kirchlichen Einzelhandlungen in ein Beziehungssystem, in das Kraftfeld, das zwischen dieser Kirche und diesem Staat heute entstanden ist, eingeordnet werden müssen. Die Finanzfrage, von der die Kirchensteuerfrage nur ein Ausschnitt ist, müßte von allen Seiten beleuchtet werden, vom verfassungsrechtlichen, vom politischen, juristischen und nicht zuletzt vom biblischen Standpunkt, wie er in den Bekenntnisschriften der Väter ans Licht gekommen ist. Daß meine Arbeit kaum in einer Hinsicht genügen kann, liegt auf der Hand. Die Kirche ist zu wenig daran gewöhnt, für ihre Aufgaben selbst eine totale Lösung zu suchen, ich meine: die Kirche hat bislang es versäumt, ihre inneren und äußeren Aufgaben von einem Punkt aus anzusehen und anzufassen. Das Äußere war abgetrennt. Recht, Finanzen wurden eben, ohne selbst von der Kirche aus einen schöpferischen Lösungsversuch zu machen, einfach auf dem Boden säkularer (weltlicher) Tatsachen gefunden und hingenommen.

Wir haben in diesen Nöten, in die die Kirche in unserer Zeit hineingetrieben wurde, gemerkt, daß die äußeren und inneren Angelegenheiten der Kirche in einem schweren und schicksalsreichen Zusammenhang stehen. Es hat in früheren Zeiten wohl einmal den Anschein haben können, als ob Verwaltung und Bekenntnis beziehungslos nebeneinander stehen könnten. Es ist vielleicht durchgehends so gewesen. Aber zum Schaden der Kirche. Nur dann ist wirkliche Verantwortung da, wenn die Kirche es versucht, eine Beteiligung und Verantwortung aller an dem Äußeren und Inneren herzustellen. (Ich habe hier mal das Äußere im Blick auf unser Thema vorangestellt.)

Der Herr Landessuperintendent hat in einer Cötussitzung, ich glaube es war am 16. III. 1934 — lang, lang ist's her — gesagt, daß auch bei der Verwaltung der Finanzen das Bekenntnis eine entscheidende Rolle spiele.

Uns ist das in den letzten Jahren klar geworden und wird uns noch klarer werden, daß in einer Welt, die mit „Religion" und Weltanschauung geradezu getränkt ist, es keine „neutralen" Finanzen geben kann. Auch das äußerlichste Handeln trägt den Stempel einer ganz bestimmten geistigen Haltung.

Wir beginnen mit den Ereignissen.

I.

Der Völkische Beobachter vom 13. III. 1935 meldete: „Der Reichs- und Preußische Minister für Wissenschaft, Kunst und Volksbildung hat zusammen mit dem Preußischen Finanzminister einen Erlaß herausgegeben, wonach für das Rechnungsjahr 1935 eine allgemeine Senkung der Kirchensteuer vorzunehmen ist. In dem Erlaß heißt es, das allgemeine Steuereinkommen, insbesondere das der Einkommensteuer, sei seit dem Jahre 1933 ständig gestiegen, auch habe sich die Gesamtwirtschaftslage erheblich gebessert. Hiermit müsse auch die erhebliche Besserung des Kirchensteueraufkommens verbunden sein. Die Regierungspräsidenten und Oberpräsidenten sind daher angewiesen, bei Genehmigung der Steuerbeschlüsse dafür Sorge zu tragen, daß der Kirchensteuersatz um ein Fünftel niedriger gehalten wird als im Vorjahr. Ausnahmen gelten nur in Fällen dringender Notstände und für den Fall, daß es sich um unaufschiebbare Bauvorhaben handelt, die der Förderung der Arbeitsbeschaffung dienen!"

Unter dem 11. März 1935 erschien das Gesetz über die Vermögensverwaltung in den Evangelischen Landeskirchen Preußens[38]. Diesem Gesetz zufolge werden bei dem Evangelischen Oberkirchenrat, den Landeskirchenämtern bezw. -räten und bei den Evangelischen Konsistorien je eine Finanzabteilung eingesetzt, die aus Beamten der allgemeinen kirchlichen Verwaltung besteht. Die Finanzabteilung ist der Staatsregierung für die ordnungsmäßige Verwendung der für evangelisch-kirchliche Zwecke gewährten Staatszuschüsse verantwortlich. Anordnungen der Kirchenleitung, die mit finanzieller Auswirkung verbunden sind, bedürfen der Zustimmung der Finanzabteilung.

[38] J. Beckmann, a. a. O., S. 95 f.

Die Einrichtung der Finanzabteilung erfolgte dem Vernehmen nach, damit der Staat die ordnungsgemäße Verwendung der Gelder, die durch die Verwirrung mit dem Einbruch der Deutschen Christen in die friedlichen Gefilde der Kirche nicht mehr gewährleistet war, kontrollieren könne.

Für unsere Kirchenleitung in Aurich wurden die Geschäfte der Finanzabteilung dem Landeskirchenrat übertragen. Ob nur aus Paritätsgründen oder weil die Voraussetzungen für die Schaffung des Gesetzes auch auf unsere Behörde zutreffen, entzieht sich unserer Kenntnis, denn bei der Ausschaltung des Landeskirchentages sind die Gemeinden über diese Angelegenheit nicht unterrichtet (s. Junge Kirche 1935, S. 776).

In der 3. Preußischen Bekenntnissynode der Altpreußischen Union in Berlin-Steglitz vom 23.—26. September 1935 wurde dazu von Vogel gesagt: „Die Preußische Staatsregierung hat durch das Gesetz über die Vermögensverwaltung in den Evangelischen Landeskirchen vom 11. III. 1935 kirchliche Finanzabteilungen mit staatlichem Auftrag versehen und ihnen staatliche Hoheitsrechte über die gesamte Vermögensverwaltung der Kirche verliehen. Dazu erklären wir: Die der Kirche gehörenden und ihr gegebenen Gelder sind dazu bestimmt, daß der Auftrag der Kirche in der Welt ausgerichtet werden kann. Darum ist auch die kirchliche Vermögensverwaltung von bekenntnismäßig gebundenen kirchlichen Organen auszuüben. Bei der gegenwärtigen Zerstörung der kirchlichen Organe ist eine rechtliche Hilfe des Staates erforderlich. Die Kirche darf aber keine Verwaltung ihres Vermögens anerkennen, die die Ausübung ihres Dienstes beeinträchtigt. Sie kann sich von der Verantwortung für die Verwendung der kirchlichen Gelder nicht entbinden lassen. Durch die Umlageverordnung vom 17. Juli 1935 und den Ministerialerlaß vom 22. August 1935 ist der Kirche und ihren Gemeinden tatsächlich die Verantwortung für ihr gesamtes Vermögen genommen und auf die Finanzabteilungen übertragen worden. Darüber hinaus stützt die Finanzabteilung beim Evangelischen Oberkirchenrat durch den Erlaß vom 22. Juli 1935 den Fortbestand des unchristlichen Kirchenregiments. Darum darf die Kirche, solange dieser Zustand andauert, durch Mitarbeit bei der Durchführung des Gesetzes vom 11. März 1935 eine Verantwortung nicht übernehmen.

In dem allen sind wir zum Glauben gerufen unter das Wort des Herrn: „Niemand kann zwei Herren dienen. Ihr könnt nicht Gott dienen und dem Mammon“ (Matth. 6, 24). „Trachtet am ersten nach dem Reich Gottes und nach seiner Gerechtigkeit, so wird euch alles solches zufallen (Matth. 6, 33).“

Diese Gesetze betreffen ja in erster Linie die Pfarrbesoldung und die

Verwendung der Gelder, die der Staat hierfür zur Verfügung stellt. Die Verantwortung der Gesamtkirche für ihre Finanzverwaltung ist damit aufgehoben, der Staat als Geldgeber hat damit seine Finanzaufsicht in eine Finanzdirektion über die Kirche umgewandelt oder gemeint umwandeln zu müssen. Das ist für die kirchliche Ehre und das Bekenntnis der Kirche eine unmögliche Situation, in der man nur unter Protest und Schmerz stehen kann. Es ist darauf hinzuweisen, daß nicht durch kirchliches Verschulden oder kirchliche Unordnung dieser Zustand geschaffen wurde, sondern durch politische außerkirchliche Tendenzen, die von außen her in die Kirche eingetragen wurden.

Im Zuge der staatlichen, staatskirchlichen Finanzaktion liegt nun offenbar die völlige Neuordnung des Kirchensteuerrechts, von der uns das Schreiben des Landeskirchenrats vom 10. III. 1936 Nr. 1225 Mitteilung macht. Diese Änderung, die offenbar in der Konsequenz der früheren Kirchenfinanzgesetzgebung der gegenwärtigen Regierung liegt, macht uns auch, d. h. den Ältesten und Predigern, sichtbar, um was es hier geht. Wir sind dringend zur Prüfung aufgefordert, mag sie unvollkommen ausfallen, mögen unsere Mittel ungenügend sein, mit denen wir eine Prüfung durchführen können. Wir fühlen: Es liegt hier etwas vor, an dem wir nicht mit der schnellen Ausfertigung einer statistischen Tabelle, auf Grund derer man denn ja wohl in Berlin im Rahmen des Gesetzes — ohne den Versuch eines grundsätzlichen Protestes — das Äußerste für die jeweilige Situation glaubt herausholen zu können, an dem wir also mit der schleunigen Ausfertigung einer statistischen Tabelle nicht vorübergehen dürfen. Wir müssen uns gründlich darüber besinnen.

II.

Die bisher geltenden Kirchensteuergesetze.

Die Älteren Ordnungen.

Wir müssen, um uns einen Überblick zu verschaffen, das Kirchensteuergesetz vom 10. III. 1906 und die sogenannten älteren Ordnungen, die in dem neuen Kerrl'schen Gesetz aufgehoben werden sollen, zum Abschied noch einmal anschauen. Das jetzt geltende Gesetz feiert dieser Tage seinen 30jährigen Geburtstag. Es hat also gerade eine Generation gelebt.

Es beginnt: „Wir Wilhelm, von Gottes Gnaden König von Preußen usw. verordnen mit Zustimmung der Gesamtsynode der Evangelisch-reformierten Kirche der Provinz Hannover für diese Kirche, was folgt: . . .“

Es ist die Verordnung des Königs von Preußen als des obersten Bischofs seiner Kirche. Es ist zu bemerken, daß die Verordnung erfolgt mit Zustimmung der Gesamtsynode.

In diesem Steuergesetz sind wesentlich die §§ 1 und 2.

„I. § 1. Besteuerungsrecht der Gemeinden / Kirchengemeinden.

Die Kirchengemeinden sind berechtigt, zur Befriedigung ihrer Bedürfnisse Steuern zu erheben.

Von dieser Befugnis ist nur Gebrauch zu machen, soweit die sonstigen verfügbaren Einnahmen zur Befriedigung der Bedürfnisse nicht ausreichen, insbesondere soweit die erforderlichen Geldmittel und Leistungen nicht nach bestehendem Recht aus dem Kirchenvermögen entnommen werden können oder sonst vom Patron oder von sonst speziell Verpflichteten gewährt werden.

Die Steuerbeschlüsse der Kirchengemeinde bedürfen der Genehmigung.

II. Steuerpflicht.

§ 2. Kirchensteuerpflichtig sind alle Evangelischen, welche der Kirchengemeinde durch ihren Wohnsitz angehören."

Daraus geht hervor, daß die Kirchen*gemeinde* Trägerin der Steuerverwaltung ist. Die Gemeinde bleibt hier die Grundlage der Kirche. Die Selbstverwaltung und Selbstverantwortung der Kirchengemeinde wird hiermit wenigstens angestrebt.

Es gibt Steuerordnungen älteren Rechts, nach denen die Kirchlichen *Lasten* nach Grasen, Stimmen, Herden Landes u. a. erhoben werden. Hier liegen offenbar alte germanische Rechtsanschauungen vor. Grund, Boden und Haus werden belastet. Aber auch hier können wir sagen: Die Einzelgemeinde ist hier, noch deutlicher erkennbar als bei der Steuerordnung des Jahres 1906, als verwaltendes Subjekt gegeben. Das liegt daran, daß sichtbare Dinge oder besser gesagt die Nutznießer von sichtbaren, in der Gemeinde liegenden Gegenständen zur Unterhaltung der Kirche und zur Bestreitung der kirchlichen Bedürfnisse herangezogen werden.

Wir müssen noch zum Gesetz vom Jahre 1906 (Kirchl. Gesetz- u. Verordn. Bl. III, Seite 263) bemerken, daß das grundlegende Gesetz im Kirchl. Gesetzblatt — Seite 277 verweist besonders darauf — nicht *Staats-* sondern *Kirchengesetz* genannt wird. Der König von Preußen erläßt dieses Gesetz gleichsam als vornehmstes Glied seiner Kirche, nachdem die Generalsynode dazu gesprochen. (Ob wir Herrn *Kerrl* auch wohl in diesem Zusammenhang als das vornehmste Glied seiner Kirche bezeichnen?) Erst die Gesetze zur Inkraftsetzung des Kirchengesetzes werden *Staats*gesetz beziehungsweise „Ausführungsanweisung zum Staatsgesetz" genannt.

III.

Die bisherige Praxis der staatlichen Steuergesetzgebung, die Handhabung der Darreichung der Staatsleistungen trugen bisher (in der Zeit vor dem Einsetzen der staatlichen Finanzabteilungen) dem Wesen der Kirche und der Gemeinde weithin Rechnung. Ich möchte nicht sagen, daß sie dem Wesen einer wahren selbständigen Kirche entsprachen.

Die Kirchen beider Konfessionen haben vom Staat außerordentlich beträchtliche Summen für die Pfarrbesoldung bekommen. In einigen deutschen Ländern wie Württemberg erzielen diese Staatsleistungen eine außerordentliche Höhe. Es ist bekannt und oft wiederholt, daß diese Staatszuschüsse nicht etwa aus reiner Zuneigung des Staates zur Kirche kommen. Bei der Reformation haben die weltlichen Fürsten einen großen Teil der Kirchengüter, die die Kirche für ihre Bedürfnisse gebrauchte, sich einverleibt. Ferner ist in der Zeit der Säkularisierung, als die geistlichen Fürstentümer aufhörten zu existieren, ein großer Teil des Kirchenguts in die Hände des Staates gekommen. Endlich ist die Kirche durch die Inflation, die nicht durch Versagen der kirchlichen, sondern der staatlichen Organe vor sich ging, schwer geschädigt.

Diese Staatsleistungen sind bisher vom Staat, vom Weimarer Staat sogar in verschwenderischer Fülle, gezahlt worden.

Wir wollen nicht behaupten, daß diese Zahlungen sich für die Kirche segensreich ausgewirkt haben. Die Kirche kam in Abhängigkeit. „Wes Brot ich ess, des Lob ich sing!“ Nun, die Kirche hat sich sicherlich nicht restlos zur Dienerin ihres Brotherrn erniedrigt, aber wir wissen doch aus der Vor- und Nachkriegszeit, daß in Verfassung und Ordnung und Haltung und Einstellung der Kirche verborgen und offen, im Unter- und Oberbewußtsein Rücksicht genommen werden mußte. Die Kirche wurde verweltlicht durch die Abhängigkeit, in die sie doch irgendwie hineingeriet. Das Geld bindet oft unsichtbar, aber um so sicherer.

Infolge der Abhängigkeit der Kirche vom Staat ist in den letzten Jahrzehnten, oder im letzten Jahrhundert können wir sagen, kein der Kirche eigentümliches, für die damalige Wirtschaftsgesinnung notwendiges Steuerrecht geschaffen worden. Das Gesetz von 1906 war der liberalistischen Wirtschaftsform und Denkweise weithin angepaßt. Es war eine rein formale Anpassung an die geltenden Steuern, zu denen mechanisch ein mehr oder weniger hoch gestufter Zuschlag erhoben wurde.

Die Kirche hat kein ihr eigentümliches Steuerrecht geschaffen, aber immerhin wurde folgendes Minimum gewährt: 1. Die Gemeinden heben ihre Steuern völlig selbst und verantwortlich. 2. Der Staat kann auf die Verwendung der mit seiner Genehmigung für die Kirche für notwendig erachteten Gelder keinen Einfluß nehmen. Er begrenzt sein Hoheitsrecht, daß er dem Kirchensteuerbeschluß nur Rechtskraft verleiht und der Kirche seinen weltlichen Arm leiht zur Einziehung.

Hier spürte man noch davon bei aller Trockenheit der Gesetze: Hier war der Wille des Gesetzgebers, der Kirche Sonderrechte zu geben, weil sie Dienerin einer anderen Macht auf dieser Erde ist. In der kirchlichen Gesetzgebung wird die Kirche nicht Volksinteressen untergeordnet. Wenn die evangelische Kirche es an geistlichem Abstand zu Staat, Welt und Kultur hat fehlen lassen, dann war es nicht die Schuld irdischer Mächte, sondern ihre eigene Kulturseligkeit und Substanzverschlechterung.

Was fehlte in der Kirchensteuergesetzgebung, die hinter uns liegt? Es fehlte eine verantwortliche Beteiligung aller Gemeindeglieder, auch der wirtschaftlich Schwachen. In der Kirche sollten für eine Beitragserhebung andere Maßstäbe gelten als für die staatliche Aufbringung der Steuern. Sehen wir die sogenannten Sekten, was die opfern! Sehen wir auch vielleicht den Nationalsozialismus an. Wenn wir auch den hin und wieder etwas unsanften Druck, der in weltlichen Dingen in erträglichen Grenzen nicht immer zu schaden vermag, abziehen, dann sehen wir, wie dort auf weltlichem Gebiet Menschen für einen weltlichen Zweck opfern, die von der Kirche vielleicht nicht zur Opferung eines Pfennigs erzogen worden sind. Die wirtschaftlich schwächeren Gemeindeglieder sind so erzogen, daß sie von der Kirche etwas erwarteten, es kam für sie einfach nicht in Frage, daß sie für die Kirche etwas leisten sollten. Das ist ein sehr wunder Punkt. Dadurch haben sowohl die Kirche als auch diese Leute Schaden genommen. Die Sekten und Freikirchen, die von ihren einfachen Gliedern viel verlangen, bewahren ihre Mitglieder eher vor wirtschaftlicher Verlotterung als die Kirche, die meinte, vielleicht durch gelegentliche Wohltätigkeit, die sicher an ihrem Platze ernst und eindringlich gefordert ist sowohl vom Einzelnen als auch von der Gemeinde, den Gliedern einen Dienst erweisen zu können. Wohltätigkeit, die nicht den totalen Menschen trifft, erbaut nicht, sondern ruiniert. Ich möchte sicher nicht sagen, daß die Kirche zu viel an Wohltätigkeit getan, aber daß sie zu wenig darin getan hat, ihre Glieder mit der Verantwortung auch für die äußeren Bedürfnisse zu belasten. Man sollte weniger von Entlastung als von verantwortlicher Belastung halten.

Die Verbindung zwischen der Gemeinde und ihren Gliedern hätte durch eine kircheneigene Steuer oder Beitragsordnung zum Ausdruck kommen sollen.

Durch die nun durch den Herrn Kirchenminister Kerrl ins Auge gefaßte Kirchensteuerordnung wird jede, aber auch jede Beziehung zwischen Gemeinde und ihren Gliedern ausgeschaltet. Für den Großteil der Steuerzahler wird die Verbindung mit der Gemeinde dann durch das Finanzamt hergestellt. Eine sehr abstrakte, kühle Verbindung. Das Kirchgeld, aus dem sich vielleicht noch wohl irgendeinmal eine Beanspruchung und Verpflichtung aller oder der meisten Gemeindeglieder in echt kirchlicher Form hätte schaffen lassen, soll nach der neuen Steuergesetzgebung überhaupt in Wegfall kommen. Es wird also scheinbar in der neuen Gesetzgebung kein Versuch gemacht, eine verantwortliche Beziehung in der Angelegenheit der geregelten kirchlichen Verpflichtungen herzustellen.

Im dinglichen Kirchenrecht war nach germanischer Weise Boden und Herd die Grundlage. Sie lagen in der Gemeinde, und ihre Nutznießer hatten die Pflicht, daraus für die Bedürfnisse der Kirche beizusteuern. Damit war eine zwangsläufige Verbindung zwischen den Gemeindegliedern und der Gemeinde, in der sie wohnten, hergestellt.

IV.

Bestand eine Notwendigkeit, die heutige Steuergesetzgebung zu ändern?

Es ist außerordentlich schwer, über die technische Seite etwas zu sagen. Dann hätte man über das Verwaltungswesen mindestens einer größeren Gemeinde einen Überblick haben müssen.

Wir in Kirchborgum heben 20 Prozent der Reichseinkommensteuer und der vorläufigen Steuer vom Grundvermögen als Kirchensteuer. Wir haben bis auf einen Fall, der sich neuerdings auch regelte, keine Schwierigkeiten gehabt, die Kirchensteuer herein zu bringen. Es ist durchweg so, daß die Erhebung der Kirchensteuer fast gleich das erste Mal durchgängig durchgeführt werden kann. Ich möchte Kirchborgum nicht als Mustergemeinde hinstellen, aber es darf doch gesagt werden, daß heute die Gemeinden doch auch wissen: Eine Kirche muß Mittel haben, um existieren zu können. Es soll alles sauber und ordentlich kalkuliert werden. Wenn den Gemeinden das klar ist, sollen sie auch angesprochen werden auf ihre Verpflichtungen gegenüber der Gemeinde.

Lassen Sie mich eine kritische Stimme anführen! Die Stimme eines Mannes, der die Schwächen der Kirchenverwaltung gesehen hat. Der sagte mir: „Durch dies Steuergesetz wird Ordnung geschaffen. Durch die Einführung der landeskirchlichen Umlage war die Unordnung so groß geworden, daß Ordnung geschaffen werden mußte. Einige Gemeinden führen heute die landeskirchliche Umlage ab und andere nicht. Diese anderen rühmen sich sogar noch und brüsten sich: Wir führen nichts nach Aurich ab. Das ist ja keine Ordnung. Das ist unordentlich und unchristlich. Bei der heutigen Neuordnung wird die Last recht verteilt und die Verwaltung kann sauber durchgeführt werden. Das ist nationalsozialistisch."

Wir haben dies zu überlegen und haben diese Gesichtspunkte sicher nicht ohne Nachdenken vorübergehen zu lassen.

Die Schwierigkeiten sind durchaus da. Die landeskirchliche Umlage hat ein übriges getan, um die ordnungsmäßige Weiterführung der Kirchensteuererhebung in den Gemeinden in Unordnung zu bringen. Man kann hier ja auch mit gewisser Änderung das bekannte Bild Niemöllers bringen. Jemand hat mir einen schweren Feldstein in mein Tulpenbeet geworfen. Nun kommt er eines guten Tages an meine Gartentür und begehrt Einlaß. Ich denke, er hat ein Einsehen und will den Stein wieder aus meinem schönen Tulpenbeet herausholen. Aber anstatt dies zu tun, zertrampelt er mir nun auch noch das schöne Tulpenbeet. Der Staat hat der Landeskirche die Zuschüsse um ein ganz Erhebliches gekürzt. Das ist der schwere Stein im Beet. Ferner ist dann die Verordnung ergangen: Ihr dürft keine höheren Steuern heben. Wenn dann die kirchliche Verwaltung in die Brüche geht, dann kann ich auch heute nicht anders als um der Wahrheit willen einmal feststellen: Dieses Handeln entspricht nicht den Grundsätzen von Wahrheit und Billigkeit, die wir bislang im abendländisch-christlichen Kulturbereich gewöhnt waren. Ich drücke mich absichtlich so aus.

Gegenüber der oben sehr sachverständig und ehrlich vorgetragenen Kritik mußten wir zunächst obige Bemerkungen anbringen.

Sodann müssen wir doch gegen unseren gutmeinenden Kritiker vom Standpunkt der reformierten Gemeinde aus Stellung nehmen. Man soll das Kind nicht mit dem Bade ausschütten. Wenn das Wasser schmutzig ist, dann ist das Kind nicht wegzuschütten. So ist es auch mit der alten Steuergesetzgebung. Wir werden nachher begründen müssen, daß vom Standort der reformierten Gemeinde, die die Trägerin der Kirche ist — nicht im Sinne künstlicher Unabhängigkeit der Gemeinden voneinander —, bei der Steuerneuordnung eine Entmündigung der Gemeinde vorliegt. Die Gemeinde ist nach reformierter Anschauung (später werden wir den Beweis antreten müssen) die Trägerin der Kirche in dem Sinn, daß die in der Welt kämpfende und bekennende Kirche aus Gemeinden besteht, die für das innere und äußere Leben, für ihren Glauben und ihr Bekennen und auch für ihre Verwaltung verantwortlich sind. Die Gemeinde verläßt sich für das Äußere und das Innere gleicherweise nicht auf einen Dritten, sondern sie ist es, die gerufen ist, für sich und damit für die Kirche verantwortlich zu sein. Daß darüber hinaus Hilfe und Geholfenwerden einsetzt, ist nach biblischen Vorbildern klar. Zum Beispiel die Gemeinden in Korinth sorgen für die armen Gemeinden in Jerusalem.

Unseres Erachtens lag in keiner Weise die kirchliche Notwendigkeit vor, die heutige Kirchensteuergesetzgebung zu ändern, und eine Änderung auf dieser Grundlage, unter diesen Voraussetzungen, ist, kirchlich angesehen, geradezu ungeheuerlich.

V.

Unser Widerspruch gegen das vorliegende Gesetz.

1. Wir können unsern Widerspruch nicht erheben, weil wir gegen die Uniformierung und Vereinheitlichung (Normierung) des deutschen Lebens in der Gegenwart streiten. „An de Bibel, an de Kark, un an de Melk harn's net ankomen mußt": Diese etwas possierliche Gleichsetzung des Volksmunds darf uns hier nicht interessieren. Über das Milchgesetz steht uns kein Urteil zu.

Es geht hier um die kirchliche Beurteilung der kommenden Kirchensteuergesetzgebung. Wir wissen nicht, was der Staat und in dessen Gefolge die offizielle Kirche in Aurich als letzte Absicht für diese Umgestaltung des Kirchensteuerrechts ins Feld führen wird. Wir werden es wohl auch erst spät erfahren, wenn die notwendig in ihm liegenden unkirchlichen und unreformierten Grundsätze in der Praxis zur Auswirkung gelangt sind. Man wird reden von Einsparung, Vereinfachung der Verwaltung und des Apparats, lauter Dinge, die mir, am Rande bemerkt, nach der Erfahrung der letzten Jahre mit der beispiellosen Aufblähung des Behördenapparats mehr als zweifelhaft erscheinen. Vielleicht geht es darum, wieder ein Gebiet des Lebens, das noch verhältnismäßig eigenständig verwaltet wurde, zu erfassen. Wir können diese Versuchsmaßnahme, soweit die Kirche davon berührt wird, nicht einfach ruhig hinnehmen, wir haben sie zu prüfen an der Eigenart der Kirche, der Gemeinde und deren Auftrag in der Welt. Leider können wir uns wenig an den Rechtsschöpfungen der Kirche aus neuerer Zeit orientieren, weil die Kirche es infolge ihrer Abhängigkeit vom staatlichen und kulturellen Leben weithin versäumt hat, selbst Recht zu schaffen.

2. Uns steht der eine Gedanke voran: Die reformierte G e m e i n d e wird auf diese Weise zerstört. Bei der Stellungnahme zu diesem Gesetz kommt es an den Tag, ob eine Gemeinde in reformiertem Sinne ernst genommen wird oder nicht.

Es ist überhaupt schon allgemein protestantische Auffassung, daß die G e m e i n d e die Grundlage der Kirche ist. Das kommt in der Tatsache zum Ausdruck, daß die Gemeinden im Kirchenrecht eindeutig in erster Linie als Subjekt des Kirchenvermögens kirchenrechtlich hingestellt werden. Schaeffer-Brode sagt im Kirchenrecht Seite 163: Subjekt des Kirchenvermögens sind 1. in erster Linie die Kirchengemeinde. Dies entspricht der evangelischen Auffassung, daß die Gemeinde die Grundlage der Kirche ist, und ist auch durch das allgemeine preußische Landrecht sanktioniert. 2. Außerdem in beschränktem Umfange auch als öffentlich-rechtliche Korporation die über den Gemeinden stehenden Synodalverbände, die einzelnen Landeskirchen selbst sowie der deutsche evangelische Kirchenbund.

In Schüle: „Die Grundlagen des reformierten Kirchenrechtes" Seite 124 ff. ist ausgeführt: „Jede Gemeinde ist eine Versichtbarung der Kirche, in jeder Gemeinde wird die Einheit im Gemeindebekenntnis voll verwirklicht. Die Gemeinde ist die sichtbare Kirche. In jeder Gemeinde ist die Kirche da als die eine und ungeteilte Kirche. ... Im reformierten Sprachgebrauch wird deshalb gewöhnlich die Gemeinde als die Kirche bezeichnet und die Verbindung mehrerer Gemeinden als der Kirch- oder Synodalverband. Dieser Verband ist nicht die Kirche, sondern er ist zusammengesetzt aus vielen Kirchen. Die Kirche, als alle Gläubigen umfassend, ist die unsichtbare streitende Kirche. Die Gemeinde kann nie eine Einteilungseinheit sein, um einen größeren Kirchverband zu organisieren, sondern die Gemeinde ist immer das Erste. Jede Gemeinde ist autonom (selbständig). Es gibt keine Unterordnung von Gemeinden untereinander."

Schüle sagt a. a. O. Seite 163 über die Ordnung des kirchlichen Güterrechts: „Auch das kirchliche Sachen- und Schuldrecht steht unter dem Gemeindeprinzip. Besitz und Verwaltung kommen der einzelnen Gemeinde zu im Gemeindeamt. Der Synodalverband besitzt ebensowenig als ein Amt auch keine eigenen Kirchengüter. Alles, was er verwaltet, gehört den Gemeinden. ... Es können auch die Gemeinden gemeinsam eine Verwendung ihres Kirchengutes bestimmen. Aber immer wird sich eine gemeinsame Verpflichtung des Kirchverbandes solidarisch auf die einzelnen Gemeinden verteilen."

In weiteren Ausführungen redet Schüle davon, daß eine Gemeinde Steuern erheben darf (Seite 167 f.). Die Frage wird zunächst gestellt, ohne das Verhältnis von Staat und Kirche zu berühren, rein vom Gemeindeprinzip aus. Zur Aufbringung der Mittel für diejenigen Schuldverpflichtungen, für die die Gemeinde kirchenrechtlich haftbar ist, darf sie auch eine bestimmte Ordnung festsetzen für den Anteil einzelner Glieder. Sie darf Steuern erheben. Die Art dieser Steuererhebung, die Höhe, die Kontrolle des Eingangs und alle Einzelheiten müssen durch das besondere Kirchenrecht bestimmt werden. . . . Im allgemeinen Priestertum liegt auch die Pflicht, an den Lasten der Gemeinde teilzunehmen.

Soweit Schüle.

Man kann behelfsweise von der Totalität (Ganzheit) der Gemeinde reden. Es mag in manchen Gemeinden an Erkenntnis für ihre Verpflichtung in steuerlicher Hinsicht fehlen. Soll man daraus etwa fordern: Die Gemeinde kennt ihre steuerliche Verpflichtung nicht, es ist einiges mangelhaft und unübersichtlich in der kirchlichen Finanzverwaltung, nun muß der Staat als Retter in höchsten Nöten kommen? So glaubt man folgern zu müssen. Das mag von weltlichen und Nützlichkeitsgesichtspunkten durchaus in der Ordnung sein. Aber kirchliches Denken und Handeln ist eben völlig anders. Wir sehen, daß die Gemeinden hiermit entmündigt und gegängelt werden. Es wäre ein Armutszeugnis für die Kirche, wenn es hierzu kommen würde, daß durch eine außerkirchliche Hand für die Gemeinden gesorgt würde.

Die Sorge der Gemeinde für die äußeren Dinge ist durchaus nicht zweit- oder drittrangig. Die Tätigkeit des Johannes a Lasco bei den Visitationen erstreckte sich auch auf die Sicherung des Kirchenguts. Er führt bittere Klage darüber, daß der Fürst in Ostfriesland bei der Reformation viel Kirchengut eingezogen habe.

Alle kirchlichen Dinge müssen heute grundsätzlich vom Bekenntnis gesehen und angefaßt werden. Die Frage des Kirchensteuerrechts ist ein Teil des kirchlichen Fragenbereichs heute. Hierbei wird deutlich, ob wir einer klaren Weiterführung kirchlicher Fragen (Selbständigkeit, Freiheit, Sonderbekenntnis, reine Lehre und Irrlehre, Ausscheidung der Deutschen Christen), einer Lösung für die heutige Zeit mit ihren scharfen Angriffen gegen die Kirche Jesu Christi näher kommen oder nicht. Eine neue Ordnung der Kirchensteuer vom Ordnungsstandpunkt aus kann der Kirche nicht dienen. Sie schadet ihrer Selbständigkeit und Freiheit und ihrer wahren inneren Ordnung. Sie darf sich daher nicht leiten lassen von Erwägungen der Nützlichkeit und Anpassung. Nichts tötet mehr als bedingungslose Abhängigkeit. Finanzkontrolle ist Lebenskontrolle. Das müssen wir allen in der Kirche sagen, die für sie verantwortlich sind, und allen, die sie als freie, ungebundene Kirche des Wortes ihres Herrn Jesu Christi lieb haben, und die um ihr Schicksal und um ihren Auftrag in der Welt heute bangen.

Die grundsätzliche Durchbrechung des Rechts der Einzelgemeinde, ihre steuerlichen Angelegenheiten zu regeln, ist Zerstörung reformierter, aber auch evangelischer Grundsätze. Die reformierte Kirche insonderheit ist kein gemäßigtes Kollektiv (Gemeinbetrieb). Sie ist vielmehr ein in Gemeinden lebender, sich verwaltender und ordnender Körper. Jede Gemeinde ist wiederum für sich Kirche. Eine Außerachtlassung dieser Tatsache in der Frage der Verwaltung muß für eine reformierte Kirche und Gemeinde die ernstesten Folgen haben.

3. Die Behörde bekommt als Behörde Steuern. Das widerspricht der

bisherigen Auffassung. Bredt sagt im Kirchenrecht 2. Band Seite 204 Anmerkung 2: „Es kommt hinzu, daß es eigentliche ‚Kirchensteuern' überhaupt nicht gibt, sondern nur kirchliche ‚Gemeindesteuern'... Der Staat leiht seine Zwangsgewalt nur der einzelnen Gemeinde gegenüber dem einzelnen Mitgliede."

Hier wird der Behördenapparat, der arbeiten kann ohne Gemeinde, unabhängig von der Gemeinde, in ganz unreformierter Weise gestärkt. Die Behörde wird von der Bindung an die Gemeinden völlig befreit, sie bekommt eine Bedeutung, die in einer reformierten Kirche bekenntniswidrig und untragbar ist. Die Leitung der Kirche ist nicht mehr an die Gemeinde gewiesen, sie lebt aus eigenem Reservoir (Behälter). Damit ist die Gefahr groß, daß die Trennung von „Behörde" und „Gemeinde" noch mehr als bisher in Erscheinung tritt. Die Verordnung betr. Amtsgeheimnis, die ganz und gar behördlichen Geist atmete[39], ist damit durch die finanzielle Neuordnung unterbaut. Die Gesetzgebung des Staates und einer behördlichen Kirche gehen hier mit eiserner Folgerichtigkeit ihren Weg der Drosselung der kirchlichen Selbständigkeit im allgemeinen und der gemeindlichen Selbstverantwortung im besonderen.

Für den reformierten Standort ist es künstliche Ernährung, wenn die Behörde sich selbst finanziert. In diesem Falle also aus der allgemeinen Kirchensteuer erst ihren Anteil nimmt und die restlichen Beträge den Gemeinden überweist, als Brosamen, die von der Herren Tische fallen. Das ist künstliche Ernährung, die für die reformierte Kirche durch den Mund, das heißt durch die Gemeinde vor sich gehen muß.

4. Hinter dem Gesetz steht der Begriff des „Positiven Christentums". Damit ist die ganze Gesetzesfrage vom Bekenntnis getrennt. Die Abtrennung der Verwaltung von der Gemeinde redete an sich deutlich genug. Unsere Fragen gehen weiter. Wenn die Steuer auf Evangelische und Katholiken aus einem großen Topf verteilt wird, dann liegt darin die Aufhebung dessen, was wir unter Kirche glauben und verstehen. Kirche ist keine Weltanschauungseinrichtung, die „Religion" verbreitet und im deutschen Göttertempel (Pantheon) der Gegenwart einen für heutige Begriffe etwas rätselhaften Schutz genießt, sondern ganz konkret, sichtbar und faßbar, reformierte, lutherische, katholische Kirche.

Unsere Sorgen gehen weiter: Geht das nicht auf eine Nationalkirche hin? Hat das nicht Nationalkirche zu bedeuten, getrennt nach Kulturabteilungen? Folgerichtig weiter gedacht und weiter entwickelt kann das Ganze, was hier entsteht, nicht Kirche bleiben, sondern muß

[39] S. Dokument 12, S. 82 f.

einfach — diese Gefahr sehen wir — irgendwie Unterabteilung des Staates werden, mag man das verdecken oder allmählich klarlegen.

Es ist festzustellen, daß die heutige Gesetzgebung — davon ist die kirchliche Gesetzgebung nach einem Aufsatz von Professor Dr. Weber in der Deutschen Juristenzeitung 1936, Heft 2, nicht aus- sondern eingeschlossen — von einem bestimmten Programm, heute sagt man Weltanschauung, her ausgerichtet ist. Weil die Gesetzgebungstätigkeit des Staates aus einer letzten Wurzel stammt, haben wir bei diesem Gesetz nach dieser Wurzel zu fragen. Weil alle Konfessionen hier als Einheit gesehen werden, können wir nicht umhin, hier zu folgern: Hier liegt der Begriff des „Positiven Christentums" zu Grunde. Der Gedanke oder Hilfsbegriff des „Positiven Christentums" ist zu mindestens auf dem Boden der Christlichen Kirche, die wirklich K i r c h e sein will, eine Fiktion, d. h. ein Scheingebilde oder Annahme eines nicht vorhandenen Gegenstandes. Auf Grund solcher Scheinbegriffe, hinter denen keine Wirklichkeit steckt, läßt sich kirchlich nicht rechtmäßig handeln.

5. Es besteht die Gefahr, daß die besondere Steuer in Wegfall kommt, ferner daß mit dem Erstarken der dritten Konfession (Deutschglaube) auch diese an der Kirchensteuer mit beteiligt wird.

Ein Jurist schreibt mir, daß in Kürze das restliche spärliche Recht der Gemeinden ganz verschwindet.

Also die Gefahren, die drohen, sind einmal, daß man sagt: Zwei Steuererhebungen nebeneinander sind untragbar, sind kompliziert; um die restlose Vereinfachung durchzuführen, bekommen wir alle Steuern der Kirche durch das Finanzamt. Dann wäre auch die zweite Gefahr angesichts der weltanschaulich-religiösen Bedrohung, der die Kirche ausgesetzt ist, daß die dritte Konfession an dieser Steuer beteiligt und aus der Kirchensteuer eine Reichskultursteuer geworden ist. Daß die Kirche bei einer solchen Abhängigkeit Schaden leidet, wird dem einfachen Gemeindeglied, das weiß, was für eine angefochtene Stellung die Kirche Jesu Christi in der Welt überhaupt und heute ganz besonders hat, deutlicher sein als solchen, die vielleicht ganz oben in der Kirche nur darauf bedacht sind, wie die Kirche äußerlich gesichert, anerkannt und geschützt wird. Man wird uns die letzten Hintergründe des Handelns nicht so grob sagen, man weiß, daß man mit Taktik weiter kommt. Ferner: Wie leicht läßt sich aus diesem Gesetz dann eine Fessel machen, den Einzelnen unter allen Umständen an irgendeine Weltanschauungsrichtung, sei es nun „Kirche" oder ein sonst zu schaffendes kultisches Institut zu binden. Damit wäre ein Austritt aus der Kirche unmöglich — wir denken an den Fall, daß einmal die Bildung einer ungebundenen Kirche um des Evangeliums willen gefordert sein könnte. Gewiß, das sind Überlegungen, aber sie drängen sich immer wieder auf, und man hört solche Erwägungen von ganz verschiedenen Seiten, aus dem Munde solcher, die urteilen können, und nicht bloß von Theologen.

6. Inneres und Äußeres können in einer Kirche nicht getrennt werden.

Es ist eine allgemeine Erfahrungsregel: wer die Finanzhoheit hat, hat entscheidenden Einfluß, hat unter Umständen das ganze Regiment. Wir können nicht umhin zu sagen, daß die Darreichung der Staatszuschüsse für die Pfarrbesoldung für die Haltung der Kirche seine schweren Schattenseiten hat. Eine charaktervolle Kirche mit völlig eigenständiger Verfassung und Ordnung wie die katholische Kirche mag das tragen. Unsere evangelische Kirche hat schweren Schaden gelitten. Die katholische Kirche kann zudem Natur und Gnade, Welt und Kirche, Alltag und Heiligtum weitgehend trennen. Die evangelische Kirche kann das nicht, für sie gehören Welt und Kirche zusammen unter die Herrschaft des einen Christus. Sonderlich die reformierte Kirche ist in ihrer Lehre und in ihrer Haltung völlig gegen die Trennung der Gebiete Welt und Kirche eingestellt. Der Nachweis würde eine besondere Ausführung erfordern, kann aber jederzeit angetreten werden. Ebensowenig wie Kirche und Welt ohne Beziehung zueinander existieren können, ebensowenig kann auch das Äußere und das Innere in der Kirche ohne Beziehung zu einander sein. Es ist ein Unding, wenn die Kirche wohl frei predigen darf, aber in ihren äußeren Angelegenheiten, in Verwaltung gebunden und abhängig ist. Die Dinge werden dann mit unheimlicher Schnelligkeit sich so entwickeln, daß aus äußeren Bindungen unheimliche innere Bindungen und Ohnmacht wird. Die Kirche kann nicht den Anspruch erheben auf die Welt im Namen ihres Herrn Jesu Christi; sie ist ja gebunden, sie muß Rücksicht nehmen auf den, der ihre äußere Sicherheit garantiert. Ihr Bußruf und Mahnwort an die natürliche sündige Welt, die sich selber und ihre vermeintliche Herrlichkeit vergöttert, hat keine Kraft.

Die Kirche ist dann für die Welt und den Staat die rettende und bewahrende Macht, wenn sie anders ist als die Welt. Eine reformierte Gemeinde muß sich gegen solche Gedanken der Entmündigung und Entrechtung wehren um der Verantwortung willen, die sie vor Volk und Staat hat um ihres Auftrags willen, den sie vom Wort des dreimaleinigen Gottes herleitet.

Wir möchten mit dem Staat in Frieden leben. Für das Verhältnis Staat und Kirche ist das Verhältnis der katholischen Kirche zum Vorkriegsstaat lehrreich. Das katholische Kirchensteuerrecht wurde 1905 einseitig durch Staatsgesetz geregelt, freilich im Benehmen mit der kirchlichen Behörde. Die katholische Kirche hat für solche Behandlung, bei der sie nicht gleich gut wie die evangelische behandelt wurde, auf einem anderen Gebiet, nämlich dem politischen, sich gewehrt. Die politische Linie von Windhorst bis Erzberger hatte sich tief in das deutsche Schicksal eingegraben. Der evangelischen Kirche ist es um ihres Glaubens und Gewissens willen verwehrt, diese Haltung gegenüber dem Staat einzunehmen. Sie ist gebunden an das Wort Gottes und hat sich jedes eigenmächtigen Eingreifens in den Raum des Politischen zu enthalten. Es ist ihr verwehrt, auf kirchliche Hemmungen mit der Bildung politischer Sondermeinungen und Sonderbestrebungen zu antworten.

7. Unsere Landeskirche hat offenbar nicht die Absicht, einen grundsätzlichen Protest gegen das neue Kirchensteuergesetz einzulegen. Sie gibt damit die Finanzhoheit des Landeskirchenrats, des obersten synodalen Organs unserer Landeskirche, und damit die Finanzhoheit der Landeskirche über ihren eigenen Bezirk zu Gunsten einer staatskirchlichen Rücksicht preis. Hier ist ein neuer Punkt, wo der Landeskirchentag sofort Stellung nehmen sollte. Hier müßte er sich wehren, daß ihm die Verantwortung für die Finanzen der Kirche genommen wird.

Bisher war die Behörde vom Landeskirchentag in wichtigen Entscheidungen abhängig. Dadurch, daß der Landeskirchenrat die Geschäfte der staatlichen Finanzabteilung sich hat übertragen lassen, ist er nicht mehr wesentlich an den Landeskirchentag gebunden.

In diesem Zusammenhange ist die Frage aufgeworfen, ob nicht der, der heute noch die Auricher Kirchenleitung, die in einem dichten Netz von Bindungen gefangen ist, eine reformierte Kirche nennt und so tut, als ob hier das Sein einer reformierten Kirche von vornherein zu bejahen wäre, nicht Namen und Sache, Schein und Wirklichkeit verwechselt.

Wir leben in einer unehrlichen, unwahren Situation in unserer Kirche, wo die ganzen Dämonien, die sich in dem unwahren Zwischenraum zwischen Staat und Kirche entwickeln können, toben.

Der Landeskirchenrat hat also die Geschäfte der staatlichen Finanzabteilung sich übertragen lassen. Eine einschneidende Maßnahme. Eine ebenso weitgehende Maßnahme wie die Einrichtung der Finanzabteilung ist dies neue Kirchensteuerrecht. Für die Gemeinden ist das noch viel einschneidender. Die Gemeinden, das sind nicht die unteren Instanzen, sondern die Träger und Versichtbarung der Kirche, sind entmündigt. Ihnen wird zugeteilt, was sie an Bedürfnissen rechnerisch glaubhaft machen können. Der Bedarf wird ihnen von außerkirchlicher Seite zugemessen.

Zu einem solchen Gesetz kann die oberste Instanz unserer Landeskirche, der Landeskirchentag, nicht schweigen. Sein Zusammentritt erscheint nach allen Ereignissen in der Kirche, die so grundlegend Weg und Sein der Kirche bestimmten und bestimmen werden, dringend notwendig. Er hat sonderlich an dem hier uns beschäftigenden Gegenstand zu erweisen, ob er eine an Gottes Wort gebundene Synode ist und ob er um die Verantwortung einer eben durch Gottes Wort reformierten und zu reformierenden Kirche weiß oder ob er sich durch weltliche Bindungen und Rücksichten bestimmen läßt, zur Entmächtigung der Kirche in Botschaft, Ordnung und Haltung zu schweigen.

Inzwischen haben Prediger, Älteste und Gemeindeglieder, die sich zur Verantwortung aufgerufen wissen, zu überlegen: was haben wir zu tun. Mit einem Jammern und Klagen über den bösen Druck, mit einem besorgten Warnruf nach Aurich, der so oft schon ungehört nach dort drang, werden wir auf die Dauer nicht weiterkommen. Aufklärung ist gut, wir haben den Widerstand in der Gemeinde auf jede äußere Gefahr hin zu stärken. Wir haben darauf hinzuweisen, daß eine solche Kirche und deren Leitung krank ist. Wenn eine Kirche so redet, wie sie redet, dann ist sie ebenso krank wie die Obrigkeit, die so redet. Obrigkeit, die so redet, und die Kirche, die so redet, sind gleicherweise krank. Sie kennen ihre Grenzen nicht. Die eine ist in Gefahr, Kirche zu werden, und die Kirche ist in Gefahr, Staat zu werden oder ein Scheingebilde. Eine solche Kirche hat die Pflicht, ihre Krankheit zu erkennen, nicht etwa die Krankheit zu verbergen oder ihre Krankheit und Schwachheit als das Normale des kirchlichen Lebens (Existenz) hinzustellen. Letzteres sind wir heute von einer führenden Schicht solcher Männer gewohnt, die meinen, der große Theologe und Prediger Kohlbrügge gebe ihnen das Recht und die geistlichen „Waffen“ für solche Lehre und Haltung. Wir wissen, daß die Kirche eine Kirche in der Welt ist, aber wir wissen auch, daß die Kirche dem Herrn gehört, der die Welt überwunden hat und überwinden wird und den Seinen in der Kirche sagt, daß sie wohl in der Welt, aber nicht von der Welt sind. Wer eins von beiden, das in oder das von unterschlägt, begibt sich auf den Weg der Schwärmerei oder den Weg der Erstarrung (Kohlbrügge, Epigonen).

Es gibt hier Grenzen (Sunt certi denique fines!).

Der Tatbestand der Verletzung reformierter und protestantischer Grundsätze überhaupt ist deutlich gegeben. Es kann sich heute nur noch handeln um die wirksamste und gebotene Form des Widerstandes, damit dieser Weg der Kirche nicht durch unsere Schuld ins Endlose verlängert wird. Wir haben immer mehr zu lernen, den Blick für unsere kirchliche Gegenwart aus dem klaren Zeugnis und der Haltung der Schrift zu klären. Wir hätten ja erwarten müssen, daß sofort nach dem Bekanntwerden der Grundlinien des vorliegenden Gesetzes die reformierten Gegengründe für eine derartige Behandlung der kirchensteuerlichen Neuordnung von berufener Seite zur Geltung gebracht wären. Es handelt sich hier nicht um eine Frage, die mit Gründen der Zweckmäßigkeit und äußerer Rechtsgesichtspunkte (formalrechtlich) behandelt werden kann. Die theologischen Mitglieder unserer Kirchenleitung sind hier vor die große Aufgabe gestellt, sich im Bewußtsein letzter und höchster Verantwortung dagegen zu wehren, daß dieses Gesetz aus juristischer Sicht und Begründung in der vorliegenden Form und Absicht für unsere evangelisch reformierte Landeskirche zur Durchführung gelange.

Bei diesem Gesetz haben wir — es klingt seltsam und verwunderlich bei einer Steuerfrage — es nicht mit einer Sache zu tun, die durch Anwendung äußeren Rechtsdenkens zu lösen wäre. Es handelt sich vielmehr um eine theologische Frage, um eine Glaubensfrage, von der nach unserer kirchlichen Einsicht für das Sein und Wohlsein der Kirche Entscheidendes abhängt. Hier darf nicht der Jurist reden, hier muß der Theologe sprechen.

Wir mußten so sprechen, wir mußten unsere Pflicht tun, mag dann das Rad der Ereignisse über uns hinweggehen.

Anhang

Die Kennzeichnung der heutigen Gesetzgebung auf kirchlichem Gebiet und der Versuch der Kennzeichnung der heutigen staatlichen Gesetzgebung überhaupt.

Nun, das klingt reichlich vermessen. Aber verstehen Sie mich. Ich will da nicht selbst reden, sondern andere reden lassen. Sie sollen hören und dann selbst den Versuch machen, die Kennzeichnung der heutigen Absichten des Gesetzgebers zu vollziehen. Ich will nicht irgend jemand heranziehen, sondern zwei Männer, die heute an leitender Stelle die weltliche und kirchliche Gesetzgebung beeinflussen.

Einige von Ihnen werden es wissen: Der Mann, der die heutige kirchliche Gesetzgebung entscheidend mit beeinflußt, ist der Professor Karl Schmitt, Staatsrat, Universitätsprofessor in Berlin, Reichsfachgruppenleiter der Reichsfachgruppe „Hochschullehrer" des Bundes Nationalsozialistischer Deutscher Juristen. Er ist der Herausgeber der Deutschen Juristenzeitung.

Von letzterer Zeitschrift hatte ich mir vor einiger Zeit einige Nummern kommen lassen. Von Schmitt las ich auch das Buch: „Über den Begriff des Politischen." Schmitt will den Unterbau der Wissenschaft für den totalen Staat hier herstellen im Gegensatz zu dem bisherigen Staat, der in der Form angeblich konservativ und in der Wirklichkeit liberal gewesen ist.

Wir zitieren einen viel beachteten Aufsatz Schmitts in der Deutschen Juristenzeitung vom 1. August 1935 Heft 15/16.

Der Aufsatz hat die Überschrift: „Kodifikation oder Novelle?“ Kodifikation ist, wenn man eine Entwicklung von — sagen wir — 50 Jahren zu einem Gesetz zusammenfaßt. Die Entscheidungen und Urteile der Gerichte werden nachträglich nach Ablauf einer Entwicklung in Paragraphen gegossen. Es ist nicht eine Neuschöpfung, sondern eine nachträgliche begriffliche Formung des Gewordenen.

Bei einer Novelle handelt es sich um mehr oder minder belangreiche Zusätze zu einem Gesetz, das in Gültigkeit bleibt, das aber im Blick auf das komplizierter werdende Leben ergänzt werden muß, ohne ganz ersetzt oder geändert werden zu müssen.

Schmitt meint, daß die heutige Gesetzgebung weder das eine noch das andere ist. Es handele sich bei der heutigen Gesetzgebung weder um die Zusammenfassung des Gewordenen in Paragraphen, noch um eine Flickarbeit, denn der heutige Staat könne mit den Gedanken einer verflossenen Epoche nichts anfangen.

Die Praxis der nationalsozialistischen Gesetzgebung habe die Schwierigkeit: Kodifikation oder Novelle, Zusammenfassung des Hergebrachten oder Flickwerk, um es einfach auszudrücken, längst überwunden. Es hat sich ein eigener Stil der Gesetzgebung entwickelt, der bereits feste Kennzeichen aufweist. Ein erstes besonders wichtiges Kennzeichen des neuen Stils sind die richtunggebenden, das Gesetz tragenden Leitsätze, die der Gesetzgeber den Einzelnormierungen seines Gesetzes oder auch den späteren Durchführungsbestimmungen vorausschickt. Solche Leitsätze werden heute meistens noch „Vorsprüche“ oder „Präambeln“ genannt, sind aber mehr und etwas anderes, als mit diesem Ausdruck bezeichnet ist. Das Erbhofgesetz hat das erste eindringliche Beispiel gegeben, fast jedes neue Gesetz hat diese Methode bestätigt und vertieft, die Einleitung des Reichsnaturschutzgesetzes vom 26. Juni 1935 ist wohl das neueste Beispiel dieser Leitsatzpraxis.

Für die bisherige positivistische Kodifikation war ein vorangestellter „Allgemeiner Teil“ mit abstrakten Allgemeinbegriffen charakteristisch. Die Leitsätze dagegen sind kein Allgemeiner Teil im Sinne dieses früheren Gesetzgebungsstils, sie sind keine ausgeklammerten Begriffe, sondern konkrete Richtlinien, die in einer authentischen Weise den Plan und die Zielrichtung des Gesetzgebers mitteilen und dadurch sowohl die Handhabung und Auslegung der ihnen folgenden Normierungen wie auch die geistige Haltung des mit ihnen befaßten Juristen bestimmen. Aus ihnen ergeben sich die Voraussetzungen, unter denen eine praktische und theoretische Beschäftigung mit einem solchen Gesetz allein zu juristisch richtigen Ergebnissen kommen kann. Heute ist das Gesetz Wille und Plan des Führers!

Das bedeutet nicht, daß der Wille des Führers als der Wille eines absoluten Fürsten des 18. Jahrhunderts aufgefaßt und auf das Verhältnis des richterlichen Beamten zu diesem Willen alles das an Methoden und Verhaltungsweisen übertragen wird, was sich in anderen Zeiten und Verfassungslagen für einen ganz anderen Typus der Gesetzgebung herausgebildet hat. Der heutige Gesetzgeber sieht im deutschen Richter den Mitarbeiter des Führerwillens und -plans. Auch der Richter steht in der Volksgemeinschaft, die eine Gefolgschaft des Führers ist. Mit der Art der Gesetzgebung wandeln sich auch die Vorstellungen vom Richter.

Rechtspraxis und Rechtslehre haben heute die Pflicht, sich der Bedeutung des neuen Gesetzbegriffs rechtzeitig bewußt zu werden und die Eigenart des neuen Gesetzgebungsstils richtig zu verstehen, damit wir uns von der Herrschaft toter, geschichtlich und weltanschaulich überwundener Gesetzgebungsideale befreien können.

Soweit Professor Schmitt, der übrigens sehr angenehm auffällt dadurch, daß er etwas kann.

Es waltet der Grundsatz ob, sowohl beim Erbhofgesetz wie bei anderen Gesetzen, daß die Leitsätze unmittelbar und in der intensivsten Weise positives Recht sind.

Sehen wir uns daraufhin die neuerliche Gesetzgebung des Staates in Kirchenfragen, bei denen Herr Schmitt in entscheidender Weise mitgewirkt hat, an.

Es heißt im Gesetz zur Sicherung der Deutschen Evangelischen Kirche vom 24. September 1935, Kirchliches Gesetzblatt f. d. Evg. Ref. Landeskirche Band VIII. Scite 71: „Mit tiefer Besorgnis hat die Reichsregierung jedoch beobachten müssen, wie später durch den Kampf kirchlicher Gruppen untereinander und gegeneinander allgemach ein Zustand eingebrochen ist, der die Einigkeit des Kirchenvolkes zerreißt, die Glaubens- und Gewissensfreiheit des Einzelnen beeinträchtigt und den Bestand der Evangelischen Kirche selbst schwersten Gefahren aussetzt.

Von dem Willen durchdrungen, einer in sich geordneten Kirche möglichst bald die Regelung ihrer Angelegenheiten überlassen zu können, hat die Reichsregierung ihrer Pflicht als Treuhänder gemäß und in der Erkenntnis, daß diese Aufgabe keiner der kämpfenden Gruppen überlassen werden kann, zur Sicherung des Bestandes der DEK und zur Herbeiführung einer Ordnung, die der Kirche ermöglicht, in voller Freiheit und Ruhe ihre Glaubens- und Bekenntnisfragen selbst zu regeln, das nachfolgende Gesetz beschlossen, das hiermit verkündet wird:

8 7719 AzGK 8

Einziger Paragraph.

Der Reichsminister für die kirchlichen Angelegenheiten wird zur Wiederherstellung geordneter Zustände in der DEK und in den Evangelischen Landeskirchen ermächtigt, Verordnungen mit rechtsverbindlicher Kraft zu erlassen. Die Verordnungen werden im Reichsgesetzblatt verkündet.

München, den 24. Sept. 1935.

Adolf Hitler.

Der Reichsminister für die kirchlichen Angelegenheiten Kerrl."

Es wird hier gesprochen von „Gruppen" in der Kirche. Damit ist nun nicht etwa nur das Urteil einer mißvergnügten alten Tante zum Ausdruck gebracht, die sich über ihre Umwelt ärgert, hier haben wir es auch nicht zu tun mit irgendwelchen frommen Wünschen oder „Monologen des Gesetzgebers", die nach dem modernen Gesetzgebungsstil überholt sind. Die Vorsprüche sind ja vielmehr nach Schmitt „unmittelbar und in der intensivsten Weise positives Recht". Eine Kirche also, die auf dieser Grundlage zustandekommt und die sich nach dieser Marschroute in der Welt zu bewegen hat, darf kein Bekenntnis kennen. Ihr oberster Grundsatz muß der der Toleranz der verschiedenen Meinungen sein. Die Kirche, die sich unter diesen Grundsätzen erneuern oder sagen wir richtiger, die sich einen zeitgemäßen Anstrich geben muß, kommt nicht zu einer Selbstreinigung und Selbstbesinnung, sondern muß notgedrungen darin ihr Anliegen sehen, wie die verschiedenen Lehren und Ordnungsgedanken unter einer neutralen Verwaltung zusammen wohnen.

Bei allem scheinbaren Gegensatz gegen den Liberalismus haben wir es hier mit einer liberalen Haltung zu tun, die für die Kirche nur die Idee der Toleranz kennt und damit die Kirche verharmlost und für die Welt wertlos macht. Salz und Licht sind nicht tolerant, sondern Salz und Licht leuchten und beißen.

Gegen dieses Gesetz ist ferner einzuwenden, daß der Staat hier positives Recht schafft. Es ist Aufgabe der Kirche, für sich Recht zu schaffen; und wenn die Kirche eben kein Recht schafft, dann ist eben kein Recht da, dann muß sie solange ein Notrecht schaffen, wie es im Oktober 1934 zu Dahlem geschah.

Ein Recht, das davon ausgeht, daß „Gruppen" sich dulden und gegenseitig verstehen, ist bei unserer heute uns geschenkten Einsicht von Kirche kein kirchliches Recht, sondern Unrecht gegen das Wesen der Kirche, die eben bekennt und darum notwendigerweise intolerant ist. Was der Staat für sich beansprucht, daß er gegen alle

P a r t e i e n grundsätzlich intolerant ist, daß er nur eine Partei kennt, die er mit dem Staat in irgendeiner Weise verbindet, das hat auf dem Boden der K i r c h e sein völliges Recht. Und wo der Staat Kirche ist, geworden ist, da muß die Kirche notwendigerweise in Gruppen zerlegt werden und aus der Kirche ein Parteiapparat gemacht werden.

Bisher konnte die Kirche dem Staat die Gesetze vorlegen, die Gesetze, die sie für gut hielt. Heute mag ein Mann wie Carl Schmitt über die Scheinautonomie der Kirche im liberalen Zeitalter spotten, es war doch eine weitgehende Selbständigkeit der Kirche vorhanden. Wenn sie die Möglichkeit einer eigenständigen Gesetzgebung und Ordnung nur besser ausgenutzt hätte!

Jetzt werden die Gesetze der Kirche vom Staat vorgelegt, ohne die letzte Rücksicht auf die Grunderfordernisse, auf das Anliegen der Kirche vom Bekenntnis und von ihrem Dasein und Streiten in der Welt aus. Nimmt die Kirche dieses staatliche Recht auf ihrem Boden protestlos an, so ist sie für ihren Kampf in der Welt entmächtigt, sie ist unglaubwürdig geworden.

Wie sehr dieser Vorspruch zum Sicherungsgesetz vom 24. IX. 1935 in der Errichtung und Politik der Kirchenausschüsse zur Durchführung gelangte, das auszuführen würde einen besonderen Vortrag erfordern.

Wir sehen auf unser heutiges Thema!

Uns wird vom 1. April 1936 ein neues Kirchensteuergesetz geschenkt. Wir haben zu sagen: Erst auf Grund der „Gruppentheorie", deren kirchlichen Unwert wir feststellen mußten, hat der Staat ein Recht, sich überhaupt mit kirchlichen Angelegenheiten zu beschäftigen. Erst wenn eine Spaltung vorausgesetzt wird, die als kirchliche Spaltung aber gar nicht gelten kann, ja aus dem befriedenden außerkirchlichen Raum selbst herauskam, hatte der Staat ein Recht, sich mit kirchlichen Dingen zu befassen. Wir müssen diesen Leitsatz mit der „Gruppentheorie" als unwahre Verzeichnung eines klaren Tatbestandes ansehen.

Dieser Vorspruch ist zur Grundlage der weiteren Gesetzgebung gemacht. Das neue Kirchensteuergesetz liegt auf derselben Linie. Wären die Deutschen Christen nicht in die Kirche hineingekommen, wäre durch sie keine Verwirrung gekommen, dann wären keine Finanzabteilungen gekommen, wäre die Verwirrung der kirchlichen Verwaltung ausgeblieben, wäre die unfruchtbare Spannung zum Staat hin vermieden worden.

Wir können noch einen Schritt weiter gehen: Dieses Gesetz hat offenbar, weil es die Finanzverwaltung für alle drei Konfessionen gleichzeitig durchführen will, als Leitsatz ausgesprochen oder unausgesprochen hinter sich den Begriff des „Positiven Christentums". Dieser Begriff ist ein politischer Begriff, er besagt, daß nicht eine bestimmte

Ausprägung der christlichen Lehre in einer bestimmten Kirche und Konfession Anspruch auf Geltendmachung ihrer Besonderheit hat, sondern daß eben im allgemeinen das Christentum da sein darf, sofern es nicht der germanischen Moral und der öffentlichen Ruhe und Ordnung widerspricht.

Wir vermuten und bedauern, daß nach der ganzen Anlage des Gesetzes dies seine weltanschauliche Grundlage ist. Wir müssen im letzten Punkt unserer Ausführungen darauf zurückkommen. Ein Staat, dessen letzte Zielsetzung der Mythus von Rosenberg ist, dessen Werk in den Grundstein der Kongreßhalle in Nürnberg eingelassen wurde, duldet auf seinem Gebiet keinen Einspruch, aber dieser so weltanschaulich ausgerichtete Staat kann nicht die Eigenart der christlichen Kirche verstehen. Deshalb kann das vorliegende Steuergesetz, das für alle Konfessionen gleichzeitig die Verwaltung durchführen will, nur als ein Schritt der Verweltlichung und Verstaatlichung der Kirche angesehen werden.

19. Schreiben der Oberrheiderländer Konferenz an den Präsidenten des Landeskirchenrates der Evangelisch-reformierten Landeskirche der Provinz Hannover, Koopmann. 23. Juni 1936.

Durchschlag des Originals.

Sehr geehrter Herr Präsident!

Je mehr wir über die Verhandlungen des Bezirkskirchentages, der in Ihrer Anwesenheit am 3. Juni ds. Js. in Weener stattfand, nachdenken, um so deutlicher wird es uns, daß die eigentliche Sache, um die es heute in der Kirche geht, doch nur sehr kurz und vorübergehend zur Sprache gekommen ist. In Ihren Ausführungen wurden an die Stelle sachlicher Erwägungen weitgehend persönliche Angriffe gesetzt und außerdem verschiedene ungerechtfertigte und sehr herabsetzende Vorwürfe, im besonderen gegen uns Pastoren, erhoben. Dadurch war die Atmosphäre der Aussprache so geworden, daß es uns als hoffnungslos erscheinen wollte, zur eigentlichen Sache zu kommen. Herr Pastor Valentien sprach am Schluß der Verhandlungen den Wunsch aus, daß „die gegenseitige Achtung steigen und das Vertrauen zu Aurich wachsen" möge. Verschiedene Ihrer Ausführungen, Herr Präsident, sind geeignet, das Vertrauensband zwischen uns zu zerreißen. Wir fühlen uns verpflichtet, Ihnen das zu schreiben.

Bevor wir aber hier den Versuch machen, Ihnen ausführlich — sine ira et studio — das, was wir Ihnen sachlich zu entgegnen haben, darzulegen, möchten wir uns mit einem persönlichen Wort an Sie wenden. Wenn wir rückblickend den Eindruck erwägen, den Ihre Ausführungen in Weener auf uns gemacht haben, dann müssen wir zu unserem Schmerz sagen: Ihre Worte waren getragen von einem Interesse, das aus einer kirchenfremden Sphäre in unsere kirchliche Versammlung hineingedrungen ist. Wir bestreiten nicht, daß es Ihnen alles bitter ernst ist, was Sie gesagt haben und immer wieder sagen. Wir bestreiten nicht, daß Sie in Ihrem Sinne und nach Ihrer Erkenntnis verantwortlich handeln. Und wir bestreiten erst recht nicht, daß Sie unermüdlich tätig sind, dieses Handeln zu einem für die Reformierte Kirche Hannovers erfolgbringenden und zukunftsreichen zu machen. Aber der Standort, von dem aus Ihre Ausführungen gemacht wurden, scheint uns der der Bindung an irdische Mächte und Gewalten, an „die Gegebenheiten des Lebens" — wie Sie selber sagten — und nicht der der Bindung an Gottes Wort zu sein.

Von hier aus verstehen wir es auch, daß Ihre Worte vielfach eine so verletzende Schärfe enthielten. Man hat davon geredet, daß Sie die Ehre des Pfarrerstandes gekränkt haben. Man hat auch gesagt, daß wir uns dagegen zur Wehr setzen sollten. Aber wir möchten Ihnen ausdrücklich versichern, daß dies gerade nicht der Zweck unseres heutigen Schreibens ist. Wir möchten Ernst machen mit dem Worte Jesu, das uns verbietet, Ehre voneinander zu nehmen. Wir möchten aber auch Ernst machen damit, daß in allem Reden und Handeln in der Kirche Christus die Ehre gegeben werde, die ihm als ihrem Haupte gebührt. Diese Ehre wird ihm aber nicht gegeben, wo man das Wohl und Wehe der Kirche an Machtgrößen bindet, die der Herr nicht als entscheidend für die Existenz der Kirche, seiner Kirche, betrachtet. Was wir Ihnen schreiben, möchten wir als ein Zeugnis aufgefaßt wissen! Wir bitten Sie dringend, einmal Ihre Haltung vom Worte Gottes her zu begründen. Solange das nicht geschehen ist, liegen Ihre Ausführungen wie eine unheilvolle Last auf unseren Gemeinden. Daß die Synode so wenig geistliches Gepräge trug und es uns so wenig gegeben wurde, mit dem Ernste und der Klarheit zu erwidern, die der Sache Christi gebührt, das zwingt uns ohne Ausnahme in die Buße. Wir möchten unsererseits entscheidend so auf Ihr Tun antworten, daß wir uns diesem Zwange nicht widersetzen, sondern uns unter Gottes Wort beugen. Das allein kann die Last von uns nehmen, weil das allein die Verheißung des Heiligen Geistes hat. Sie aber, Herr Präsident, bitten wir um Jesu Christi willen, sich Ihrerseits unserer Erkenntnis nicht zu verschließen.

Sie sagten: „Es ist für die Kirche nicht gut, wenn sie vor aller Welt schmutzige Wäsche wäscht." Das sagten Sie im Blick auf den Vortrag von Pastor Goeman zu der geplanten Kirchensteueränderung. Es ist ein offensichtliches Mißverständnis, wenn Sie einige Ausführungen auf Seite 9 so verstehen wollten, als habe Pastor Goeman hier gesagt, die Behörde wolle „sich die Taschen füllen“ mit den Steuermitteln der Gemeinde. Es ist dort ganz einfach die allerdings schwerwiegende Tatsache beleuchtet worden, daß die Kirchensteuermittel der Gemeinden nach dem neuen Plan durch das Finanzamt gehoben und einer außergemeindlichen Zentralstelle zugeführt werden sollen, die die Mittel dann auf die Gemeinden wieder verteilt. So muß es dahin kommen, daß die Gemeinden in einem wichtigen Stück entmündigt und entmächtigt werden, während die Behörden durch diese Art der Zentralisierung der Steuermittel die Geldgeberinnen der Gemeinden werden. Mit Recht wies Pastor Goeman darauf hin, daß eine solche Entmündigung und Entmächtigung der Gemeinden und Verstärkung des Behördenapparates wohl schwerlich mit den Grundsätzen reformierten Bekenntnisses in Einklang zu bringen sei. Das mußte in einer sachlichen Erörterung der Gesetzesvorlage erwähnt werden. Man vergleiche, was der Präses der westfälischen Provinzialsynode, D. Koch, in einer Eingabe zu diesem Gegenstand an den preußischen Landeskirchenausschuß sagt: „Der vorliegende Entwurf bedeutet einen schweren Eingriff in die Eigenständigkeit der Gemeinden ... Es muß das Bewußtsein der Selbstverantwortung der Gemeinden lähmen, wenn sie, wie der Entwurf es will, offensichtlich zum Objekt behördlichen Handelns gemacht werden ... Von da her ist als Ergebnis eine erhebliche Beeinträchtigung des kirchlichen Lebens zu befürchten.“ Auch im übrigen finden wir in dem Goemanschen Vortrag durchaus sachliche Erwägungen, die ebenso sachlich begründet werden. Es ist uns ganz unverständlich, wie Sie den Vorwurf erheben konnten, daß hier „schmutzige Wäsche gewaschen“ wird. Oder wollten Sie das „schmutzige Wäsche waschen“ nennen, daß die Frage der Kirchensteueränderung überhaupt in der Mitte der Gemeinden erwogen wird? Wir können es für keinen Schaden erachten, daß der Artikel auch in der Reformierten Kirchenzeitung erschienen ist. Wir meinen im Gegenteil, daß es in einer Reformierten Kirche nicht nur wünschenswert, sondern das gute Recht und die Aufgabe der Gemeinden ist, derartige grundlegenden und sie in hervorragendem Maße angehenden Fragen in ihrer Mitte zu erwägen. Wie man hier mit Recht davon reden kann, daß „schmutzige Wäsche gewaschen“ würde, ist uns unbegreiflich. — Sie sprachen die Befürchtung aus, daß wir Ihnen durch die Verbreitung solcher Vorträge den Weg zum Erfolg Ihrer Arbeit verbauten und eine Einigung der Reformierten in Deutschland verhinderten, daß Katholiken und Lutheraner sich jetzt freuen und daß mittlerweile eine große lutherische Kirche gebaut würde, während wir Reformierten uns gegenseitig zerfleischten. Demgegenüber müssen wir bezeugen, daß der Erfolg Ihrer Arbeit, von dem Sie hier sprechen, ein Begriff ist, der aus säkularem Denken kommt. Es ist zudem unmöglich, daß durch eine sachliche Erörterung, wie sie im Goemanschen Vortrage stattfindet, Ihre Befürchtungen verwirklicht werden könnten; denn wie sollte ein offenes Ringen um die Wahrheit der Kirche schaden können?

Tatsache ist nun aber, daß Ihre Ausführungen zu dem Vortrage von Pastor Goeman kaum sachlich begründete Erwiderungen brachten, sondern fast nur in persönlichen Angriffen bestanden. Sie versuchten, ein Sündenregister von Pastor Goeman an den Tag zu befördern, um zu beweisen, daß er keine Ordnung im eigenen Hause und also kein Recht habe, über die Kirchensteuerfrage zu schreiben. Was Sie ans Licht brachten, waren einige Unebenheiten, die die Verwaltung betreffen und zum Teil sogleich ins richtige Licht gerückt werden konnten. Mit großem Nachdruck brachten Sie der Synode zur Kenntnis, daß Schriftstücke der Kirchenbehörde nicht beantwortet würden und oft gemahnt werden müßte. Sie führten einzelne Fälle vor Augen und sprachen dann wieder in so allgemeiner Form davon, daß es den Anschein haben konnte, es ginge Ihnen darum, durch derartige Angriffe die Prediger vor den Augen der Kirchentagsmitglieder herabzusetzen. Selbstverständlich pflichten wir Ihnen darin bei, daß auch in den Dingen der Verwaltung Ordnung sein muß. Es geht aber nicht an, auf einer Synode gewichtige sachliche Erwägungen mit derartigen persönlichen Angriffen zu beantworten.

Sie sagten im Blick auf die Ausführungen von Pastor Goeman in seinem Vortrag über die Steueränderung: „Wenig schön ist ein Hieb gegen die Kohlbrüggeepigonen. Ich finde es wenig kirchlich, wenn ein Pfarrer den Anhänger einer anderen Richtung verketzert und nur die Seine für richtig hält." Es ist uns rätselhaft, wie man mit Grund in den Ausführungen von Pastor Goeman eine Verketzerung, d. h. eine Schmähung und Herabsetzung des Gesprächspartners finden will. Es handelt sich vielmehr in jenen Ausführungen um eine theologisch-kirchliche Meinungsäußerung, die den Zusammenhang von Theologie und kirchlicher Haltung aufzeigt. Wir fragen auch hier wieder: Wie sollte wohl ein offenes Ringen um die Wahrheit der Einheit der Kirche schaden oder eine Verketzerung genannt werden können?

Sie sagten im Laufe Ihrer Ausführungen über den Kampf gegen den Mythus verschiedentlich: „Der Kampf wäre schneller erledigt, wenn den Gemeinden nur das Evangelium verkündigt würde und wenn die Pfarrer Seelsorgerdienste in ihrer Gemeinde täten." Wollten Sie damit sagen, daß wir neben dem Evangelium noch etwas anderes predigen und daß wir uns um Dinge kümmern, die uns nichts angehen? Sie haben damit einen falschen Verdacht aufkommen lassen, den wir als zu Recht bestehend nicht hinnehmen können um unseres Dienstes willen. Wir sind einmütig in dem Willen, daß wir nur Evangelium, d. h. die frohe Botschaft von dem Heiland Jesus Christus verkündigen möchten. Wir glauben, solches in unseren Gemeinden nach den uns gegebenen Erkenntnissen getan zu haben. Das schließt aber nicht aus sondern in sich, daß die Herrschaft Jesu Christi auch über die Ordnung unserer Kirche verkündigt wird; denn die Kirche ist der Leib Jesu Christi. Wenn wir die Paulusbriefe lesen, so stoßen wir auf wichtige Weisungen, die die Ordnung der Kirche betreffen. Wir denken im besonderen an die Weisungen für die Glieder der Kirche, welche Ämter bekleiden (1. Tim. 3, 1 ff; 1. Tim. 5, 17 ff; Tit. 1, 5 ff). Hätten diese Weisungen in der Verkündigung der Vergangenheit mehr Platz gehabt, so wäre das große Leid wohl kaum über unsere Kirche gekommen, an dem wir jetzt unsagbar schwer tragen! Wir wissen uns also als in Gottes Wort Gebundene, wenn wir nicht nur die Königsherrschaft über den einzelnen Menschen, sondern auch über die Ordnung der Kirche verkündigen. — Die Predigt des Evangeliums schließt es auch in sich, daß die reine Lehre abgegrenzt wird von der Irrlehre. Die Schrift legt ein beredtes Zeugnis davon ab, daß es Aufgabe der Verkündigung und hervorragende Pflicht der Seelsorge ist, zu gegebener Zeit Irrlehre und Irrlehrer ohne Furcht und falsche Liebe deutlich beim Namen zu nennen, damit die Gemeinden vor Verführung und Irrtum bewahrt bleiben möchten (Gal. 1, 6 ff; Phil. 3, 1 ff; 2. Thess. 2, 1 ff; Tit. 1, 10 ff; 1. Tim. 1, 3 ff; 2. Petr. 2; 1. Joh. 4, 7 ff). — In diesem Zusammenhange kommen wir auch auf den Seitenhieb zu sprechen, den Sie, Herr Präsident, gegen die Sonntagsblätter machten. Sie sagten, viele Sonntagsblätter hätten ihre Linie verlassen, sie hätten kirchenpolitische Dinge erörtert. „Die Leute, die für die Ordnung verantwortlich sind, müssen sagen, das darf nicht sein." Sie sehen es anscheinend als einen durchaus berechtigten und normalen Zustand an, daß unsere Sonntagsblätter über viele eminent wichtige Fragen und Vorgänge in der Kirche kein Wort schreiben dürfen. Wir sehen diesen Zustand als unnormal und als eine Behinderung der Arbeit der Kirche an. Uns scheint, Ihren Gedankengängen könnte der Irrtum der Deutschen Christen zugrundeliegen, als ob die Ordnung der Kirche von ihrer Verkündigung getrennt und jenen anderen Befehlen unterstellt werden könnte als den Befehlen des Herrn der Kirche. Wir halten diesen Irrtum für eine der Hauptursachen der totalen Verwirrung der Kirche.

Wir nennen einen weiteren Punkt. Ihre immer wiederholten Ausführungen über die Besoldungsfrage — auch hier z. T. wieder mit persönlicher Zuspitzung — mußten dem Ansehen der Pastorenschaft, ja der ganzen Kirche, schaden. Sie sprachen über diese Dinge so, daß der Eindruck entstehen konnte, die Kirche sei in erster Linie eine Versorgungsanstalt für gesunde und kranke Pastoren, deren meist „sehr alt werdende Witwen“ und „vielen Kinder“ und für die Kandidaten. Sie berichteten von Ihrem Kampf um die Staatszuschüsse. Sie erzählten dem Bezirkskirchentag: „Wir haben allerlei herausgeschlagen.“ Pastor Goeman erwiderte Ihnen in ernsten Worten, daß jeder, der ihn kenne, wisse, daß er jederzeit auf die Hälfte seines Einkommens verzichten würde, wenn dadurch etwa der Freiheit der Kirche und der Gemeinden gedient werden könnte. In Ihrer Erwiderung sagten Sie im Blick auf Goeman: „Ich kenne die Pfarrer der Landeskirche; so wie Sie gesprochen haben, werden n i c h t v i e l e sprechen.“ Es mußte Ihnen, Herr Präsident, bekannt sein, was Pastor Petersen in Weener bereits anführte, daß die obergrafschafter Konferenz und der Coetus reformierter Prediger, die zusammen die Mehrheit der Pastoren unserer Landeskirche umfassen, vor langer Zeit schon der Kirchenleitung durch eine ausdrückliche Entschließung ihre gemeinsame Bereitschaft kundgetan haben, Opfer an Gehalt zu bringen, damit bei schwerwiegenden Entscheidungen die Leitung unserer Landeskirche sich von der Sorge um die Gehälter nicht maßgebend bestimmen lassen möchte. Vom Worte Gottes her gesehen hat die Kirche als v o r n e h m s t e n A u f t r a g und vornehmste Sorge dies, daß die Verkündigung des Evangeliums von Jesus Christus recht ausgerichtet werde! D a r u m geht heute der Kampf angesichts der tiefgehenden, zerstörenden Einwirkung der Irrlehre! Alle anderen Sorgen kommen erst in zweiter, dritter, vierter Linie — auch die Sorge um die finanzielle Sicherung. In Matth. 6, 33 verheißt der Herr den Seinen, daß ihnen „solches alles zufallen“ soll, wo sie trachten nach dem Reiche Gottes und seiner Gerechtigkeit. Wer die Sorge um die finanzielle Sicherung so in den vordersten Gesichtskreis rückt, wie Sie, Herr Präsident, es getan haben, der scheint uns nicht aus der Bindung an das Wort Gottes zu sprechen. Die Entscheidung für die Kirche lautet heute weithin: Gott o d e r Mammon! „Ihr könnt nicht Gott dienen u n d dem Mammon.“

Sie, Herr Präsident, brachten uns außerdem sehr deutlich in die Nähe der S t a a t s f e i n d e. Sie sprachen in einem Zusammenhang, wo von dem Kampf gegen den Mythus die Rede war, vom „Schimpfen auf den Staat“ und bemerkten, daß „die Angriffe auf den Staat“ aufhören müßten; der Staat könne sie „nicht dulden“. Als Sie über die Besoldungsfrage sprachen, sagten Sie, daß Sie nicht verstehen könnten, wie man einen „Staat bekämpfen“ könne, wenn er der Kirche eine halbe Million Zuschüsse gebe und wenn man Gehalt von ihm annehme. Diese Ihre Äußerungen stellen unzweifelhaft eine politische Verleumdung dar. Sie haben sich des Kampfmittels bedient, welches bisher vergeblich vom Reichsbischof und seinen deutsch-christlichen

Gesinnungsgenossen gegen kirchlich Andersdenkende reichlich angewandt wurde. Sie haben uns auch hier mit einem falschen Verdacht belastet und uns unseren Dienst erschwert. Sie sind verpflichtet, diese Vorwürfe eindeutig richtigzustellen und Verzicht darauf zu leisten, den kirchlichen Kampf aufs politische Gebiet zu schieben. Wir erklären uns einig darin, daß wir unter dem Wort der Heiligen Schrift stehen möchten: „Gebt dem Kaiser, was des Kaisers ist." Darum denken wir nicht daran, den „Staat zu beschimpfen"! Wir möchten dem Staate alles geben, worauf er um Gottes willen Anspruch hat. Ebenso eindeutig aber möchten wir auch unter dem Worte der Schrift bleiben: „Gebt Gott, was Gottes ist." Als in Gottes Wort Gebundene stehen wir darum gegen alle Mächte, die dem Geschöpf und der Schöpfung geben wollen, was dem Schöpfer allein zukommt (Römer 1, 25) und die den Christusglauben in unserem Volke untergraben. Wir glauben in solchem Kampfe nicht gegen, sondern in höchstem Sinne für den Bestand und die Autorität des Staates zu arbeiten. Wir sind überzeugt: Wer auch immer mithilft, den Christusglauben in den Herzen deutscher Staatsbürger zu untergraben, der unterwühlt auch die Autorität des Staates. Wer aber mithilft, daß wahre Gottesfurcht in unserem Volke wachse, der hilft die Autorität und Sicherheit des Staates im wahrsten Sinne des Wortes festigen. Es ist darum unverantwortlich, wenn ein Beamter unserer Kirche, der verpflichtet ist, mit allen ihm zu Gebote stehenden Mitteln den Predigern der Kirche den Rücken zu stärken, statt dessen in dem oft unter viel Herzeleid geführten Kampf mit den evangeliumsfeindlichen Bestrebungen uns in die Nähe der Staatsfeinde rückt.

Wir kommen auf einen weiteren Punkt Ihrer Ausführungen. Sie erweckten verschiedentlich den Eindruck, als ob wir, die wir Freunde der Bekennenden Kirche sind, auf eine Trennung von Kirche und Staat lossteuerten. Verschiedentlich sagten Sie: „Wenn man sich vom Staate trennt ...". Sie haben in wiederholten Ausführungen das Elend ausgemalt, das über die Kirche kommen würde, wenn eine Trennung von Staat und Kirche käme. Die Zuschüsse würden wegfallen, Pfarrer und Kandidaten würden auf der Straße sitzen, ebenso die „durchweg sehr alt werdenden Witwen der verstorbenen Pfarrer". Der Pfarrerbestand würde „zertrümmert". Sie haben auch sehr eindrucksvoll den Mitgliedern des Bezirkskirchentages vor Augen geführt, wie viel Geld die Gemeinden dann aufbringen müßten — 5mal so viel allein an Umlage als jetzt! Die Gemeinden würden nicht mehr ordentlich versorgt werden, es würde „Ersatz" in die Gemeinden kommen. Dann sprachen Sie wieder davon, daß wir diese Dinge viel zu ruhig ansähen. „Manche spielen mit dem Feuer, ich sehe die Dinge tiefer." Sie sprachen auch davon, daß viele eine Kirche „in die Luft" bauen wollten. Sie bezweifelten, ob wir die Gemeinden richtig aufgeklärt hätten. Der Pfarrer müsse sich fragen, ob er in „Übereinstimmung mit dem Gros der Gemeinde“ handle; nachher könne uns sonst die Gemeinde Vorwürfe machen.

Wir setzen Ihren Aussagen die Tatsache gegenüber, daß die Bekennende Kirche und ebenso ihre Freunde in unserer Kirche nicht im geringsten daran denken, eigenwillig auf eine Trennung von Kirche und Staat hinzuarbeiten. Im Schrifttum der Bekennenden Kirche haben wir nirgends eine dahingehende Andeutung gefunden. Wir haben aber viele nachdrückliche Aussagen gelesen, die die eigenmächtige Bildung einer Freikirche abweisen. Wir wissen sehr wohl, daß wir nicht eigenwillig den Weg in eine Freikirche zu suchen haben. Wir haben überhaupt weder in diesem noch in einem anderen Stück unseres Handelns eigenwillig unsere Wege zu suchen nach den vorgefaßten Bildern unserer Wünsche und Gedanken.

Es muß dann aber auch eindeutig gesagt werden, daß die Kirche ebenso wenig eigenwillig die Verbindung von Staat und Kirche um jeden Preis behaupten darf. Sie darf sich um dieser Verbindung und ihrer finanzieller Vorzüge willen nicht verkaufen an eine evangeliumsfremde Weltanschauung. Und hier liegt die Gefahr, in der wir heute in höchstem Maße stehen! Wir erwähnen nur eins! Die Reformierte Kirchenzeitung schrieb dieser Tage, daß seit 1933 ein deutsch-christlicher Pfarrer nach dem anderen in eine Professur gerufen wurde. Einer von diesen erklärt: „Die heutige kirchliche Theologie ist ein-polig, sie will nur ein Prinzip kennen, das Wort Gottes. Wir wissen wieder, daß die Kirche zwei-polig ist“, d. h. Christus wird mit anderen Größen gleich geordnet. Die Kirchenzeitung bemerkt dazu: „Solchen Männern soll die Kirche ihre künftigen Diener anvertrauen, bei denen sie das gerade Gegenteil von dem hören, was sie als Diener am Worte der Gemeinde zu verkündigen haben.“ Eine evangeliumsfeindliche Weltanschauung ist zudem am Werk, die Ordnung der Kirche nach dem Geiste dieser Zeit zu gestalten, um dadurch um so tiefer in das Innerste der Kirche, in ihre Verkündigung, einzudringen. — Die Kirche ist demgegenüber in neuer Weise aufgerufen worden zur Bezeugung des Evangeliums und der Gültigkeit der göttlichen Befehle auch für ihre Ordnung, die der Verkündigung allein dienen darf. Wenn unser Staat diesem Zeugnis keinen Raum geben und um deswillen sich eines Tages von der Kirche trennen will — Gott verhüte es, auch um des Staates willen! —, dann können wir es nicht aufhalten! Über diese Möglichkeit brauchen wir jedoch keine weiteren Erwägungen anzustellen, denn wir haben nicht die Zukunft zu deuten, sondern einzig die Befehle des Herrn zu tun und die Wahrheit des Evangeliums zu bezeugen. Alles andere dürfen wir dem anheimstellen, der die Kirche nach seinem Willen sammelt und schützt. Feststeht uns jedoch für diesen Fall der Trennung, daß der Herr der Kirche jene Verheißung wahrmachen wird, unter welche der Bezirkskirchentag bei der Eröffnung gestellt wurde (Matth. 6, 33): „Trachtet am ersten nach dem Reiche Gottes und nach seiner Gerechtigkeit, so wird euch solches alles zufallen." Wir möchten glauben, daß die Verheißung des Herrn nicht umfällt, sondern daß der Herr seine Kirche um seines Namens willen durchbringt. Wer das nicht glaubt, der kennt nicht die Kraft Gottes. „Kirche in der Luft" baut der, der nicht auf die Verheißung des Herrn baut. Auch Drohungen von Staatsmännern können die Verheißung des Herrn nicht zerbrechen.

Sie sprachen davon, Herr Präsident, daß Sie uns bewegen möchten, auf unserm Wege haltzumachen. Wenn Sie uns mit Gründen des Wortes Gottes nachweisen können, daß unsere Arbeit vor dem Richterstuhl Christi nicht bestehen kann, so werden wir haltmachen. Wir haben den Gemeinden nicht verheimlicht, wie schwer die Folgen der Entscheidungen, in denen die Kirche steht, sein können. Allerdings konnten wir keinen Wert darauf legen, uns der „Zustimmung des Gros der Gemeinden" zu versichern; denn wir sind nicht gebunden an die „Zustimmung des Gros", sondern an den Willen und die Befehle Gottes allein. Wir machen aber die Erfahrung, daß sehr viele Glieder unserer Gemeinden im Blick auf die vorerwähnten Entscheidungen einfältigen Glaubens daran festhalten, daß der Herr seine Verheißung denen nicht zerbricht, die ihn fürchten.

Im Vordergrunde der Versuchungen, die den Weg der Kirche bedrohen, steht heute nicht der Weg in die Freikirche, sondern der selbstgewählte, menschlich erzwungene Weg in die Staatskirche. Wir fürchten ernstlich, daß unsere Kirchenleitung in Gefahr ist, mit hineingezogen zu werden in die Bestrebungen, die nun schon seit einigen Jahren unausgesetzt dahin gehen, die Kirche in eine babylonische Gefangenschaft zu führen. Darum geht heute der Kampf! Das waren die immer deutlicher werdenden Hintergründe des reichsbischöflichen Gewaltaktes an der Kirche. Das ist bis zum heutigen Tage das immer wieder ausgesprochene Ziel der Deutschen Christen. Und Herr Minister Kerrl hat — wenn wir richtig unterrichtet sind — Vertretern der Bekennenden Kirche in einer Unterredung am 23. 8. 35 erklärt, daß die Absicht bestehe, das ganze Disziplinarrecht, die ganze Finanzverwaltung und die allgemeine Verwaltung der Kirche in Staatshände übergehen zu lassen. Wir fürchten, daß auch der vom Staate eingesetzte Reichskirchenausschuß, dessen Mitglied Sie, Herr Präsident, sind, nichts anderes sein kann als ein Werkzeug zur Verstaatlichung der Kirche.

Wie weit wir auf dem Wege der Verstaatlichung der Kirche schon gekommen sind, macht ein führender Mann der Bekennenden Kirche deutlich in einem Wort zur kirchlichen Lage, das uns dieser Tage zur Hand kam. Die Dinge sind Ihnen, Herr Präsident, bekannt; wir möchten sie aber kurz andeuten, um zu sagen, wie wir die Dinge sehen. Es heißt: „Der Staat hat im Frühjahr 1935 für die kirchlichen Finanzen die sogenannten Finanzabteilungen von staatswegen geschaffen und damit die kirchliche Finanzverwaltung in seine Hände genommen. Kein Pfarrer kann ohne die Zustimmung dieser Finanzabteilungen in eine kirchliche Stelle kommen, keine Gemeinde ohne ihr Einverständnis die erforderlichen Zuschüsse aus gesamtkirchlichen Mitteln erhalten: die kirchliche Finanzhoheit ist der Kirche entzogen und in die Hände des Staates übernommen worden! Und die Besetzung geschieht ohne irgendwelche kirchliche Mitwirkung vom Staate her." Auch unser Landeskirchenrat in Aurich ist Finanzabteilung. Er ist mithin (gemäß § 3 gen. Gesetzes) in der ordnungsmäßigen Verwendung der Gelder unter den Befehl des Staates gestellt. Es ist dabei unwesentlich, daß Sie, Herr Präsident, es als „unreformiert" abgelehnt haben, für Ihre Person Finanzkommissar zu werden, und daß statt dessen das Kollegium des Landeskirchenrats sich zur Finanzabteilung hat ernennen lassen. Sie sprachen davon, daß der Landeskirchenrat seine Eigenschaft als Finanzabteilung nicht zur Schau trage, alle Beschlüsse bisher im Einvernehmen mit dem Landeskirchenvorstand gefaßt und sich auch kein Siegel angeschafft habe als Finanzabteilung. Für unsere Gemeinden wäre ohne Frage die wirkliche Lage deutlicher, wenn der Landeskirchenrat als Finanzabteilung sich ein Siegel anschaffte und wenn ab und zu unter Schriftstücken dieses Siegel den Kirchenräten und Gemeinden vor die Augen führen würde, daß unser Landeskirchenrat in gewissen Dingen sich unter staatlichen Befehl gestellt hat.

Wir zitieren die vorerwähnte Stimme weiter: „Bald nach der Einrichtung der Finanzabteilungen wurde eine staatliche Beschlußstelle für Rechtsangelegenheiten der Kirche geschaffen. Sie sollte zur Erledigung der zahllosen schwebenden Prozesse und Rechtsstreitigkeiten dienen. Sie hat sie aber bis heute keineswegs erledigt, sondern lediglich ihre ordnungsmäßige richterliche Entscheidung und Erledigung bislang aufgehalten. Damit ist der Kirche ihr Ringen um ein bekenntnisgebundenes Kirchenregiment durch Anrufung der ordentlichen Gerichte unmöglich gemacht... Als Drittes erließ der Staat Ende September 1935 das Gesetz zur Sicherung der Deutschen Evangelischen Kirche, das in seiner Vorrede ausspricht, daß die Kirche in ihrer Einheit durch sich streitende kirchliche Gruppen gefährdet sei, und daß sich der Staat veranlaßt sähe, diesem Kampf innerhalb der Kirche zu steuern.

Zu diesem Zweck erhielt der Minister für die kirchlichen Angelegenheiten uneingeschränkte Vollmacht . . . Und nun wurde aufgrund dieses Gesetzes von dem Minister das Recht in Anspruch genommen, von staatswegen der Evangelischen Kirche eine Leitung auch für die noch übrigen kirchlichen Lebensgebiete und Aufgaben ohne Rücksicht auf das Bekenntnis und den Willen der Kirche zu geben." Anfang Oktober wurde dementsprechend die Leitung der Kirche einem vom Staate gebildeten Reichskirchenausschuß und hernach ebenfalls vom Staate gebildeten Landeskirchen — und Provinzialausschüssen übertragen.

Sie, Herr Präsident, haben uns als Mitglied des Reichskirchenausschusses auf dem Bezirkskirchentag erzählt, daß Sie in den Ausschüssen tapfer kämpfen. Sie sprachen davon, daß der Reichskirchenausschuß „anrenne gegen die Angriffe des Mythus". Sie meinten, der Reichskirchenausschuß sei „dazu legitimiert", nicht wir. „Wenn Sie soviel geleistet hätten gegen Rosenberg wie wir, dann könnten Sie dankbar sein." „Wenn Sie die Vorträge innerhalb des Reichskirchenausschusses einmal auf Wachsplatten hören würden, dann müßten Sie sagen: haben die eine Lippe riskiert!" — Wir glauben es Ihnen ohne weiteres, daß die Männer des Reichskirchenausschusses guten Willens sind. Manch himmelschreiendes Unrecht in der Kirche ist von Ihnen wieder gut gemacht worden, wenn es auch andererseits nicht möglich gewesen ist, die für das Gewaltregiment in der Kirche verantwortlichen Bischöfe zu beseitigen und die Behinderung der Bekennenden Kirche in der Verbreitung ihrer Weisungen irgendwie zu verringern. Wir rühmen es auch, daß der Reichskirchenausschuß ein Wort zu den Ausführungen Dr. Leys am 1. Mai, durch welche das Heiligtum des christlichen Glaubens öffentlich angetastet wurde, gefunden hat. Wir erwähnen auch das Gutachten des Ausschusses zu dem Buch „Deutsche Gottesworte" von Reichsbischof Müller, welches der Landeskirchenrat dieser Tage den Kirchenräten zusandte und welches am Schluß ausspricht, daß der Reichsbischof mit dieser Verfälschung des Evangeliums sich von der Evangelischen Kirche losgesagt habe und alle seine Erklärungen von Bekenntnistreue damit als unwahr entlarvt sind. Freilich hätten wir von unserer Kirchenleitung ein offenes Wort zu den Irrlehren des Reichsbischofs gerne schon vor zwei Jahren gehört, als der Reichsbischof noch an der Macht war.

Was nun aber für die Beurteilung des Reichskirchenausschusses entscheidend ist, ist nicht etwa der gute Wille der Männer, die seine Mitglieder sind, entscheidend sind auch nicht einzelne gute und gelungene Taten, sondern einmal die Tatsache, daß der Reichskirchenausschuß vom Staate eingesetzt ist mit dem Anspruch, daß er Kirchenleitung sein soll. Professor D. Sasse-Erlangen schreibt: „Die Evangelisch-lutherische Kirche wird sich darüber klar sein müssen, daß, wie immer man über das landesherrliche Kirchenregiment der Vergangenheit denken mag, eine Mitwirkung der weltlichen Obrigkeit als Obrigkeit, insbesondere aber des grundsätzlich religiös neutralen Staates bei der Regierung der Kirche, gegen Schrift und Bekenntnis verstößt, die Existenz der Kirche als Kirche ebenso gefährdet wie das Wesen der weltlichen Obrigkeit als göttlicher Ordnung, und daher auch nicht vorübergehend getragen werden kann. Das Kirchenregiment kann nur von der Kirche selbst bestellt werden." Die Bekenntnissynode in Oeynhausen bezeugt: „Die Kirchenleitung ist Amt der Kirche. Sie kann darum nur von der Kirche berufen und gesetzt werden ... Die an Gottes Wort gebundene Kirche ist berufen, in Sachen ihrer Lehre und Ordnung allein zu urteilen und zu entscheiden. Es ist ihr untersagt, dem Staate über sein Aufsichtsrecht hinaus die Mitbestimmung ihrer Verkündigung und der ihr dienenden Ordnung zu überlassen. Das wäre Vermengung der geistlichen und weltlichen Gewalten... Weltliche Obrigkeit greift in ein fremdes Amt ein, wenn sie aus eigener Macht der Kirche eine Leitung setzt." — Diese Sätze sind auch dann richtig, wenn es in der Geschichte der Reformierten Kirche vorgekommen ist, daß weltliche Obrigkeit Kirchenleitung einsetzte. Allenfalls mag es in einer Notlage erträglich gewesen sein, daß evangelische Fürsten und Landesherren als Hervorragende Glieder der Kirche leitende Funktionen in dieser ausübten. Vom Worte Gottes her wird jedoch schwerlich etwas anderes zu sagen sein, als daß die Kirchenleitung Amt der Kirche ist und darum nur von der Kirche berufen und gesetzt werden kann. Der Reichskirchenausschuß ist von der Kirche weder berufen noch gesetzt und darum keine rechtmäßige Kirchenleitung, zumal da der heutige Staat nach den Erklärungen seiner führenden Männer religiös neutral sein und über den Konfessionen stehen will.

Man hat von den verschiedensten Seiten demgegenüber gesagt, daß die Bekennende Kirche neben anderen den Staat aufgefordert habe, in die Kirche einzugreifen und dort Ordnung zu schaffen. Pastor D. Humburg, der als Mitglied der Vorläufigen Leitung die Ereignisse aus nächster Nähe miterlebt hat, schreibt: „Ob von anderer Seite der Staat aufgefordert ist, in die Kirche einzugreifen und dort Ordnung zu schaffen, entzieht sich meiner Kenntnis. Ich stelle ausdrücklich fest, daß die Bekennende Kirche durch die Vorläufige Leitung der Deutschen Evangelischen Kirche den Reichsinnenminister im Januar 1935 gebeten hat, einen von der Kirche zu berufenden Ausschuß zu ermächtigen, die zur Neuordnung der Kirche erforderlichen Maßnahmen zu treffen, aber daß von der Bekennenden Kirche nie und mit keinem Worte der Staat aufgefordert worden ist, in die Kirche einzugreifen und dort Ordnung zu schaffen."

Mit jener ersten, für die Beurteilung des Reichskirchenausschusses entscheidenden Tatsache, daß nämlich der Reichskirchenausschuß vom Staat mit dem Anspruch, Kirchenleitung zu sein, eingesetzt und darum keine rechtmäßige Kirchenleitung ist, hängt die zweite entscheidende Tatsache zusammen: der Reichskirchenausschuß ist nicht gebunden an das Bekenntnis der Kirche. Die Oeynhauser Synode bezeugt: „Die Träger der Kirchenleitung müssen durch die Kirche zum Gehorsam gegen Gottes Wort unter Bindung an das Bekenntnis der Kirche verpflichtet werden. Glieder der Kirche werden nicht dadurch berufene Kirchenleitung, daß sie sich selbst an Schrift und Bekenntnis gebunden erklären." Der Bestand der Deutschen Evangelischen Kirche ist aber nur dann gesichert, wenn in ihr Schrift und Bekenntnis alleinige bindende Geltung haben. Eine neutrale Ordnung, losgelöst von Schrift und Bekenntnis, kann es in der Kirche nicht geben. Darum bietet der vom Reichskirchenausschuß unternommene Versuch keine Möglichkeit, den Schaden der Kirche zu heilen. Der Reichskirchenausschuß ist gemäß den Richtlinien des Vorspruchs des Gesetzes zur Sicherung der Deutschen Evangelischen Kirche angetreten, um nach staatlichem Willen und in staatlichem Auftrag die verschiedenen „Gruppen" unter einen Hut zu bringen. Reine Lehre und Irrlehre sollen nun in der Kirche Jesu Christi zusammengebunden werden und neben- und miteinander Geltung haben. Die Kirchenausschüsse müssen nun in staatlichem Auftrag auch der Irrlehre, die dem Bekenntnis entgegensteht und entgegenwirkt, Raum schaffen.

Die Tatsachen beweisen es. Die Kirchenausschüsse haben Gesuche auf Einräumung von deutsch-christlichen Gottesdiensten bewilligt. Sie entsenden dorthin, wo bisher keine deutsch-christlichen Pfarrer waren, jetzt deutsch-christliche Prediger. Der preußische Landeskirchenausschuß besonders läßt maßgebende und weithin sichtbare Pfarrstellen nach und nach von Deutschen Christen bekannter Prägung — sogar Thüringern — besetzen, obwohl Gemeinden ablehnen. Die Kirchenausschüsse bilden Prüfungskommissionen, in denen Deutsche Christen sitzen. Sie dulden es, daß alle Professoren, auch die extremsten Deutschen Christen, Mitglieder der Prüfungskommissionen werden. Der führende Deutsche Christ Grünagel ist als Mitarbeiter in den Reichskirchenausschuß berufen. Der Gauobmann der Deutschen Christen in Schlesien soll Mitglied der beratenden theologischen Kammer der Deutschen Evangelischen Kirche sein. Fast überall in den Ausschüssen sitzen die Deutschen Christen als gleichberechtigte Glieder der Kirchenleitung. So könnten wir Nachricht an Nachricht reihen und dabei auch noch illustrieren, wie die Kirchenausschüsse, fast hilflos gebunden an politische Mächte, ihre Arbeit tun müssen. Die oben erwähnte Stimme aus der Bekennenden Kirche sagt: „So ist es denn dahin gekommen, daß die Kirchenausschüsse sich gegen die Bekennende Kirche stellen und sie hindern, die Kirche Luthers und der Reformatoren in unserm Deutschen Volke durch die klare und alleinige Verkündigung des einen und reinen Gotteswortes von Jesus Christus zu bauen, daß sie statt dessen ein anderes Evangelium für gleichberechtigt erklären lassen und ihm Gelegenheit geben, unter falscher Flagge, nämlich als die Botschaft der Evangelischen Kirche, an unser Deutsches Volk heranzukommen und die Unwissenden zu betören."

In diesem großen Zusammenhang sehen wir das geplante Gesetz betreffend Änderung der Kirchensteuer als einen weiteren gefährlichen Schritt zur Verstaatlichung der Kirche. Wir brauchen uns darüber nicht auszubreiten, da Pastor Goeman in seinem Coetusvortrag das schon getan hat. In der Innerkirchlichen Mitteilung Nr. 8 des Landeskirchenrats vom 25. 3. ds. Js. wird uns bestätigt, daß Sie, Herr Präsident, bei den Verhandlungen über dieses Gesetz geltend gemacht haben, daß der Entwurf, wenn er in der vorliegenden Form zum Gesetz erhoben würde, einen Einbruch in die Kirchensteuerhoheit der Evangelischen Landeskirchen bedeuten würde und daß insbesondere ein Grundrecht unserer Reformierten Landeskirche sowie ihrer Gemeinden und Bezirkskirchenverbände verletzt werden würde. Der Landeskirchenrat bestätigt damit, daß die Einsprüche, die eine ganze Reihe von Kirchenräten gegen das Gesetz bei der Kirchenleitung erhoben haben, zu Recht bestehen. Sie sprachen davon, Herr Präsident, daß infolge Ihres Einspruchs das Gesetz noch nicht erlassen sei. Die Zukunft wird uns darüber belehren, ob Ihr Einspruch nachhaltige Wirkung haben wird. — Sie sagten in Ihren Ausführungen zu dem Steuergesetz vorwurfsvoll zu uns: „Wir sind keine Pastorenkirche. Die Hauptsache sind die Gemeinden, das muß ausgesprochen werden. Wir sind bestrebt, für die Gemeinden zu sorgen." Ganz ähnliche Worte pflegte auch der Reichsbischof zu sagen. Es ist aber vor jedermanns Augen sichtbar genug, daß das reichsbischöfliche System es gerade war, das zu einer völligen Entmündigung der Gemeinden führte. Demgegenüber hat die Bekennende Kirche für die Rechte und Aufgaben der Gemeinden gestritten. Wir fürchten sehr, daß auch der Weg der Kirchenausschüsse weitgehend zu einer Entmündigung der Gemeinden führen muß. In der Gesetzesvorlage zur Änderung der Kirchensteuer wird den Gemeinden in finanzieller Hinsicht ein Strick um den Hals gelegt. Der Strick kann jederzeit zugezogen, d. h. es kann von der Verteilungsstelle aus irgendwelchen

Gründen der Gemeinde ihr Anteil aus ihren eigenen Kirchensteuermitteln entzogen werden. Bei diesem Gesetz wird es deutlich werden, ob Sie, Herr Präsident, ernstlich für die Gemeinden sorgen können.

Wenn ein Gebiet der Kirche nach dem andern unter außerkirchliche Befehlsgewalt gestellt wird, kann es schnell dahin kommen, daß die Kirchenräte in die schwerwiegendsten Gewissenskonflikte geführt werden. In Nr. 19 unseres kirchlichen Gesetzblattes wird von der Leitung für unsere Reformierte Kirche angeordnet, daß die Kirchenglocken in Zukunft geläutet werden sollen, wenn außerkirchliche Stellen durch Zeitung oder Rundfunk dazu auffordern. So erschien z. B. zum 1. Mai eine Zeitungsnotiz folgenden Inhalts: „Der 1. Mai wird begonnen mit einem Morgengruß von „Kraft durch Freude“ in Verbindung mit einem allgemeinen Glockenläuten im ganzen Reiche. Beim Morgengruß und Wecken werden die Kapellen und Singgruppen immer wieder ‚Freut euch des Lebens‘ intonieren und zwar nach dem neu unterlegten Text ‚Freut euch des Lebens, froh seid zu jeder Stund, hell eure Augen, lachend der Mund! Das Leben bringt oft Kampf und Müh, doch wär's nicht schöner ohne sie; das Leben bringt uns Arbeit viel, dann freut uns Tanz und Spiel . . .‘.“ Der Reichsleiter der Deutschen Arbeitsfront, Dr. Ley, sagte in seinem Aufruf zu demselben Tag: „Freut euch des Lebens! Jede Lerche trillert es jetzt in den Frühling ... Da spricht der törichte Mensch vom Jammertal dieser Erde, von ewiger Sünde und Schuld, von zerknirschender Buße und knechtsseliger Gnade.“ Zu dieser jeden evangelischen Christen schwer kränkenden Verspottung der Gnade Gottes haben die Kirchenglocken infolge besagter Anordnung unserer Kirchenleitung läuten müssen. Weite Kreise empfanden das als würdelos! Landesbischof D. Meiser-München hat am 29. April eine eilige Verlautbarung an die bayrischen Pfarrämter erlassen, in der es heißt: „Es ist der Kirche nicht möglich, die Glocken, die zum Gottesdienste und zum Gebete zu rufen haben, in dieser Sache zu verwenden. Wir müssen in diesem Zusammenhange darauf hinweisen: Die Kirche hat seit Wochen versucht, am 1. Mai Raum zu bekommen für Gottesdienste, die die Arbeit des Deutschen Volkes unter das Wort Gottes stellen sollten. Es war nicht zu erreichen. Der bayrische Landeskirchenrat hat beschlossen: Das in jener Zeitungsnotiz gemeinte Glockengeläut findet nicht statt. Dem Reichskirchenausschuß ist mitgeteilt, daß dieser Beschluß unwiderruflich ist. Geläutet wird nur, wo Gemeinden an diesem Tage Gottesdienste halten, und zwar in der beim Gottesdienst üblichen Weise.“ Meiser hat in diesem Stück ein Anliegen der Kirche mutig und charaktervoll öffentlich vertreten.

Alles in allem ist deutlich: Die Verstaatlichung der Kirche ist nicht nur eine drohende Gefahr, sondern sie ist bereits weitgehend vollzogen. Daß Sie, Herr Präsident, mit unserer Kirchenleitung auf diesem unheilvollen Wege unmerklich immer weiter mitgezogen werden, fürchten wir allen Ernstes. Verschiedene Ihrer Ausführungen in Weener haben uns sehr stutzig gemacht. Als von dem Kampf gegen den Mythus die Rede war, sagten Sie, daß Sie vom Reichskirchenausschuß „dazu legitimiert" seien, die Angriffe auf das Christentum abzuwehren. Nach der Heiligen Schrift ist die Gemeinde Jesu insgesamt zum Zeugnis aufgerufen. Einer staatlichen Legitimation bedarf es nicht. Als Sie über die Sonntagsblätter sprachen, sagten Sie: „Die Sonntagsblätter haben kirchenpolitische Dinge erörtert. Die Leute, die für die Ordnung verantwortlich sind, müssen sagen, das darf nicht sein. Der Staat hat einen anderen Standpunkt als die Kirche. Man muß das anerkennen. Der Staat kann nicht jede Unruhe hingehen lassen. Die Staatssicherheit wird gefährdet. Die Gefahr einer Gefährdung kann schon störend wirken." Wir fragen: Wer ist denn da der Unruhestifter? Sind es die, die in aller Öffentlichkeit die schmählichsten Angriffe gegen den Christenglauben und die Kirche ergehen lassen, oder sind es die, die diese Angriffe abzuwehren suchen, um ihre ihnen anvertrauten Gemeinden pflichtgemäß vor Irrtum bewahren zu helfen? Ihre Worte legen ein deutliches Zeugnis davon ab, wie schnell infolge von allerlei Bindungen die Bereitschaft entsteht, daß man sich auf einen Boden begibt, der wohl kaum mehr kirchlich genannt werden kann. — — Wir möchten uns durch Stillschweigen nicht mitschuldig machen an diesem unheilvollen Weg unserer Kirchenleitung, der zu immer tiefer gehender Verweltlichung, Erstarrung und Politisierung des kirchlichen Lebens führen muß.

Der Weg, auf dem unsere Kirchenleitung jetzt steht, scheint uns freilich nur das Ergebnis Ihrer uns unverständlichen Haltung in dem ganzen Kampfe der drei letzten Jahre zu sein.

Es gab in den letzten Jahren zwei Stellen in Deutschland, die den Anspruch machten, Leitung der Deutschen Evangelischen Kirche zu sein.

Die eine Stelle war das Kirchenregiment des Reichsbischofs, ein unerhörtes Gewaltregiment, ausgeübt durch den Reichsbischof und seine deutsch-christlichen Bischöfe. Verfassungsbrüche kennzeichnen den Weg dieses Kirchenregiments bis zum völligen Zusammenbruch. Mehr als 800 verlorene Prozesse des deutsch-christlichen Systems legen davon Zeugnis ab. Ein totales Durcheinander und völlige Zerstörung der Rechtsgrundlagen der Kirche war das Ende dieses Weges. Zugleich war der Vorstoß der Deutschen Christen ein gewaltiger Vorstoß der Irrlehre. Die Kirche sollte außer auf das in der Heiligen Schrift bezeugte Wort Gottes in Jesus Christus auch noch auf eine dem Deutschen Volke in seiner Geschichte, insbesondere im Jahre 1933 und seither widerfahrene direkte Gottesoffenbarung hören und jene erste nach Maßgabe dieser zweiten Offenbarung verstehen lernen. Die Stimme des Blutes sollte Gehör haben in der Kirche so, daß die Stimme des Herrn der Kirche übertönt wurde. Im tiefsten Grunde lief es darauf hinaus, daß Christus in der Kirche entthront wurde. Das Kreuz Jesu wurde mißachtet, die Theologie des anständigen Menschen vom Reichsbischof verkündigt. Die deutsche Geschichte wurde zur Heilsgeschichte gemacht, das Deutsche Volk zum Volk der Offenbarung, das Heilsvolk für die ganze Welt, das auserwählte Volk, Volk des Reiches Gottes. Germanisches Blut und Wesen sollte Maßstab aller Dinge sein. Was der Stimme des Blutes widerspricht, soll beiseite getan werden. Das Alte Testament wird zum Judenbuch gestempelt und soll für uns nicht brauchbar sein. Paulus, der jüdische Bastard und Revolutionär, soll uns Heutigen nichts mehr zu sagen haben. Jesus selber wird zum Helden gestempelt. Daß er der Erlöser von Sünde und Schuld heißt und das Sühnopfer für unsere Sünden ist, wird als jüdische Zutat bezeichnet. — Auch die ruhigsten Betrachter der Vorgänge in der Kirche mußten schließlich feststellen, daß „die damalige Leitung der DEK als rechtmäßige Leitung nicht mehr anerkannt werden kann. Die Tatsache nicht nur verfassungswidriger Handlungen der Reichskirchenregierung, durch die sämtliche Organe der DEK zerschlagen sind, sondern noch viel mehr die fortgesetzten irrlehrerischen Äußerungen des Reichsbischofs und seiner Mitarbeiter, die gerade in den Kundgebungen an die Pfarrer der DEK sich finden, muß es uns unmöglich machen, sie als die rechtmäßige Leitung anzuerkennen, zumal keinerlei Möglichkeit besteht, gegen diese Irrlehren auf verfassungsmäßigem Wege so zu protestieren, daß es zur Ausübung der der Kirche befohlenen Zucht kommt" (aus einem Gutachten von Schumacher, Buitkampf u. a.). Höchste juristische und Regierungsstellen haben sich schließlich dieser Sachlage nicht entziehen können. Der völlige Zusammenbruch des deutsch-christlichen Kirchenregimentes war da.

Die zweite Stelle, von der in den letzten Jahren der Anspruch erhoben wird, rechtmäßige Kirchenleitung der Deutschen Evangelischen Kirche zu sein, ist die Bekenntnissynode der Deutschen Evangelischen Kirche. Unerschrocken und unbekümmert um die unglaublichsten Verdächtigungen, Drohungen und Gefahren sind im Sommer 1933 einige Männer des Pfarrernotbundes an die Aufgabe gegangen, die Christen in Deutschland zur Besinnung zu rufen. Reformierte Kreise im Rheinland haben es dann zuerst gewagt, dem widerchristlichen Wesen und Treiben in der Deutschen Evangelischen Kirche den Kampf anzusagen. Die Gemeinden hin und her kamen in Bewegung.

Die erste freie Synode in Barmen im Januar 1934 stellte der Irrlehre der Deutschen Christen ein Bekenntnis über die Kirche, ihre Gestalt und ihre Botschaft in der Gegenwart gegenüber. Die erste Bekenntnissynode vereinigte am 29. Mai desselben Jahres in Barmen Männer aus allen deutschen Kirchen, Lutheraner, Reformierte, Unierte, denen von Gottes Wort und den reformatorischen Bekenntnissen her ein wichtiges gemeinsames Wort zu der großen Not der Kirche geschenkt wurde. Als der Höhepunkt der Verwirrung gekommen war, hat im Oktober 1934 unter dem Eindruck des brutalen Vorgehens des sogenannten Rechtswalters Jäger eine zweite Bekenntnissynode in Berlin-Dahlem die Scheidung vom deutsch-christlichen Kirchenregiment vollzogen und der Kirche eine Vorläufige Leitung als Notregiment gegeben, solange keine bekenntnisgebundene und verfassungsmäßige Leitung der Kirche sonst vorhanden ist. Eine Hauptversammlung des Reformierten Bundes in Detmold, die reformierte Vertreter aus dem ganzen Lande zusammenführte, hat bald darauf die dem Reformierten Bunde angeschlossenen Gemeinden und einzelne Mitglieder aufgefordert, sich von jeder Zusammenarbeit mit dem falschen deutsch-christlichen Kirchenregiment zurückzuziehen. Es ist nicht nötig, davon zu reden, welch ein gewaltiger Kampf der Geister in Deutschland damit aufgebrochen ist, welche Leiden und schweren Wege für viele Männer und Frauen in dem Kampf der Bekennenden Kirche kamen und wie im ganzen Lande Gemeinden aufstanden, weil sie verstehen lernten, daß es in diesem Kampfe nicht um ein Pfaffengezänk, sondern um Sein oder Nichtsein für die Evangelische Kirche ging. Wir verdanken es — menschlich geredet — diesem gewaltigen Kampf der Bekennenden Kirche, daß die Freiheit der Evangeliumsverkündigung nicht schon in starkem Maße eingeschränkt ist.

Sie erwähnten beiläufig in Ihren Ausführungen, Herr Präsident, daß Sie in der Bekennenden Kirche viel Böses gesehen hätten. Sie könnten lange Artikel darüber schreiben. Wir glauben Ihnen das schon und wissen es auch ohne Ihre Versicherung, daß die Bekennende Kirche eine Kirche der Sünder ist. Jede Kirche ist nur eine sehr gebrechliche Sichtbarwerdung des Leibes Jesu Christi. Will man die Bekennende Kirche richtig beurteilen, so kann man sich nicht berufen auf einzelne Verkehrtheiten in der Haltung oder im Handeln oder auch auf berechtigte Bedenken gegen einzelne Personen. Maßstab der Beurteilung muß vielmehr sein, daß „die Bekennende Kirche der Ort ist, wo man sich vom Worte Gottes aus darauf besinnt, daß die Kirche kein weltliches Institut, sondern der Leib Jesu Christi ist (Einheit von sichtbarer und unsichtbarer Kirche)" (aus dem oben erwähnten Gutachten). Der entscheidende Unterschied zwischen der Bekennenden Kirche und dem reichsbischöflichen System liegt nicht in einer ethischen Haltung der Menschen hier oder dort, auch nicht darin, daß etwa hier alles im einzelnen böse oder dort alles recht gemacht wäre. Der entscheidende Unterschied ist vielmehr der, daß im reichsbischöflichen System neben Christus andere Offenbarungen gesetzt werden und so letzten Endes Christus entthront ist, während auf den Synoden der Bekennenden Kirche das „Christus Jesus allein" gemäß der Heiligen Schrift auf den Leuchter gestellt worden ist. Hier will man die Ordnung und Verkündigung der Kirche ausrichten nach dem „Christus allein", dort nach dem Geiste dieser Zeit und nach dem Christus soweit, als der Geist dieser Zeit es zuläßt. Darum sehen wir in der Bekennenden Kirche wahre Kirche und in dem reichsbischöflichen System falsche Kirche.

Wo stand damals unsere Landeskirche? Es waren wiederum die ruhigsten Betrachter der Lage, die feststellten, daß „unsere Landeskirche als Bekennende Kirche ihren Platz nur an der Seite der Bekennenden Kirche Deutschlands haben und sich eine vor aller Welt klare Entscheidung nicht ersparen könne, ob sie in dem nun einmal entbrannten Kampf die Reichskirchenregierung als rechtmäßig anerkennen oder der Vorläufigen Kirchenleitung der DEK das Recht, als solche aufzutreten, zubilligen wolle, um daraus die Folgerungen zu ziehen" (aus obigem Gutachten). Aber das ist nun unser tiefer Schmerz, daß unsere Kirchenleitung keine Fühlung mit der kämpfenden Front suchte, sondern in Fühlung — wenn auch einer lockeren — mit dem falschen deutsch-christlichen Kirchenregiment blieb. Unsere Kirchenleitung hat im Uelsener Protokoll bezeugt, daß unsere Landeskirche in Gemeinschaft mit den anderen bekenntnisbestimmten und bekennenden Kirchen Deutschlands gemeinsam zu glauben, zu lieben und zu hoffen habe. Trotzdem hat sie keine Fühlung mit der kämpfenden Front genommen. Sie hat im Gegenteil versucht, das Kirchenregiment des Reichsbischofs zu rechtfertigen durch den Hinweis auf Kaiphas, auf Saul, auf die Pharisäer und Schriftgelehrten.

Es ist uns wohl öfters angedeutet worden, daß die Akten unserer Kirchenleitung, wenn sie einmal alle an den Tag kämen, einen Beweis dafür liefern würden, daß unsere Kirchenleitung wirklich in vorderster Front stand. Es ist uns auch gesagt worden, daß wir den wirklichen Verlauf der Dinge nicht übersehen und darum nur halbe Wahrheiten sagen könnten, so oft wir von dem Weg unserer Landeskirche sprächen. Wir möchten Sie, Herr Präsident, bitten, den Gemeinden, die den Weg unserer Kirchenleitung mit tiefem Schmerz beobachten, doch einmal etwas Handgreifliches aus diesen Akten mitzuteilen, damit wir das Bild, das wir von dem Weg unserer Landeskirche haben, eventuell korrigieren können.

Die uns unklar erscheinende Haltung unserer Kirchenleitung kam besonders an folgendem Punkte zu Tage: Deutsche Christen blieben in Aufsichtsämtern unserer Kirche. Professor Barth wurde vor kurzem die Frage vorgelegt: Unter welchen Umständen kann ein erklärter Deutscher Christ in der Reformierten Landeskirche Hannovers ein Aufsichtsamt bekleiden? Barth antwortete in einem Gutachten: „Unter gar keinen Umständen! Gab es zur Zeit des Uelsener Protokolls noch einen erklärten Deutschen Christen, der in der Reformierten Landeskirche Hannovers ein Aufsichtsamt bekleidete — was mir persönlich damals nicht bekannt war — so mußte er, gutgläubige Auslegung des Uelsener Protokolls vorausgesetzt, am 22. 12. 34 aus diesem Amte entfernt werden. Wenn ich der durch die Herren D. Hollweg und Pastor Voget vertretenen reformiert hannoverschen Kirchenleitung zugetraut hätte, Maßnahmen in dieser Richtung nach wie vor zu unterlassen, so würde ich das Uelsener Protokoll nicht unterschrieben haben." Im Blick auf den Fall Brunzema-Emden heißt es in demselben Gutachten weiter: „Wenn die reformiert hannoversche Kirchenleitung tatsächlich einen erklärten Deutschen Christen in einem kirchlichen Aufsichtsamte belassen oder ihm ein solches gegeben hat, dann hat sie ihre im Uelsener Protokoll von ihr selbst anerkannte kirchenregimentliche Pflicht in dieser Hinsicht nicht erfüllt." Barth spricht dann von einer „in jener Unterlassung sicher vorliegenden Verletzung der Ordnung" durch unsere Kirchenleitung.

Wir haben im Anblick des Weges unserer Kirche an das Wort gedacht, das Calvin 1548 an Viret schrieb: „Wo Gottes Wahrheit unterdrückt wird, — weh uns, wenn wir so feige wären, es stillschweigend hinzunehmen! Man dürfte ja nicht dulden, daß einem Unschuldigen Unrecht geschehe, aber nun richtet sich der Angriff gegen mehrere Diener Christi und seine Lehre selbst. Ist's da nicht Zeit, daß alle Frommen miteinander und jeder für sich dem die Stirn bieten?" Wir dachten auch an das Wort der Schrift: „So ein Glied leidet, so leiden alle Glieder mit." Unsere Kirchenleitung hat uns nie ein Zeugnis, eine Kundgebung oder eine Nachricht aus der Arbeit und dem Kampfe der Bekennenden Kirche zukommen lassen. Sie hat keine Fürbitte für die Verwundeten und Leidenden der Front empfehlend an die Gemeinden weitergegeben. Sie hat nicht aufgerufen zu einem Opfer für die oft bedrängten Brüder. Sie hat uns nicht teilnehmen lassen an den Erkenntnissen, die im Kampf der Bekennenden Kirche neu geschenkt worden sind und die auch unserer Kirche dienen könnten zu einer äußeren und inneren Umgestaltung.

Die Arbeitsgemeinschaft reformierter Prediger und Ältesten und die Bekenntnisgemeinschaft versuchen nach ihren Kräften, diesen Mangel auszufüllen. Sie haben unsere Kirchenleitung auch rufen wollen, daß sie sich dem Kampfe der Bekennenden Kirche nicht entziehe. Sie haben in den meisten Gemeinden unserer Landeskirche — zum Teil erstaunlich viele — Glieder gefunden, die sich zu diesem Anliegen mit großer Treue stellten. Es ging aber auch durch allerlei böse Gerüchte. Eins von diesen schien uns anzuklingen, Herr Präsident, als Sie in Weener sagten: „Wenn Sie mich weggebracht haben ...". Sie können versichert sein, daß wir nicht um Posten und Personen uns mühen. Uns liegt nicht daran, irgend jemand in unserer Kirchenleitung aus seiner Stellung zu verdrängen. Uns liegt aber daran, daß unsere Reformierte Kirche in dem Kampf der Gegenwart nicht an einem falschen Orte stehe. Uns liegt allein daran, daß unsere Kirche sei im wahren Sinne des Wortes nach Gottes Wort reformierte Kirche, Kirche unter dem Wort.

Ergebenst

Die Oberrheiderländer Konferenz
Ferlemann-Weenermoor
Goemann-Kirchborgum
Hamer-Oldendorp
Hamer-Weener
Scherz-Ditzumer-Verlaat
Steen-Holthusen
Mit grundsätzlicher Zustimmung:
Petersen-Möhlenwarf

20. Brief des Arbeitsausschusses der Reformierten Kirchen Deutschlands. Als Brief gedruckt. September 1936.

Original.

Die Lage unserer reformierten Gemeinden erfüllt jeden, der sie aus der Liebe zu unserem Bekenntnis heraus beobachtet, mit heißer Sorge. Sie sind nicht nur an der allgemeinen Not unserer Kirche beteiligt, sind nicht nur durch den Ausbruch von Irrlehren und vielerlei Wirren weithin verstört, nein, sie stehen in besonderer Gefahr, in einer Gefahr, die seit über einem Jahrhundert vielerorts bereits zum Erlöschen reformierter Gemeinden, zur Verdunkelung reformierter Lehre und zur Zerstörung reformierter Odnung in Gottesdienst und Gemeindeleben geführt hat. Dieser Gefahr zu begegnen, sind die weitverstreuten Gemeinden für sich allein schwerlich in der Lage. Es ist daher schon lange versucht worden, die reformierten Gemeinden zu gemeinsamem kirchlichen Handeln zusammenzufassen. In unseren Tagen, da die Bedrohung des kirchlichen Bekenntnisses so groß ist und vielen erst wieder aufgegangen ist, daß die Kirche ein Bekenntnis haben muß und es stets lebendig zu bezeugen hat, ist dieses Bestreben nach einem Zusammenschluß besonders lebhaft geworden.

Leider aber ist das Organ, das dies gemeinsame kirchliche Handeln aller reformierten Kirchen und Gemeinden Deutschlands ermöglichen sollte, — nämlich der 1934 in Osnabrück gegründete reformierte Kirchenkonvent[40], im Juni dieses Jahres aufgelöst worden. Damit verloren unsere Kirchen und Gemeinden das Organ, das dazu bestimmt war, sie alle zu umschließen und zu gemeinsamem Wirken zusammenzufassen. Unterdessen aber bestehen die gezeigten Gefahren unvermindert fort. Viele sehen in den Bekenntnissen der Reformationszeit, auf denen Lehre und Ordnung unserer Gemeinden beruht, bloß Schulmeinungen oder unverbindliche Anschauungen. Viele meinen, wir seien über sie hinaus, ohne indessen zeigen zu können, inwiefern jene Bekenntnisse von der Schrift her widerlegt oder überwunden wären. So wenig wir aber daran denken, die Gemeinschaft des Glaubens und des Kampfes mit unseren lutherischen Schwestergemeinden zu verlassen oder gering zu schätzen, so wenig wir auch glauben, daß eine bloß theoretische oder rechtliche „Geltung" der Bekenntnisse ein Ziel sein dürfte, so wenig können wir von unserem Bekenntnis lassen, an das wir in Lehre und Leben gebunden sind, weil es die in unserer Kirche geltende Auslegung der Heiligen Schrift ist!

Reformiertes Bekenntnis aber bringt auch eine nach der Schrift gestaltete Form des gottesdienstlichen Lebens und der Kirchenordnung mit sich. Beide sind nicht voneinander zu trennen. Unsere Gemeinden müssen verlangen, daß sie diese Ordnungen behalten; sie müssen diese Forderung gegenüber jedem aussprechen, der dafür in Frage kommt.

Aus den vorstehenden Erwägungen heraus haben sich die verfaßten reformierten Kirchen entschlossen, einen „Arbeitsausschuß der Reformierten Kirchen Deutschlands" einzusetzen. Dieser soll ohne jede anderweitige Bindung, allein auf dem Grunde des reformierten Bekenntnisses, für die Wahrung dieses Bekenntnisses eintreten. Seine Arbeit und deren Auswirkung soll und wird allen reformierten Kirchen und Gemeinden zugutekommen, die sich auf dem Boden gleichen Wollens und gleicher Verpflichtung zu uns stellen. In diesem Sinne ist es gemeint, wenn der Reformierte Arbeitsausschuß in der ihn begründenden Vereinbarung sagte, daß er bereit sei, auch für die reformierten Gemeinden Deutschlands außerhalb der verfaßten Kirchen, die

---

[40] s. S. 14. 20.

zunächst den Arbeitsausschuß bildeten, einzutreten. (Den Anspruch, sie zu „umfassen", wie es ein uns zugegangener Schriftsatz ausdrückt, haben wir nicht erhoben, denken auch nicht daran, es zu tun. Wir wollen uns nicht zu Herren unter den Brüdern machen.) Wir sind ein Arbeitsausschuß, also keine neue Organisation und kein Verband. Wir geben die Hoffnung nicht auf, daß uns Gott, der Herr, einst auch eine Reformierte Kirche in Deutschland schenken möchte, deren Leitung eine alle Gemeinden umfassende Gesamtsynode ausübt. Da eine solche aber fehlt, so hält sich der Reformierte Arbeitsausschuß an die zuständigen synodalen Organe der verfaßten Kirchen und Synoden gebunden.

Er ist im übrigen an niemand und nichts gebunden, als allein an das geltende Bekenntnis.

Er hat die vom Bekenntnis her sich ergebenden Forderungen auch gegenüber dem Reichskirchenausschuß zu vertreten. Er sieht damit im Reichskirchenausschuß kein geistliches Kirchenregiment — dies liegt bei den Presbyterien und Synoden unserer Kirchen! —, sondern versteht ihn als eine der Kirche für bestimmte Zeit gesetzte Verwaltung. Die Kirchenausschüsse haben innerhalb der Deutschen Evangelischen Kirche, die in einem gesetzlich bestimmten Verhältnis zum Staate steht, eine ganz bestimmte Rechtsstellung. Jeder, der innerhalb dieser Situation rechtliche oder finanzielle Regelungen annimmt, stellt sich damit in den Bereich dieser Verwaltung und kann nicht rundweg sagen: Ich lehne die Kirchenausschüsse ab. Die Kirchenausschüsse sind aber zum Beispiel auch mit der Abfassung eines Wahlgesetzes beschäftigt, das zur Wiedereinsetzung kirchlich bevollmächtigter Körperschaften führen soll. Hierzu muß, da es sich um Dinge handelt, die mit unseren an das Bekenntnis gebundenen Ordnungen auf das engste zusammenhängen, der Reformierte Arbeitsausschuß seine Stimme erheben, und er hat es getan. Er tut das, wie jeder anderen Stelle gegenüber, ohne Suchen nach Kompromissen und ohne Utilitarismus.

Wenn wir zu unserem Teil darum ringen, daß Lehre, Ordnung und Leben nach dem reformierten Bekenntnis gestaltet werde, so erkennen wir den lutherischen Kirchen, die am Bekenntnis festhalten, das gleiche Recht und die gleiche Verpflichtung zu. Wir sind deshalb bereit, mit ihnen brüderlich zusammen zu arbeiten und gemeinsam mit ihnen um eine nach den Bekenntnissen gestaltete Ordnung der Deutschen Evangelischen Kirche zu kämpfen.

Wir bitten die Gemeinden, unserer Arbeit fürbittend zu gedenken, sich in der Treue zu ihrem Bekenntnis nicht wankend machen zu lassen und ihren Herren auf dem Grunde der Heiligen Schrift lebendig zu bezeugen.

Es ziemt uns nicht, unsere Kraft zu erschöpfen in einem Kampf nach außen, der keine Verheißung hat (Joh. 18, 36 ff.), in einem Kampf der Brüder untereinander, dessen Ursachen oft in Menschlichkeiten liegen und in dem wir gar leicht die Liebe verletzen, die Barmherzigkeit vergessen und den Bruder verraten zu unserem eigenen Gericht. Es ist uns aber geboten: zu glauben, daß Christus selbst seine Gemeinde durch seinen Geist und Wort versammelt, schützt und erhält, und zu verstehen, daß ein jeder seine Gaben zu Nutz und Heil der anderen Glieder willig und mit Freuden anzulegen sich schuldig wissen soll. So lasset uns das Gute tun und nicht müde werden (Galater 6, 9).

Fragen und Anliegen bitten wir gegebenenfalls an den Vorsitzenden, Kirchenpräsident Horn in Nordhorn (Bentheim), zu richten.

Gott der Herr aber wolle seiner Kirche in Gnaden beistehen und ihr Kraft und Einheit schenken, um auch in unserem Volke ihren Dienst recht auszurichten.

Horn, Vorsitzender

21. Schriftwechsel zwischen Pastor Middendorff und der Reichsschrifttumskammer. Vervielfältigt und veröffentlicht vom Coetus reformierter Prediger Ostfrieslands. September/Oktober 1936.

Vervielfältigte Abschrift.

a) Der Präsident der Reichspressekammer

Berlin W 35, den 15. September 1936

Herrn Pfarrer Middendorff, Schüttorf, Kreis Bentheim

Der § 10 der Ersten Verordnung zur Durchführung des Reichskulturkammergesetzes vom 1. November 1933 — RGBl. I/33 S. 797 ff — legt mir sinngemäß die Verpflichtung auf, über alle Mitglieder meiner Kammer Ermittlungen über ihre Zuverlässigkeit und Eignung anzustellen.

Das Ergebnis der Ermittlungen über Sie stellt Ihre Zuverlässigkeit und Eignung im Sinne des oben genannten Paragraphen in Frage. Ich beabsichtige daher, Sie aus meiner Kammer auszuschließen. Als Begründung hierfür würde mir die Tatsache dienen, daß Sie sich insbesondere nach der Reichstagswahl 1936 in einer Art und Weise politisch betätigt haben, die unter keinen Umständen tragbar ist.

Bevor ich jedoch diese Entscheidung treffe, gebe ich Ihnen Gelegenheit zur Stellungnahme. Sollte diese nicht bis zum 23. ds. Mts. in meinem Besitz sein, werde ich die oben gekennzeichnete Verfügung erlassen.

Im Auftrag: Dr. Richter

b) Pastor Middendorff
Schriftleiter des „Sonntagsblattes
für evangelisch-reformierte Gemeinden"

Schüttorf (Hannover), den 16. September 1936

An den Herrn Präsidenten der Reichspressekammer

Auf Ihr Schreiben vom 15. September 1936 erwidere ich folgendes: Unmöglich kann ich zu einer Beschuldigung Stellung nehmen, die mir nicht genau zur Kenntnis gebracht worden ist. Ich muß Sie infolgedessen höflichst bitten, den allgemein gehaltenen Vorwurf, ich hätte mich insbesondere nach der Reichstagswahl 1936 in einer Art und Weise politisch betätigt, die unter keinen Umständen tragbar sei, inhaltlich genauer auszuführen.

Vorerst stelle ich Ihrer allgemein gehaltenen Beschuldigung lediglich die Tatsache entgegen, daß ein gegen mich angestrengtes gerichtliches Verfahren, das sich auf die von Ihnen anscheinend gemeinten Dinge bezog, seit geraumer Zeit rechtskräftig völlig eingestellt worden ist, und zwar n i c h t auf Grund der Amnestie.

Fr. Middendorff

c) Pastor Middendorff
Schriftleiter des „Sonntagsblattes
für evangelisch-reformierte Gemeinden"

Schüttorf (Hannover), den 21. September 1936

An den Herrn Präsidenten der Reichspressekammer

Am 15. September 1936 drohten Sie mir an, mich aus Ihrer Kammer auszuschließen, wenn ich nicht bis zum 23. September zu der von Ihnen erhobenen Beschuldigung Stellung nähme.

Am 16. September bat ich Sie, den gegen mich gerichteten, allgemein gehaltenen Vorwurf, ich hätte mich insbesondere nach der Reichstagswahl 1936 in einer Art und Weise politisch betätigt, die unter keinen Umständen tragbar sei, inhaltlich genauer auszuführen, da es mir sonst unmöglich sei, Stellung zu nehmen.

Auf diese Bitte habe ich bis heute abend noch keine Antwort erhalten. Da ich nun morgen verreisen muß und übermorgen schon der Termin fällig ist, bis zu dem ich Stellung nehmen sollte, erlaube ich mir, um nichts zu versäumen, v o r s o r g l i c h folgendes jetzt schon zu bemerken.

1. Es sind gegen mich in letzter Zeit manche Beschuldigungen erhoben worden, die nicht zutreffen. Ich führe ein Beispiel an. Der Herr Regierungspräsident von Osnabrück hat Anfang August ds. Js. in einem an den evangelisch-reformierten Landeskirchenrat in Aurich gerichteten Schreiben laut Mitteilung des Landeskirchenrates vom 10. August behauptet,

ich sei mit einem mit meiner Unterschrift versehenen Protestschreiben an den Führer an die Öffentlichkeit getreten.

Wahr ist, daß ich als Mitglied des Rates der Deutschen Evangelischen Kirche am 28. Mai 1936 eine ausführliche an den Führer gerichtete Denkschrift der Vorläufigen Leitung und des Rates der Deutschen Evangelischen Kirche unterzeichnet habe.

N i c h t w a h r ist, daß ich mit dieser Denkschrift an die Öffentlichkeit getreten sei. Die Denkschrift ist in einem einzigen Exemplar dem Führer zugeleitet worden. Keiner der Unterzeichner hat eine Abschrift der Denkschrift bekommen oder Gelegenheit gehabt, eine Abschrift zu nehmen. Die Denkschrift und ihr Inhalt ist mit größter Gewissenhaftigkeit sogar vor den Gliedern der Bekennenden Kirche geheim gehalten worden. Wodurch es möglich gewesen ist, daß sie in der ausländischen Presse veröffentlicht worden ist, entzieht sich meiner Kenntnis. Ich meinesteils habe mit der ausländischen Presse nicht das Geringste zu tun gehabt, noch heute zu tun und bin auch mittelbar an der Veröffentlichung jener Denkschrift in der Auslandspresse auf keinerlei Weise auch nur im geringsten irgendwie beteiligt.

Ich weiß nicht, ob dem Herrn Präsidenten der Reichspressekammer bei seinen Ermittlungen über mich auch diese Beschuldigung, die eine gänzlich falsche ist, bekannt geworden ist. Ich führe diesen Fall an als ein Beispiel dafür, wie leicht auch bei hohen Stellen irrtümliche Auffassungen entstehen können und wie sehr derartige Beschuldigungen der Nachprüfung bedürfen.

2. Im April ds. Js. ist gegen mich ein gerichtliches Verfahren angestrengt worden wegen zweier Briefe, die ich am 6. und 7. April wegen der Vorgänge bei der Reichstagswahl am 29. März 1936 geschrieben hatte. Vorab bemerke ich: Es ist a b s o l u t u n r i c h t i g, wenn das Amtsgericht Bentheim behauptet hat, ich habe durch diese Briefe den öffentlichen Frieden gefährdet und in der Öffentlichkeit

Erregung hervorgerufen. Denn ich habe diese beiden Briefe nur an die zuständigen Instanzen, Bürgermeister und Ortsgruppenleiter von Schüttorf, mit der Bitte um Weiterleitung an die höheren Stellen, gerichtet.

Zum Inhalt jener beiden Briefe bemerke ich folgendes:

Sie wandten sich gegen Erscheinungen der Innenpolitik und gegen die Verkoppelung von Außenpolitik und Innenpolitik bei der Reichstagswahl, vor allem aber gegen die zahlreichen und starken Verstöße gegen Treu und Glauben, die bei dieser Wahl vorgekommen waren, viele Deutsche innerhalb und außerhalb der Partei mit Empörung erfüllt, das Ansehen des deutschen Volkes im Ausland empfindlich beeinträchtigt und den Wert der Wahl in Frage gestellt hatten, was um so betrüblicher war, als die Wahl mit feierlichen Reden und Glockengeläut eingeleitet und fast zu einem kultischen Akt erhoben war. Wenn ich gegen die erwähnten Unaufrichtigkeiten kräftig und leidenschaftlich protestiert und gleichsam mit der Faust auf den Tisch geschlagen habe (das muß man manchmal, wenn man gehört sein will), so habe ich mich nicht als unzuverlässig erwiesen, sondern nicht geringere „Zuverlässigkeit" bewiesen als so manche, die zu diesen Dingen mit einem verlegenen oder verständnisvollen Lächeln geschwiegen, wenn nicht gar sie betrieben und mitgemacht haben.

Das Gerichtsverfahren, das im April gegen mich angestrengt wurde, bezog sich nicht allein auf die beiden von mir geschriebenen Briefe, sondern auch auf Vorgänge in einer Kirchenratssitzung am 4. April, in der ich mich aber nicht politisch betätigt, geschweige denn öffentlich politisch betätigt, sondern lediglich pflichtgemäß die in der Sitzung an mich gerichtete Frage beantwortet hatte, warum ich am Vorabend der Wahl nicht hätte läuten lassen. Meine Antwort lautete, daß ich — im Unterschied von anderen Fällen — keine amtliche Anweisung zum Läuten bekommen habe, daß aber auch wegen der Verkoppelung von Außen- und Innenpolitik bei dieser Wahl und wegen der mir unsympathischen religiösen Verbrämung eines politischen Aktes die Freudigkeit zum Läutenlassen bei mir nicht vorhanden gewesen wäre.

Das gegen mich angestrengte gerichtliche Verfahren ist vor etwa zwei Monaten — n i c h t auf Grund der Amnestie — vom Sondergericht Hannover rechtskräftig eingestellt worden, anscheinend deshalb, weil der Herr Reichsminister der Justiz zu einer Strafverfolgung die Genehmigung nicht erteilt hat. Oder richtiger gesagt: Es ist überhaupt nicht eröffnet worden. —

3. Es mag gegen mich auch Material bei der S t a a t s p o l i z e i s t e l l e O s n a b r ü c k vorliegen. Ich muß bezweifeln, ob dieses Material beweiskräftig ist.

Im Mai 1935 wurde von der Staatspolizeistelle Osnabrück über mich ein Redeverbot mit Ausweisungsandrohung verhängt „wegen der verhetzenden, die öffentliche Ruhe und Ordnung gefährdenden Ausführungen in meinem Vortrag am 7. April 1935 in Schüttorf". Es handelt sich bei diesem Vortrag um einen Bericht, den ich in unserer Kirche in einer kirchlichen Versammlung über eine Synode, zu der ich mit anderen entsandt worden war, gegeben hatte. Wiederholt und dringend bat ich die Staatspolizeistelle, mir mitzuteilen, worin die verhetzenden Äußerungen bestanden hätten. Es sind mir keine Gründe mitgeteilt worden, wohl aber ist das Redeverbot ohne Angabe von Gründen sehr bald aufgehoben worden. Privatim hatten zwei Beamte der Staatspolizei, die bei mir waren, auf meine Fragen mir zwei Punkte genannt, deretwegen das Redeverbot ergangen sei. An beiden Punkten konnte ich sofort die Unrichtigkeit der Beschuldigung nachweisen.

Wie so manches Mal mußte ich auch bei dieser Gelegenheit erfahren, daß man als Unruhstifter hingestellt wird, wenn man sich gegen den Einbruch politischer Gewalten in den Bereich der Kirche und die dadurch hervorgerufene Unruhe wehrt.

Der weitere Verlauf der Dinge und das spätere Verhalten der Reichsregierung zu der Reichskirchenregierung Ludwig Müller hat der Haltung, die ich in jenem Bericht einnahm, durchaus recht gegeben.

4. Bei der Schriftleitung des Sonntagsblattes trat ich wiederholt in Gegensatz zu den Zensurstellen, Oberbürgermeister von Emden und Regierungspräsident von Aurich. Auch da hat die Entwicklung mir weithin recht gegeben, und es erwies sich, daß der von mir geführte Kampf ein guter und notwendiger Kampf gewesen sei. Auch dafür nur ein Beispiel: Im Jahre 1934 beschlagnahmte der Herr Oberbürgermeister von Emden eine Nummer des Sonntagsblattes, weil ich den in vielen anderen größeren Blättern ohne Beanstandung erschienenen Artikel (sogar mit einer mildernden Fußnote) gebracht hatte, in dem das Führerprinzip für den Bereich der Kirche abgelehnt wurde. Der Herr Oberbürgermeister von Emden erklärte in einem Schreiben an mich:

> „Das Führerprinzip ist im ganzen Reich und so auch in der Reichskirche gesetzlich verankert. Das ist bekanntlich ein wesentlicher nationalsozialistischer Grundsatz, der auch da gilt, wo keine Deutschen Christen sind."

Das war am 18. Oktober 1934.

Am 14. November 1935 erklärte in der Aula der Berliner Universität vor der theologischen Fachschaft der Herr Reichs- und Preußische Minister für kirchliche Angelegenheiten Kerrl:

„Das Führerprinzip ist nicht für die Kirche, es ist ein politisches Prinzip."

Ich hoffe, daß noch in vielen anderen Fällen die von mir eingenommene Haltung, um deren willen ich angefochten wurde, sich als die richtige, für Staat und Kirche heilsame erweisen wird.

Den ergangenen Schweigegeboten, die ich z. T. für einseitig halten mußte, habe ich mich unterworfen. Aber kann man es der kirchlichen Presse verdenken, wenn sie in diesen Zeiten, die neben dem zu begrüßenden Neuaufbruch auch manche geistige und geistliche Verwirrung brachten, wieder und wieder eine abwehrende Haltung einnahm, z. B., um nur diese Beispiele zu nennen,

wenn der Oberpräsident und Gauleiter Kube in der „Oderzeitung" vom 25. Februar 1934 schrieb, er habe erst neulich einen Pastor ins Konzentrationslager schicken müssen, weil dieser beanstandet habe, daß der Glaube aus dem Blut geboren sei, oder wenn derselbe bei einem Gebietstreffen der Kurmärkischen Hitlerjugend ein von Jesus Christus, dem Sohne Gottes, geltendes Bibelwort so mißbrauchte, daß er den Jungen zurief:

„Adolf Hitler, gestern, heute und in alle Ewigkeit!"?

5. Der Reichsstatthalter und Gauleiter Röver hat am 19. Juli 1936, zwei Tage, nachdem mir die Einstellung des gerichtlichen Verfahrens amtlich bekanntgegeben war, auf dem Kreisparteitag in Bentheim in größter Öffentlichkeit vor vielen Tausenden (auch meinen Gemeindegliedern und Konfirmanden) unter Nennung meines Namens mich als schlimmsten Hetzer und Lügner hingestellt, ohne Beweise für diese Behauptung zu bringen. Meine Landeskirchenleitung hat am 25. Juli 1936 den Herrn Reichsstatthalter und Gauleiter Röver gebeten, ihr das Material, auf das er seine Beschuldigungen stütze, zur Verfügung zu stellen, damit sie gegen mich vorgehen könne. Er hat keinerlei Material beigebracht, sondern lediglich auf die Akten der Geheimen Staatspolizei in Osnabrück verwiesen, über deren Beweiskräftigkeit ich mich oben unter 3. geäußert habe. Es wird sich dabei um den Fall des Redeverbots im Mai 1935 und den Fall des Verfahrens anläßlich der Reichstagswahl im Frühjahr 1936 handeln. Das Redeverbot ist von der Staatspolizei selbst sehr bald aufgehoben, das Gerichtsverfahren vom Staate völlig eingestellt worden.

Das Material, das der Herr Präsident der Reichspressekammer bei seinen Ermittlungen gegen mich erhalten hat, ist mir noch nicht bekannt. Ich kann infolgedessen noch nicht dazu Stellung nehmen. Ich will das nachholen, sobald ich weiß, worum es sich genauer handelt.

Obiges habe ich vorerst geschrieben, um einen gesetzten Termin nicht verstreichen zu lassen.

Middendorff

d) Der Präsident der Reichspressekammer

Berlin W 35, den 22. September 1936

Herrn Pastor Middendorff, Schüttorf in Hannover

Auf Ihre Rückfrage vom 16. 9. teile ich Ihnen mit, daß Sie in einem Schreiben an den Bürgermeister in Schüttorf Einspruch gegen die Art und Weise der Wahlpropaganda erhoben haben. Sie sagen darin, daß die Verkoppelung von Innen- und Außenpolitik Ihren Begriffen von Sauberkeit widersprechen würde. Darüber hinaus haben Sie Äußerungen über das Zustandekommen des Wahlresultates getan, die geeignet sind, eine erhebliche Unruhe in der Bevölkerung hervorzurufen.

Ich ersuche Sie nochmals um Ihre Stellungnahme bis zum 29. ds. Mts.

Im Auftrag:
Name

e) Pastor Middendorff
Schriftleiter des „Sonntagsblattes
für evangelisch-reformierte Gemeinden"

Schüttorf (Hannover), den 23. September 1936

An den Herrn Präsidenten der Reichspressekammer

Von meiner gestrigen Reise zurückgekehrt, erhalte ich heute vormittag Ihr Schreiben vom 22. September 1936.

Dieses ist durch mein ausführliches Schreiben vom 21. September 1936 mittelbar oder unmittelbar bereits teilweise beantwortet.

Zu Ihrem jetzigen Schreiben nehme ich noch in folgender Weise Stellung.

Es trifft auf keine Weise zu, daß ich Äußerungen über das Zustandekommen des Wahlresultates getan habe, die geeignet gewesen wären, eine erhebliche Beunruhigung der Bevölkerung hervorzurufen. Ich habe darüber weder mündlich noch schriftlich, weder in meinem Blatte noch in einer kirchlichen Versammlung noch sonstwie oder sonstwo öffentliche Äußerungen getan. Mein Schreiben (oder richtiger: meine Schreiben, nämlich vom 6. und 7. April), die sich mit dem Zustandekommen des Wahlergebnisses befaßten, habe ich lediglich an die zuständigen Stellen, den Bürgermeister und den Ortsgruppenleiter von Schüttorf, gerichtet mit der Bitte um Weiterleitung an die höheren Stellen.

Wenn diese Instanzen meine Schreiben der Öffentlichkeit bekanntgegeben haben sollten, so ist das ganz gewiß nicht meine Schuld. Die von mir in meinem Schreiben beklagten Tatsachen waren übrigens, als ich schrieb, schon weithin in Deutschland, ja in der ganzen Welt bekannt und hatten starke Erregung hervorgerufen. Wenn das Schreiben meiner Briefe eine politische Betätigung war, so bestand doch diese nur darin, daß ich bei einer erstwichtigen Angelegenheit, bei der ich mitbeteiligt, mitberechtigt, mitverantwortlich war, mich auf dem geordneten Instanzenwege beklagt habe über allerlei Vorkommnisse, die ich für unerhört gehalten habe und noch heute halte, und die das deutsche Ansehen und die deutsche Ehre in der Welt geschädigt, auch meine Ja-Stimme ihrer Kraft und ihres Wertes zum großen Teil beraubt haben; denn was nützt meine Stimme, wenn hernach die ganze Wahl nicht ernstgenommen wird!

Was ich über das Zustandekommen des Wahlergebnisses geschrieben habe, ist wahr! Kein Gericht, keine andere Stelle hat auch nur den Versuch gemacht, nachzuweisen, daß es nicht wahr sei. Ja, es ist noch mehr wahr, als das, was ich geschrieben habe. — Nachdem zuvor amtlich bekanntgegeben war, daß durch Anbringung eines Kreuzes in dem leeren Kreise des Stimmzettels mit Ja gestimmt würde, nachdem sogar — wenigstens stellenweise — in der Presse bekanntgemacht war, daß Stimmzettel ohne Kreuz ungültig seien, ist ganz kurz vor der Wahl eine geheime Anordnung an die Wahlvorsteher ergangen, daß abgegebene Blankostimmzettel als Ja-Stimmen zu gelten hätten. Diese Anordnung ist weithin erst nach Abschluß des Wahlakts vor Beginn des Auszählens den Beisitzern mitgeteilt worden. Sie hat viele deutsche Männer in schwere Gewissenskonflikte gebracht und treue Parteigenossen und SA-Männer aufs schmerzlichste erregt. Wohlweislich ist bei Feststellung des Wahlergebnisses im Unterschied von früheren Wahlen vielerorten die Öffentlichkeit ausgeschlossen worden, oder man hat die Wahlurnen aus den Wahllokalen sofort zum Rathaus geschafft. Nachträglich hat man die Zahl der als Ja-Stimmen gewerteten Blanko-Stimmzettel angegeben. Diese Feststellung begegnet bei mir keinem Vertrauen. Mir sind Fälle bekannt, daß Stimmzettel, auf denen alle Namen durchgestrichen waren, oder ein großes durchstreichendes Kreuz quer über den ganzen Zettel angebracht war, als Ja-Stimmen gezählt worden sind. Ich habe auch sichere Nachricht über einen Ort, wo nachträglich die Kreuze in die leeren Kreise eingezeichnet sind. Ich bin der Meinung, daß der, der solche Dinge mitmacht, nicht „zuverlässig“ ist, und daß der, der kräftig gegen sie protestiert, darum jedenfalls nicht unzuverlässig ist. Die ordentliche Justiz hat es nicht unternommen, wegen meines auf richtigem Instanzenwege geschehenen Einspruchs ein Verfahren gegen mich zu eröffnen.

Es ist richtig, daß ich in meinen Schreiben auch gegen die Art der Wahlpropaganda Einspruch erhoben habe. Wenn einmal die Reichsregierung dem deutschen Volke sagt: „Jetzt sollst du deine Meinung äußern, jetzt sollst du dich entscheiden!“, dann hat jeder ernste deutsche Staatsbürger in aller Ruhe und Gewissenhaftigkeit sich auf seine Entscheidung zu rüsten. Man darf ihm dann nicht im gleichen Atemzuge sagen: „Wenn du nicht mit Ja stimmst, bist du ein minderwertiger Mensch!“ Das Siegesfest sollte nicht vor, sondern nach der Wahl stattfinden. Ich wünsche es nicht wieder zu erleben, daß der Lehrer mir durch mein zu meinen Kindern seit drei Jahren angenommenes Pflegetöchterchen sagen läßt: „Ihr müßt alle ja sagen! Wer nicht ja sagt, ist ein Volksverräter!“ Ähnliches ist vielen gesagt worden. Vielen Deutschen, die Gott fürchten und für den Führer beten, ist auch die religiöse Verbrämung eines politischen Aktes, bei dem Unzählige, die von Gott und Gebet nichts wissen wollen, beteiligt sind, zuwider, zumal dann, wenn am Tage darauf Methoden angewandt werden, die vor Gott und Menschen nicht recht sind.

Auch das trifft zu, daß ich in meinem Schreiben an Bürgermeister und Ortsgruppenleiter (nur an sie) mich geäußert habe: „Die Verkoppelung von Innenpolitik und Außenpolitik bei dieser Wahl widerspricht meinen Begriffen von Sauberkeit“, d. h.: Beides hätte hier sauber auseinander gehalten werden müssen, dann wäre vielen Deutschen eine freudige Wahl leicht gewesen, denen sie jetzt Schmerzen bereitete.

Als am 12. November 1933 das deutsche Volk in einer außenpolitischen Frage seine Stimme abzugeben aufgefordert war, schrieb ich an der Spitze der betreffenden Nummer des von mir herausgegebenen Sonntagsblattes:

„Zum Luthertage und zum Wahltage heute nur ein kurzes Wort! Am Ende seiner gewaltigen Rede auf dem Reichstag zu Worms hat Luther vor Kaiser und Reich bezeugt: solches sage ich nicht, als ob so hohe Häupter meiner Lehre und Mahnung bedürften, sondern weil ich dem Dienste, den ich meinem Deutschland schuldig bin, mich nicht entziehen darf.

Auch wir sind dem Lande, das unser Deutschland ist, unseren Dienst schuldig.

Wir schulden als Christen unserem Volk das Evangelium, daß wir es wie Luther ihm so nahe bringen wie nur möglich und uns zu der lauteren Wahrheit des göttlichen Worts mit Herz und Mund, mit Wort und Tat mutig und treu bekennen.

Wir schulden als Deutsche unserem Volke, daß wir dem Rufe des Führers folgen und für unseres Volkes Ehre und Freiheit, für Gerechtigkeit und wahren Frieden eintreten.

Möge keiner von uns seine Schuldigkeit versäumen! Möge niemand sich dem Dienste entziehen, den er seinem Deutschland schuldig ist!"

Als nach Hinscheiden des Reichspräsidenten von Hindenburg im August 1934 das deutsche Volk vor eine doppelte Wahl gestellt wurde, habe ich den Reichstag nicht gewählt, dem Führer aber meine Stimme gegeben[41].

Am 29. März 1936 war das, was im Jahre 1934 getrennt war, zu einem einzigen Wahlakt vereinigt: Wenn man zum Führer und seiner Außenpolitik (Wehrhaftmachung Deutschlands, völlige Souveränität über das Rheinland) ja sagen wollte, mußte man zugleich den Reichstag neu wählen und, wie einem in der Presse gesagt wurde, die Innenpolitik der letzten Jahre bejahen.

Es ist mir bis heute nicht klar geworden, weshalb bei dieser Gelegenheit der Reichstag neu gewählt werden mußte. Das mochte mich auch nichts angehen. Jedenfalls entsprach es aber nicht meinem Sinn und Willen, den Reichstag neu zu wählen.

Nach Artikel 24 des Parteiprogramms steht die Partei auf dem Boden des „positiven Christentums". Der mit der Überwachung der weltanschaulichen Schulung der NSDAP und ihrer Gliederungen beauftragte Reichsleiter Alfred Rosenberg erklärte (Mythus 215) die zentralen Höchstwerte der protestantischen wie der katholischen Kirche als negatives Christentum, um die Religion des nordischen Blutes und der germanischen Charakterwerte als das positive Christentum auszugeben. Er wirft (243) den Kirchen vor, daß sie sich mit lahmen Lügen über die Entdeckung des Kopernikus hinwegtäuschen, nennt ihre Missionare (575, 653) in einem Atemzuge mit Opiumhändlern, Diamantenschiebern und dunklen Abenteurern, behauptet (398), daß die Kirchen deshalb so viel von Sünde und Gnade reden, weil sie, um herrschen zu können, zerspaltene und verzweifelnde Menschen brauchen, redet (250) von zauberisch-magischer Verknüpfung von „Schöpfer und Geschöpf" als „Gott und ehrloser Kreatur". Der Mann, der die Ehre als Höchstwert verkündet, wird wissen, was derlei Äußerungen für Christen bedeuten, die unter dem Gebot stehen, jedermann seine Ehre zu geben. Den Gott des Alten Testaments, den Vater unseres Herrn Jesu Christi, bezeichnet er (247, 294) als Gottes-Tyrannen und Wüstendämon usw. usw. Sein Buch soll eine Privatarbeit sein; das hindert aber nicht, daß nachweislich die Gedankenwelt dieses Buches in zahlreichen Schulungen den Teilnehmern eingehämmert wird und daß von dem Reichsjugendführer Baldur von Schirach der Weg Rosenbergs der Weg der deutschen Jugend genannt wird. Selbstverständlich haben diese Männer das gute Recht, ihres Glaubens zu leben.

41 Versehen; die Doppelwahl war früher: am 12. November 1933. Verf.

Nie und nimmer aber kann ich mich damit einverstanden erklären, daß ihre Gedankenwelt, bei der Religionsauffassung und Weltanschauung schlechterdings nicht voneinander geschieden werden können, für die Schulung der deutschen Jugend maßgebend sei; unmöglich kann ich ihnen mein Vertrauen dadurch bekunden, daß ich sie in den deutschen Reichstag wähle.

Der Reichsorganisationsleiter Dr. Robert Ley erklärt öffentlich: „Wenn ich Buße tue, bin ich ein Knecht und minderwertig." „Bußetun ist die Lehre für die Schwachen und Erbärmlichen", „alle, die in der Buße, dem Klassenhaß und dem Dünkel (zu beachten die Zusammenstellung!!) den höchsten Ausdruck des Lebens suchen, sind Marxisten", „ihr predigt dauernd Buße, damit ihr euer Dasein begründen könnt" usw. usw. Herr Dr. Robert Ley hat selbst zu verantworten, was er sagt. Aber niemand soll mir zumuten, daß ich ihm mein Vertrauen bekunde und ihn in den Reichstag wähle.

Gauleiter Staatsrat Weinrich nennt am 18. Mai 1935 die Männer, die vorne im Kirchenkampf stehen, Medizinmänner, denen es ganz gleich sei, ob das Volk und die Religion zugrundegehen, denen die Hauptsache sei, daß nur sie selbst bestehen; es gehe ihnen nur um Einfluß und Macht; und wenn ein jeder von den Hauptschreiern Bischof würde, so würden sie sich zu guter Letzt noch um den Reichsbischof schlagen usw. usw. Herr Weinrich muß wissen, was er sagt und was dann durch die Presse geht. Aber wer will mir zumuten, daß ich ihn in den Reichstag wähle!

(Auch andere haben in breitester Öffentlichkeit mit dem Blick auf den Kirchenkampf, dessen Wesen sie offenbar nicht verstanden, von Geschwätz zänkischer Pfaffen geredet. Soll ich sie wählen müssen?)

Ich darf auch denen mein Vertrauen nicht bekunden, die ein heute aller Welt als ungeistlich und rechtsbeugend offenbar gewordenes Kirchenregiment mit den Mitteln der Geheimen Staatspolizei, der Presse, und der Zensur befördert und dadurch in weiten Kreisen des deutschen Volkes schwere Beunruhigung hervorgerufen, auch durch die Anwendung falscher Einigungsmethoden die Volksgemeinschaft aufs ernsteste gefährdet haben.

Der Oberpräsident und Gauleiter Kube hat die Bekenntnisfront Helfershelfer der Juden im Kampf gegen den nationalsozialistischen Staat genannt. Er hat ferner das Ungeheuerliche gesagt und geschrieben, was ich in meinem Schreiben vom 21. September angeführt habe. Ihn mußte ich in den Reichstag wählen, wenn ich zum Führer und seiner Außenpolitik ja sagen wollte.

Es fehlt mir Zeit, Lust und Kraft, um von dem STÜRMER des Gauleiters Julius Streicher ausführlicher zu reden, der die evangelischen Pastoren, die mit der Bibel von den Juden als dem auserwählten Volk sprechen, (was die Bibel mit „auserwählt" meint, versteht er offenbar nicht) oder einen Juden taufen oder auch nur die Taufe eines Juden gutheißen, als Verräter an Christus und am deutschen Volk, als Teufelsdiener, als solche, die vor dem Geldsack des Juden auf den Knieen liegen — durch keine Zensur gehindert — in Wort und Bild hinstellte, aber auch sonst Verdrehungen, Verallgemeinerungen, Verleumdungen in immer neuer Auflage brachte. Einen Adolf Stoecker würde ich auch heute mit Freuden in den Reichstag wählen, wiewohl auch er wahrlich gegen die Juden gekämpft hat; einen Streicher könnte ich nicht in den Reichstag wählen. Und doch habe ich es getan, mußte es tun. All die vorher Genannten und viele Nichtgenannte, die ich nicht wählen wollte, habe ich in den Reichstag gewählt. Ich mußte es tun, wenn ich zum Führer und seiner Außenpolitik ja sagen wollte. Nur mit zerspaltenem Herzen habe ich wählen können. Ich hätte mir eine doppelte Wahl wie im Jahre 1934[42], ich hätte mir eine saubere Trennung von Reichstagswahl und Zustimmung zum Führer und seiner Außenpolitik gewünscht. Ich bezeuge, daß ich durch die Verkoppelung dieser beiden Dinge in Gewissensnot geraten bin und daß ich mir selber bei dieser Wahl nicht klar und wahr, nicht aufrichtig und sauber vorkommen konnte. Wie mir aber, so ist es vielen ergangen.

Ich erwarte Verständnis für diesen inneren Konflikt. Ich erwarte auch, daß man aus ihm nicht den Vorwurf herleitet, ich sei nicht zuverlässig und nicht geeignet, in einem biblisch-kirchlichen Blatt, das ich 17½ Jahre lang geleitet habe, auch weiterhin zu den Gemeinden zu reden. Was ich am 6. und 7. April an Bürgermeister und Ortsgruppenleiter geschrieben habe, das habe ich unter Ausschluß der Öffentlichkeit geschrieben, erst recht ist es nicht in meinen Predigten oder in dem von mir geleiteten Blatte irgendwie zum Ausdruck gekommen.

Leicht könnte ich nachweisen, wie ich zu Anfang meiner Schriftleitertätigkeit gleich nach dem Kriege nicht nur in meinem Blatte, sondern auch in der Tagespresse Ostfrieslands, wo ich damals wohnte, sowie in öffentlichen Versammlungen den Beschimpfungen des deutschen Volkes und des deutschen Heeres durch die damaligen Machthaber entgegengetreten bin. Es würde mich schmerzen, wenn man mir jetzt meinen Schriftleiterposten nähme mit der Begründung, daß es mir an der rechten Liebe zu Volk und Vaterland fehle.

Fr. Middendorff

---

42 S. vorige Anmerkung.

f) Pastor Middendorff,
Schriftleiter des „Sonntagsblattes
für evangelisch-reformierte Gemeinden“

Schüttorf (Hann.), 26. September 1936

An den Herrn Präsidenten der Reichspressekammer

Unter Bezugnahme auf meine Eingaben vom 21. und 23. September 1936 trage ich folgendes nach:

Wie bereits mehrfach erwähnt, habe ich die Briefe vom 6. und 7. April betr. „Reichstagswahl“ ausdrücklich nur an die zuständigen Stellen (Ortsgruppenleiter und Polizei) gerichtet.

Daß dies der richtige und von der Reichsregierung selbst gewünschte Weg war, geht klar und deutlich aus der Rede des Herrn Stellvertreters des Führers, Reichsministers Heß, hervor, der gelegentlich der Vereidigung der politischen Führer drei Wochen später — am 20. April 1936 — folgendes wörtlich ausführte:

> „Ihr sollt Diener sein dieses Volkes, so wie der Führer sich als erster Diener dieses Volkes fühlt, so wie der große König einst nichts anderes als erster Diener seines Volkes sein wollte. — Bei euch soll jeder Volksgenosse seine Sorgen ablegen können, bei euch soll jeder Volksgenosse sich Rat suchen können. — In diesem Vertrauensverhältnis zwischen Volk und Partei, zwischen Volk und Führung festigt sich die Geschlossenheit des Ganzen für alle Zeiten und allen Stürmen zum Trotz.“

Es steht damit fest, daß ich den von der Reichsregierung gewünschten Weg gewählt habe. —

Fr. Middendorff

g) Der Präsident der Reichspressekammer

Berlin W 35, den 8. Oktober 1936

Herrn Pastor Middendorff,
Schüttorf i. Hann.

Nach § 10 der ersten Verordnung zur Durchführung des Reichskulturkammergesetzes vom 1. 11. 1933 — RGBl. I/33 S. 797 ff — kann ein Mitglied aus einer Einzelkammer der Reichskulturkammer ausgeschlossen werden, wenn Tatsachen vorliegen, aus denen sich ergibt, daß die in Frage kommende Person die für die Ausübung ihrer Tätigkeit erforderliche Zuverlässigkeit und Eignung nicht besitzt. Von diesem mir zustehenden Recht mache ich Ihnen gegenüber Gebrauch, indem ich Sie mit sofortiger Wirkung aus meiner Kammer ausschließe.

Als Begründung für diese Entscheidung dient mir der Bericht des Geheimen Staatspolizeiamtes über Sie und vor allem Ihre eigenen Eingaben an mich. Ich muß von jeder im Bereich der deutschen Presse tätigen Person erwarten, daß sie sich jederzeit rückhaltlos für den nationalsozialistischen Staat einzusetzen bereit ist. Ihre Schreiben mit Ihrer Kritik an politischen Maßnahmen beweisen mir jedoch, daß Sie zu diesem rückhaltlosen Einsatz nicht bereit sind.

Aus diesem Grunde sehe ich mich veranlaßt, Ihnen die erforderliche Zuverlässigkeit abzusprechen und Sie aus meiner Kammer auszuschließen. Sie verlieren durch diese Entscheidung das Recht zu jeder weiteren pressemäßigen Betätigung.

Im Auftrag:
Dr. Richter

h) Pastor Middendorff aus Schüttorf

z. Zt. Godesberg a. Rh., 12. Oktober 1936

An den Herrn Präsidenten der Reichspressekammer

Ihr Schreiben vom 8. Oktober wurde mir hierher nachgeschickt. Ich empfing es heute. Ich kann nicht mehr bewirken, daß die zum Sonntag, dem 18. Oktober erscheinende Nummer des Sonntagsblattes, die schon heute und morgen gedruckt wird, unter einem anderen Namen als dem meinen herauskommt.

Im übrigen erkläre ich folgendes:

Sie stützen sich bei Ihrer Entscheidung auf einen Bericht des Geheimen Staatspolizeiamtes über mich, der mir nicht bekanntgegeben ist und zu dem ich Stellung nicht habe nehmen können. Sie stützen sich zweitens auf meine eigenen Angaben an Sie, die zu widerlegen und für unrichtig zu erklären Sie in keinem Punkte auch nur versucht haben.

Es ist richtig, daß ich in meinem Schreiben an politischen Maßnahmen Kritik geäußert habe. Ich habe dies aber nur getan in Eingaben an die zuständigen Instanzen. Ich darf annehmen, daß Sie eine Kritik auf solchem Wege nicht für unzulässig erklären wollen.

Ich gebe Ihnen darin recht, daß ich zu einem rückhaltlosen Einsatz für den nationalsozialistischen Staat nicht in dem Sinne bereit bin, daß ich zu Dingen schweigen könnte, die am 29. März 1936 oder um diesen Tag herum unter Duldung oder auf Veranlassung des Staates in Deutschland geschehen sind. Ich bestreite aber, daß ich deswegen unzuverlässig bin. Ich werde nach wie vor kräftig gegen alles wirken, was den deutschen Staat verunehrt und das deutsche Volk verdirbt.

Ich werde das gesamte Material den reformierten Predigern Ostfrieslands, in deren Auftrag ich das Sonntagsblatt 17½ Jahre herausgegeben habe, vorlegen.

Ich würde es auch für nützlich halten, wenn das Material genau und vollständig von der Reichspressekammer möglichst weit bekanntgegeben und vor allem auch dem Herrn Präsidenten der Reichskulturkammer, Reichsminister Dr. Goebbels, vorgelegt würde.

Fr. Middendorff

22. Stellungnahme des Arbeitsausschusses der Bekenntnisgemeinschaft innerhalb der Evangelisch-reformierten Landeskirche der Provinz Hannover zur Tagung des Landeskirchentages. 18. Januar 1937.

Original.

Vom 24. bis 27. November 1936 tagte in Aurich der von uns schon lange geforderte Landeskirchentag der ev.-ref. Landeskirche der Provinz Hannover. Nachdem die Berichterstattung in der kirchlichen Presse erfolgt ist, teilt der Arbeitsausschuß seinerseits den Mitgliedern der Bekenntnisgemeinschaft mit, wie er das Ergebnis des Landeskirchentages beurteilen muß.

Aus Sorge um unsere Landeskirche ist vor zwei Jahren die Bekenntnisgemeinschaft entstanden. Das Ziel unserer Bemühungen war, daß im Kirchenkampf unsere Landeskirche in Verantwortung ihres von den Vätern überkommenen Erbes nicht ihr Dasein sichere, als könnte die Gesamtentwicklung in der Deutschen Evangelischen Kirche (DEK) uns unbeteiligt lassen, sondern innerhalb der DEK ihren Platz an der Seite der Bekennenden Kirche einnehme. Es geht der Bekenntnisgemeinschaft nicht um die Wiederherstellung der alten Zustände. Es geht ihr auch nicht allein um die Abwehr der Irrlehre und Verfälschung des Evangeliums, so wichtig diese auch ist. Ziel ihres Dienens und Betens ist vielmehr die Erneuerung der Kirche, die allein aus Gottes Wort durch den heiligen Geist geschehen kann. Wir sind überzeugt, daß unsere reformierten Gemeinden neu gesegnet werden und nur dann am rechten Platz stehen, wenn sie in praktischer Gemeinschaft und kämpfender Bereitschaft mit der gesamten Bekennenden Kirche zusammenstehen[43].

So hieß es damals im Aufruf an unsere Gemeinden. Die Arbeit der Bekenntnisgemeinschaft war mit darin begründet, daß die Synoden, bei denen die Leitung der Kirche liegt, ihre Verantwortung nicht wahrnahmen und sich ausschalten ließen. Nachdem im

[43] S. Dokument 6, S. 68 f.

letzten Herbst mehrere Bezirkskirchentage endlich wieder zusammentraten, zeigte sich, daß der Dienst der Bekenntnisgemeinschaft nicht umsonst gewesen war. Mehrere Bezirkssynoden nahmen das Anliegen der Bekenntnisgemeinschaft auf und richteten in diesem Sinne eine Reihe von Anträgen an den Landeskirchentag, in denen es vor allem um den rechten Weg unserer Landeskirche im heutigen Kirchenkampf im obigen Sinne ging.

Und nun zu den Beschlüssen des Landeskirchentags selber: Wir begrüßen den Beschluß, der die Wiederanknüpfung der abgerissenen Beziehungen zur Theologischen Schule und zum Predigerseminar in Elberfeld fordert. Er ist um so wichtiger, als inzwischen die Theologische Schule polizeilich geschlossen worden ist. Angesichts der Tatsache, daß es an den staatlichen Universitäten nur noch ganz wenige theologische Fakultäten gibt, gegen die keine schweren Bedenken zu erheben sind, und kaum eine einzige, die eine bekenntnisgebundene Kirchenleitung geradezu empfehlen kann, ist die Kirche vor die unausweichliche Notwendigkeit gestellt, sich selber Stätten der Ausbildung für ihren Predigernachwuchs zu schaffen und die bereits bestehenden in jeder Weise zu fördern. Wir Reformierten sind naturgemäß besonders an die Theologische Schule in Elberfeld mit ihren zahlreichen reformierten Dozenten gewiesen. So versprechen wir uns von der Durchführung des Beschlusses eine wesentliche Stütze und Förderung der Arbeit, die in Elberfeld seit langem mit großem Ernst und wahrnehmbarem Erfolge betrieben worden ist.

Die Gemeinden aber können an der Durchführung dieses Beschlusses sehr entscheidend dadurch mitwirken, daß sie noch viel ernster als bisher die innere und äußere Verantwortung für diese theologischen Ausbildungsstätten der reformierten Kirche tragen, insbesondere durch Bereitstellung der so notwendigen finanziellen Mittel.

Wir begrüßen ferner die Annahme des Uelsener Protokolls, in dem es heißt, daß unsere Kirche verpflichtet sei, „mit den anderen bekenntnisbestimmten und bekennenden evangelischen Kirchen gemeinsam zu glauben, zu lieben und zu hoffen", und „daß sich der wirkliche Bekenntnisstand unserer reformierten Kirche nach Lehre und Ordnung in einer dem Bekenntnis der Väter entsprechenden praktischen, insbesondere kirchenpolitischen bekennenden Haltung beweisen und bewähren muß"[44]. Freilich müssen wir uns nun darüber klar sein, was die Annahme dieses Uelsener Protokolls, wenn sie nicht eine leere Geste bleiben soll, unbedingt im Gefolge haben muß (wie es in einzelnen Anträgen der Bezirkskirchentage deutlich genug umrissen war):

---

[44] s. S. 16 f.

a) Annahme der 1. Barmer Erklärung (von der 1. freien reformierten Synode vom 4. Januar 1934), die Ausgangspunkt und Grundlage der 2. Barmer Erklärung vom Mai 1934 und somit der Bekennenden Kirche bildet;

b) Anschluß an die Bekenntnissynode als die rechtmäßige Leitung der DEK;

c) Feststellung, daß die staatlichen Kirchenausschüsse nicht die Leitung der DEK darstellen können, und dementsprechend

d) die Erklärung, daß Deutsche Christen (DC) innerhalb unserer Landeskirche kein Amt bekleiden können. So müssen nach außen und innen die Folgerungen aus dem Uelsener Protokoll gezogen werden.

Diese Folgerungen hat der Landeskirchentag nur im letzten Punkt gezogen und damit den vierten Schritt getan, während er die unbedingt notwendigen drei ersten Schritte unterlassen hat.

a) Er hat die Annahme der Barmer Erklärung für überflüssig erklärt und die Abgrenzung gegen die Irrlehre der DC vollzogen auf Grund des als Bekenntnis unserer Landeskirche festgestellten Heidelberger Katechismus. Wir sind der Überzeugung, daß man durch diesen Beschluß dem Sinn gerade eines reformierten Bekenntnisses nicht gerecht wird, und zwar aus folgendem Grunde: Ein Bekenntnis im Sinne der reformierten Kirche ist das von der Heiligen Schrift geforderte Wort der Kirche in der Stunde der Anfechtung. Diese Anfechtung wird hervorgerufen durch die jeweils die Kirche bedrohenden Irrtümer. Diese Irrtümer sind, wie in der Reformationszeit von der römischen Kirche, so heute von seiten des Mythus in und auf die Kirche eingedrungen und haben damit ihr Bekenntniswort ohne ihr Zutun gefordert; denn in den kirchlichen Wirren dieser Jahre ist ein die „Kirche seit Jahrhunderten verwüstender Irrtum reif und sichtbar geworden“ (Barmer Erklärung)[45]. In solche Lage bedeutet ein bloßes Zurückgreifen auf die alten Bekenntnisse für die nach Gottes Wort reformierte Kirche nur ein scheinbares Bekennen, in Wirklichkeit ist es ein Verkennen der gegenwärtigen Anfechtung und damit praktisch eine Scheidung von der Kirche, die in Barmen auf Grund der alten Bekenntnisse tatsächlich bekannt hat. Wie notwendig eine bindende Erklärung über das rechte Verständnis der alten Bekenntnisse ist, beweist überdies die Tatsache, daß alle kirchenzerstörenden Angriffe bis hin zu den radikalsten bisher erfolgt sind unter Berufung auf die alten Bekenntnisse und daß trotz praktischer Gültigkeit des Heidelberger Katechismus bis zum letzten Landeskir-

---

[45] s. S. 10, Anm. 2.

chentag (drei Jahre lang!) offenbar keine bekenntnismäßige Dringlichkeit bestanden hat, gegen die DC eine Maßnahme der Kirchenzucht auszuüben.

b) Ebenso ist der Anschluß an die Bekenntnissynode abgelehnt worden, das heißt also deren Anspruch, die rechtmäßige Kirchenleitung zu sein. Damit ist aufs neue zum Ausdruck gebracht, daß der Landeskirchentag eindeutig nicht gewillt ist, zusammen mit der Bekennenden Kirche zu glauben, zu lieben und zu hoffen.

c) Über das Verhältnis zum Reichskirchenausschuß (RKA) ist kein Beschluß gefaßt worden. Der Antrag wurde vertagt bis zur nächsten Synode. Obwohl die Anträge eine Lösung vom RKA vorsahen, in dem einzelne besonders verantwortliche Mitglieder unserer Kirchenleitung mitarbeiten, ist Herr Präsident Koopmann unmitelbar vor der Synode wie unmittelbar nach ihr, ohne sie davon in Kenntnis zu setzen, noch viel stärkere Bindungen zum RKA eingegangen, als sie bisher bestanden. Präsident Koopmann hat die Erklärung „Zur kirchlichen Lage" vom 20. November 1936 unterzeichnet, die beginnt: „Die unterzeichneten im leitenden Amt stehenden Landeskirchenführer ..."[46]. Damit stellt er sich als Landeskirchenführer hin, wiewohl es ihm bewußt sein mußte, daß es in unserer reformierten Kirche keinen Landeskirchenführer gibt und daß er selbst lediglich der rechtsberatende Verwaltungsbeamte unserer Landeskirche ist. Er hat ferner diese Erklärung unterzeichnet mit der Hinzufügung „für die evangelisch-reformierte Landeskirche Hannovers", wozu er nicht befugt war, wenn er vom Landeskirchentag oder zum mindesten vom Landeskirchenvorstand nicht dazu ermächtigt war. Er hat drittens diese Erklärung gemeinsam mit zahlreichen Vorsitzenden staatlicher Kirchenausschüsse als „im leitenden Amt stehenden Kirchenführern" abgegeben, auch Landeskirchen, in denen die staatlichen Kirchenausschüsse unter Widerspruch der Bruderräte die Leitung der Kirche an sich gerissen haben, als „geordnete Landeskirchen" bezeichnet und durch beides die staatlichen Kirchenausschüsse als rechtmäßige Leitung der betreffenden Landeskirchen anerkannt. Damit hat er von sich aus, aber mit dem Anspruch, für die evangelisch-reformierte Landeskirche Hannovers zu reden, eine Entscheidung vorweggenommen, die von dem gerade zusammentretenden Landeskirchentag hätte getroffen werden sollen. Auch hat er von diesem Tun dem Landeskirchentag keine Mitteilung gemacht. Der Landeskirchentag hat sich damit in der wichtigen Frage des RKA ausschalten lassen und ist somit verantwortlich für die praktisch positive Stellung unserer Landeskirche zum RKA. — Präsident Koopmann hat zudem mit den anderen „Kirchenführern"

---

46 s. S. 36, Anm. 14.

dem RKA in dem Augenblick Unterstützung zugesagt, da der Staat sich merklich von ihm absetzte, tatsächlich also in dem Augenblick, wo der RKA, der ein rein staatliches Organ ist, seine Daseinsberechtigung verliert.

Wir können darum nur feststellen, daß der Landeskirchentag einen wesentlichen Fortschritt im Sinne des Anliegens des Uelsener Protokolls trotz der Ablehnung der DC nicht erbracht hat. Die Haltung unserer Landeskirche ist nach wie vor dem letzten Landeskirchentag unklar und widerspruchsvoll: Die Nichtannahme der Barmer Erklärung und des Anschlusses an die Bekenntnissynode haben die Annahme des Uelsener Protokolls nicht nur praktisch unwirksam gemacht, sie lassen sich mit ihm gar nicht vereinbaren. Noch deutlicher wird aber die Unklarheit und der innere Widerspruch in der Lage unserer Landeskirche dadurch, daß der Landeskirchentag die Lehre der DC aller Schattierungen als unvereinbar mit dem Bekenntnis der reformierten Kirche erklärt hat, während unsere Landeskirche im staatlichen RKA mitarbeitet, der den DC Heimatrecht in der Kirche geben will und dessen Vorsitzender noch am 30. Dezember 1936 in Dortmund erklärt hat, er wolle die Kirche mit den DC (ohne die Thüringer) bauen. Man kann nicht die DC in einem Teil der Kirche als Irrlehrer bekämpfen und in einem andern Teil der Kirche sie dulden oder gar anerkennen.

Zusammenfassend ist zu sagen: Durch den Beschluß betreffend die DC ist dem RKA und seiner Arbeit das Urteil gesprochen. Hat der Landeskirchentag den Beschluß ernst gemeint, so muß es von hier aus notwendig zu einer Ablehnung des RKA als Kirchenleitung kommen und, da wir als Glied der DEK nur entweder den Ausschuß oder die Bekenntnissynode als Leitung der DEK haben können, der letzteren als der rechtmäßigen Kirchenleitung sich anschließen. Die Klärung dieses Widerspruchs im letzteren Sinne muß vom nächsten Landeskirchentag erwartet werden, der ja, wie versprochen, binnen kurzem wieder zusammentreten wird. Er wird einer Entscheidung nicht mehr ausweichen können.

Mit dieser Entscheidung wird aber auch darüber die Entscheidung fallen, wieweit der Landeskirchentag imstande und gewillt ist, die Leitung unserer nach Gottes Wort reformierten Kirche in der alleinigen Bindung an den Herrn der Kirche auszuüben.

23. Verfügung des Landeskirchenrates der Evangelisch-reformierten Landeskirche der Provinz Hannover bezüglich des Kollektenwesens. 16. September 1937.

Abschrift.

Die neuerdings auf dem Gebiete des Kollektenwesens in den Gemeinden entstandene Verlegenheit veranlaßt uns, folgende Regelung zu treffen.

1. Das in einer ganzen Reihe von Gemeinden widerrechtlich abgeschaffte Armenopfer ist sofort wieder allerorts in jedem ordentlichen Gemeindegottesdienst einzusammeln. Nachdem unsere jahrelangen Bemühungen (sie erstrecken sich z. T. über 20 Jahre), das Armenopfer auf gütlichem Wege wieder einzuführen, an dem Widerstand mancher Kirchenräte gescheitert sind, treffen wir hiermit die Anordnung seiner Wiedereinführung. Das Armenopfer ist jedoch nicht etwa durch Anbringen einer Opferbüchse an der Kirchtür einzusammeln (eine Einrichtung, die erfahrungsgemäß meist mehr oder weniger fruchtlos ist), sondern durch Einsammlung mittels des Klingelbeutels oder besonderer Opferteller. Nach Möglichkeit ist dafür Sorge zu tragen, daß das christliche Almosen durch die Ältesten oder Diakonen der Gemeinde und nicht durch den Küster oder einen sonstigen Beauftragten eingesammelt wird.

2. Was die nicht regelmäßigen Kollekten betrifft, so ist nach dem Recht der Landeskirche zur Ausschreibung berechtigt

a) für den Gesamtbereich der Landeskirche der Landeskirchentag oder, falls derselbe nicht versammelt ist, der Landeskirchenvorstand (vgl. §§ 87, 7 und 93 der Kirchenverfassung),

b) für den Bereich der Bezirkskirchenverbände der Bezirkskirchentag oder, falls derselbe nicht versammelt ist, der Bezirkskirchenrat (vgl. §§ 73, 11 und 76, 5 des Kirchenverfassungsgesetzes).

Ein Recht der Ortskirchenräte zur Ausschreibung örtlicher Kollekten ist nirgendwo im Recht unserer Landeskirche vorgesehen.

3. Die von der Landeskirche vorgeschriebenen Kollekten sind vor anderen Kollekten an den amtlich bekanntgegebenen Sonntagen einzusammeln. Für die Bezirke beschlossene Kollekten sind zur Aufnahme in den offiziellen Landeskirchlichen Kollektenplan jährlich bis zum 1. März für das kommende Geschäftsjahr (1. April—31. März des folgenden Jahres) mitzuteilen. Sollten darüber hinaus noch Wünsche zur Einsammlung lokaler Kollekten in Einzelgemeinden bestehen, so ist ihre Aufnahme in den landeskirchlichen Kollektenplan und damit

ihre Genehmigung erstmalig s o f o r t, für später zum 1. März, bzw. 1. September für das mit 1. April und 1. Oktober jedesmal beginnende neue Halbjahr zu beantragen.

Diese Neuordnung ist in Zukunft von allen Gemeinden genauestens zu beachten und tritt mit sofortiger Wirkung in Kraft.

D. Dr. Hollweg

24. Wort des Arbeitsausschusses der Bekenntnisgemeinschaft innerhalb der Evangelisch-reformierten Landeskirche der Provinz Hannover zur Neuregelung des Kollektenwesens. September 1937.

Original.

Durch eine Verordnung des Ministeriums des Inneren und des Ministeriums für die kirchlichen Angelegenheiten vom 9. Juni 1937[47] wird die Aufstellung von Kollektenplänen durch einzelne kirchliche Gruppen und die Durchführung anderer als die in den amtlichen Kollektenplänen vorgesehenen Kirchenkollekten mit Strafverfolgung bedroht.

Diese Verordnung richtet sich offenbar gegen die Bekennende Kirche, die von ihr ausgeschriebenen und für ihre Arbeit gesammelten Kollekten. Grundsätzlich enthält sie den Anspruch des Staates, heute darüber zu entscheiden, wo die wahre und wo die falsche Kirche in Deutschland sei. Sie bedeutet nichts anderes als einen Eingriff in die Ordnung und damit auch die Lehre der Kirche.

Dazu ist zu sagen: Die Kirchenkollekte ist lediglich Sache der Gemeinde und der von ihr bestellten Kirchenleitung (vgl. 2. Kor. 8, 1). Wir machen uns die Erklärung der Preußensynode von Lippstadt zu eigen, die sagt: „Die Gemeinde, die des Herrn Eigentum ist und ihm allein dient, gibt ihre Kollekte nicht nach der Weise einer weltlichen Sammlung, sondern als ein gottesdienstliches Dankopfer ihrer Liebe, durch das sie die Gnade Gottes preist und die Not der Brüder auf sich nimmt. Über ihre Opfergaben bestimmt nur die an Gottes Wort gebundene Gemeinde und ihre rechtmäßige Leitung“[48].

Die genannte Ministerialverordnung ist nun der Anlaß gewesen zu einer Neuregelung des kirchlichen Kollektenwesens in unserer Landeskirche durch den Landeskirchenrat. Unter dem 16. September dieses Jahres ist den Gemeinden eine Verfügung des Landeskirchenrats zu-

---

[47] s. S. 39, Anm. 18.
[48] J. Beckmann, a. a. O., S. 203.

gegangen, die besagt, daß nach dem Recht der Landeskirche zur Ausschreibung von Kollekten berechtigt sind für den Gesamtbereich der Landeskirche der Landeskirchentag bzw. der Landeskirchenvorstand, für den Bezirk der Bezirkskirchentag bzw. Bezirkskirchenrat. Es heißt dann: „Ein Recht der Ortskirchenräte zur Ausschreibung örtlicher Kollekten ist nirgendwo im Recht unserer Landeskirche vorgesehen.“

Es wäre zu fragen, ob der Landeskirchenrat in Aurich einen Anlaß gehabt hätte, auf jene Ministerialverordnung einzugehen, statt ihr gegenüber lediglich zu bezeugen, daß nur der Gemeinde und ihren synodalen Organen auf Grund von Schrift, Bekenntnis und Verfassung das Recht zusteht, Kollekten auszuschreiben und durchzuführen.

Die Verfügung des Landeskirchenrats sucht aber der Verfügung gerecht zu werden durch die erwähnte Regelung.

Diese Regelung bringt darin eine Neuordnung, daß sie den Kirchenräten ein Recht zur Ausschreibung örtlicher Kollekten abspricht, sofern die Kirchenräte gewiesen werden, bei Wünschen zur Einsammlung lokaler Kollekten die Genehmigung des Landeskirchenrats zu beantragen.

Auch hier wäre zu fragen, ob die Ministerialverordnung gerade diese Regelung nötig machte, ob sie das Recht der Einzelgemeinde bestreiten wollte und ob nicht, da nach reformierter Lehre die Leitung der Kirche bei den Presbyterien und Synoden liegt, unter den „ordentlich vorgeordneten Kirchenbehörden“ auch die Ortskirchenräte hätten verstanden werden können (vgl. die Verordnung des lutherischen Landeskirchenamts in Hannover vom 11. Mai dieses Jahres: „Pfarramt und Kirchenvorstand können durch übereinstimmenden Beschluß örtliche Kollekten für kirchliche Zwecke einmal oder für längere Dauer beschließen“). Selbst der Rheinische Provinzial-Kirchenausschuß hat den Grundsatz der presbyterianisch-synodalen Ordnung der Kollekten gegenüber der Ministerialverordnung zum Ausdruck gebracht.

Wenn die Verfassung unserer Landeskirche, auf die der Landeskirchenrat sich beruft, das Recht zur Ausschreibung von Kollekten für den Gesamtbereich der Landeskirche dem Landeskirchentag, für den Bezirk dem Bezirkskirchentag zugesteht, so entspricht dieser synodalen Regelung, daß für den Bereich der Ortsgemeinde der Ortskirchenrat zuständig ist zur Ausschreibung von Kollekten. Unmöglich kann ihr dies Recht bestritten werden, weil das Recht der Einzelgemeinde in einem Paragraphen der Verfassung nicht ausdrücklich festgelegt ist.

Wenn der Landeskirchenrat, statt von lückenhaften Paragraphen einer umstrittenen Verfassung auszugehen, von Schrift und Bekenntnis her die Kollektenordnung getroffen hätte, dann hätte er der Einzelgemeinde ihr wohlbegründetes, immer geübtes und nie bestrittenes Recht nicht nur nicht in Frage gestellt, sondern die Lücke der Verfassung durch eine Regelung, etwa ähnlich der des Hannoverschen Landeskirchenamts, ausgefüllt.

Bei alledem übersieht die Landeskirchenleitung, daß der Ministerialerlaß einen weiteren Schritt zur organisatorischen Verweltlichung der Kirche und zur Entmündigung der Gemeinden bedeutet, wie sie vor Jahresfrist durch den Versuch der Neuordnung des kirchlichen Steuerwesens schon angestrebt wurde. Es ist völlig unbegreiflich, wie in einer Zeit schwerster Bedrohung der Kirche der Landeskirchenrat zur Entrechtung der Gemeinden die Hand bieten kann.

Die Verordnung ist von Schrift und Bekenntnis her nicht begründet und für die Gemeinden einer nach Gottes Wort reformierten Kirche nicht tragbar. Die Gemeinden sind darum aufgerufen, wie bisher an kollektenfreien Sonntagen im Gottesdienst und anderen kirchlichen Veranstaltungen die durch den Kirchenrat für notwendig erachteten Kollekten anzusetzen und abzuhalten.

25. Brief von Pastor Middendorff an den Landeskirchenrat der Evangelisch-reformierten Landeskirche der Provinz Hannover bezüglich der Neuregelung des Kollektenwesens. 22. September 1937.

Durchschlag des Originals.

Als Glied der reformierten Gemeinde Schüttorf und als Vorsitzender ihres Kirchenrats sowie als stellvertretender Vorsitzender des Bezirkskirchenrats VI, der diese Ämter rechtmäßig innehat, wiewohl er an ihrer Ausübung gewaltsam behindert wird, und sich berechtigt, ja verpflichtet weiß, in Ausübung dieser Ämter, da, wo es ihm notwendig erscheint, sich zu äußern, erlaube ich mir, zu der Verfügung des Landeskirchenrates über das Kollektenwesen vom 16. September 1937 — Nr. 6268 — folgendes zu bemerken:

Daß eine Kollekte, die im Gesamtbereich der Landeskirche, d. h. in allen ihren Gemeinden eingesammelt werden soll, vom Landeskirchentage bzw. vom Landeskirchenvorstande ausgeschrieben werden muß, ist selbstverständlich und natürlich; daher die §§ 87, 7 und 93 der KV (Kirchenverfassung);

desgleichen, daß eine Kollekte, die im Bereich eines Bezirkskirchenverbandes, d. h. in allen seinen Gemeinden eingesammelt werden soll, vom Bezirkskirchentage, bzw. Bezirkskirchenrate ausgeschrieben werden muß, ist selbstverständlich und natürlich; daher die §§ 73, 11 und 76, 5 der KV.

Es handelt sich hierbei weniger um ein Recht des Landeskirchentages, bzw. Landeskirchenvorstandes und des Bezirkskirchentages, bzw. Bezirkskirchenrates als um eine Ordnungsaufgabe und -funktion der das Zusammenleben und -arbeiten der Gemeinden regelnden synodalen Organe.

Bei einer örtlichen Kollekte kann von einer „Ausschreibung“ nicht die Rede sein. Es ist selbstverständlich, daß über ihre Ansetzung der Kirchenrat zu befinden und beschließen hat. Diese Aufgabe wird ihm im Kirchenverfassungsgesetz zwar nicht ausdrücklich zugewiesen. Er hat aber allgemein die inneren und äußeren Angelegenheiten der Kirchengemeinde wahrzunehmen (§ 17 der KV) und über die Beschaffung der zu den kirchlichen Bedürfnissen erforderlichen Geldmittel zu beschließen (§ 47, 6), letzteres gemeinsam mit der Gemeindevertretung. M. E. berechtigen und verpflichten ihn unter Umständen beide Bestimmungen zur Ansetzung einer örtlichen Kirchenkollekte. Im übrigen gilt nicht die Regel: Verboten ist, was nicht ausdrücklich erlaubt wird, sondern: Erlaubt ist, was nicht ausdrücklich verboten wird.

Die Gemeinde ist der Leib Christi. Zu den Lebensfunktionen des Leibes gehört es, daß die Glieder sich gegenseitig Handreichung tun, auch in der Darreichung von Geldmitteln. Das Haupt des Leibes ist der Herr Christus, der seine Glieder zu gegenseitiger Handreichung anregt und treibt, befähigt und begabt. In diese Lebensfunktion des Leibes Christi hat die Kirchenleitung nur dann regelnd und ordnend einzugreifen, wenn es sich um eine gleichzeitige Liebesbetätigung vieler oder aller Ortsgemeinden handelt.

Örtliche Kirchenkollekten sind in vielen Gemeinden seit langem üblich gewesen, z. B. bei örtlichen Veranstaltungen für Heidenmission, Innere Mission, Gustav-Adolf-Verein, bei den Festen des Jungmänner- oder Jungmädchenvereins, bei Blaukreuzfesten, für Traubibeln in der Gemeinde, für Zwecke des örtlichen Kindergottesdienstes (Ausflug, Weihnachtsbescherung, Anschaffung von Liederbüchern), für Nachbargemeinden, die durch Unwetter geschädigt waren (1926 erbrachte in Schüttorf eine einzige Kirchenkollekte, die sofort abgehalten wurde, 900—1000 RM), für die Bekennende Kirche, für die die Landeskirchenleitung und die Bezirkskirchenleitung keine Kollekten ansetzen, für besondere Zwecke und Aufgaben des Reformierten Bundes usw. usw.

Für all diese örtlichen Kirchenkollekten ist bislang weder von der Bezirkskirchenleitung noch von der Landeskirchenleitung eine Genehmigung erbeten worden; auch hat bisher weder die eine noch die andere Stelle, obwohl sie von der Tatsache der örtlichen Kirchenkollekten wußten, je das Recht zu solcher Genehmigung geltend gemacht noch die Gemeinden angehalten, die Genehmigung nachzusuchen. Dieses wäre auch schwierig gewesen, da manchmal die Notwendigkeit der Ansetzung einer örtlichen Kirchenkollekte sich plötzlich ergab.

Es ist nicht einzusehen, weshalb jetzt mit einem Male der Landeskirchenleitung ein Recht zugesprochen werden und von den Gemeinden anerkannt werden sollte, das sie bisher nicht hatte und nicht geltend gemacht hat. Die Übergriffe von Staatsstellen, die in die Lebensfunktionen der christlichen Gemeinde eingreifen, dürften dazu keine hinreichende Begründung sein.

Ausschreibung einer Kollekte und Genehmigung einer Kollekte sind durchaus zweierlei. In unserem Kirchenverfassungsgesetz ist wohl von jener die Rede, nicht aber von dieser. Es heißt z. B. nicht, daß, wenn ein Bezirkskirchenverband für die ihm angehörenden Gemeinden eine Kollekte ausschreibt, nun erst noch der den Bezirkskirchenverbänden übergeordnete Landeskirchenvorstand oder -tag seine Genehmigung geben müsse. Dem Sinne nach ist ebensowenig die Genehmigung einer örtlichen Kollekte durch Landeskirchentag oder -vorstand erforderlich.

Ganz ergebenst Fr. Middendorff

26. Mitteilung des Landeskirchenrates der Evangelisch-reformierten Landeskirche der Provinz Hannover an die Gemeinden bezüglich der Neuregelung des Kollektenwesens. 18. Oktober 1937.

Abschrift.

Zu unserer Verfügung vom 16. September 1937 — Nr. 6268 — hat der „Arbeitsausschuß der Bekenntnisgemeinschaft" ein Schriftstück ausgehen lassen, das uns zu einigen klärenden Feststellungen veranlaßt. Das genannte Schriftstück beruht nämlich leider auf einem so unzulänglichen Unterrichtetsein über die vorliegenden Tatsachen und bietet für die in seinem Schlußabsatz aufgestellte, radikale These so schlechterdings gar keinen Beweis aus der Heiligen Schrift und dem Heidelberger Katechismus, daß wir es leider als eine tief bedauerliche Beeinflussung der Gemeinden bezeichnen müssen. Wir haben dabei folgendes zu bemerken:

I.

Vor allem haben die Verfasser des genannten Schriftstückes anscheinend nicht bemerkt, worin eigentlich der wesentliche Inhalt unserer Verfügung bestand. Dazu ist zu sagen:

1. Die Verfügung bringt zunächst nur eine Darlegung des verfassungsrechtlichen Tatbestandes, der von niemandem bestritten werden kann. Daß die Verfassung in vielen Punkten abänderungsbedürftig sein mag, entbindet weder uns noch irgend jemanden in der Landeskirche von ihrer Innehaltung, solange sie besteht. Der Landeskirchenrat ist nicht in der Lage, die Ordnung der Kirche gegen Eingriffe von außen her zu verteidigen und sie gleichzeitig selbst zerstören zu helfen. Die Erfüllung des in dem genannten Schriftsatz ausgesprochenen Wunsches nach einer Verfassungsänderung ist nicht Sache des Landeskirchenrates.

2. Im Rahmen der Verfassung jedoch bietet unsere Verfügung in zwei Punkten eine Änderung der Rechtslage. In beiden Punkten, also in dem einzigen Neuen, das unsere Verfügung bringt, wird ausschließlich der Kollektenpflicht der Gemeinden ein Weg zur Erfüllung gebahnt. Das geschieht in doppelter Form:

a) Es wird den Gemeinden ihre klare biblische Verpflichtung zur regelmäßigen Einsammlung des Armenopfers eingeschärft. Das Opfer für die Armen der Gemeinde ist, wie Apg. 6 und Gal. 6 zeigen, die einzige, völlig regelmäßige Kollekte der christlichen Kirche. Auch der Heidelberger Katechismus (Frage 103) bezieht (vgl. den lateinischen Text) das „christliche Almosen" deutlich auf die Armen. Unter solchen Umständen ist es für unsere Landeskirche kein Ruhmestitel, daß das Armenopfer in zahlreichen Gemeinden entweder abgekommen ist oder seine Erträge der allgemeinen Kirchenkasse zugeführt werden und daß die jahrelangen Bemühungen des Landeskirchenrates um Änderung dieses beschämenden Zustandes weithin keine allgemeine Unterstützung gefunden haben. Da aber alle anderen Kollekten nur außerordentliche Sonderformen des Armenopfers darstellen — ihre Außerordentlichkeit erhellt aus den Worten des Apostels für die judäischen Christen zur Genüge!—, so hat niemand, der an der Vernachlässigung dieses von Schrift und Bekenntnis mit höchster Klarheit geforderten Opfers mitschuldig ist, ein Recht, sich gegen eine Verfügung des Landeskirchenrates zu beschweren, deren wesentliches Anliegen auch die Behebung dieses Mißstandes ist. Es ist auch eines noch zu beachten: wenn unsere Verfassung das Recht zur Ausschreibung von Kollekten einschränkt, so tut sie es offenkundig unter der Voraussetzung, daß die wichtigste Kollekte, die für die Armen, ohnehin in den Gemeinden geübt wird; und sie tut es zu dem Zweck, diese Übung nicht durch eine allzu große Zahl außergewöhnlicher Sammlungen zu beeinträchtigen.

b) Darüber hinaus bietet unsere Verfügung noch insofern eine Hilfe zur Erfüllung der ortsgemeindlichen Kollektenpflicht, als auch außergewöhnliche, über das Armenopfer hinausgehende örtliche Kollekten nach Möglichkeit durch Aufnahme in den landeskirchlichen Kollektenplan ihre kirchenrechtliche Legalität erhalten, die ihnen bisher fehlte, und damit zugleich einen Schutz gegen Eingriffe von außen. Der Landeskirchenrat verschloß sich trotz der unter a) aufgeführten Erwägungen keineswegs der Einsicht, daß die Gemeinden da und dort außer der an erster Stelle stehenden Armenopfer besondere Kollekten einzusammeln wünschen, und er hat diesen Wünschen in der erwähnten Weise Rechnung getragen.

Da also die beiden einzigen Punkte, an denen unsere Verfügung die bestehende Rechtslage ändert bzw. klärt, der Erfüllung ortsgemeindlicher Kollektenaufgaben dienen, so vermögen wir nur unter entrüsteter Ablehnung die völlig unmotivierten Einwendungen zur Kenntnis zu nehmen, die in dem erwähnten Schriftsatz vorgebracht werden. Daß unser Verfahren der Schrift und dem Bekenntnis oder gar auch der Verfassung unserer Landeskirche nicht oder nicht voll entspräche, vermögen wir um so weniger einzusehen, als beispielsweise in der Lippeschen Landeskirche auf *Anregung aus Kreisen der Bekennenden Kirche* hin eine völlig entsprechende Regelung unter allgemeiner Zustimmung der dortigen Gemeinden getroffen worden ist. Wieso eine und dieselbe Regelung in Lippe schrift- und bekenntnis*gemäß*, in Hannover schrift- und bekenntnis*widrig* sein soll, darüber nachzudenken wollen wir gern anderen überlassen. Jedenfalls sehen wir keinen Anlaß, unsere Verfügung vom 16. September aufzuheben oder zu ändern. Wir haben sie erlassen, um den Gemeinden *zu dienen und zu helfen*, und wir haben den Wunsch und die Hoffnung, daß sie diese Wirkung auch tun wird.

II.

Den grundsätzlichen Ausführungen möchten wir nunmehr noch einige Mitteilungen aus unseren praktischen Erfahrungen im Kollektenwesen hinzufügen. Sie wurden in den Ausführungen unter I bereits angedeutet. Wir beschränken uns dabei absichtlich auf den Zeitraum etwa der beiden letzten Monate.

a) Als erste Gemeinde legte uns die zu X unter dem 20. August d. J. die Frage vor, ob nicht der Gehorsam gegen die Schrift und das Bekenntnis eine Ablehnung des Ministerialerlasses für die Kirchen erfordere. Ausgerechnet dieser Gemeinde hatte der Herr Landessuperintendent in dem letzten Visitationsbescheid, den er ihr erteilte, unter dem 30. April folgendes geschrieben: Schon der Visitationsbescheid von 1916 hatte es als eine bedauerliche Möglichkeit bezeichnet, daß die Gemeinde noch immer nicht das sonntägliche Armenopfer bringt. Und der Bescheid vom Jahre 1909 fragte: „Ist denn für Pastoren, Kirchenräte und Gemeinden 1. Kor. 16, 2 umsonst geschrieben? Lassen Sie unberücksichtigt, daß unser Katechismus in Frage 103 zur gottesdienstlichen Feier des Tages des Herrn auch das zählt: In der Versammlung der Gemeinde das christliche Almosen zu geben?" Inzwischen sind über 7 Jahre verflossen, und das Armenopfer ist, soweit unsere Kenntnis reicht, trotz dieser ernsthaften Ermahnung nicht eingeführt worden, nachdem der Landeskirchenrat sich fast 30 Jahre darum gemüht hat. Wir fragen: Hat eine Gemeinde, die trotz stets neuer ernsthafter Ermahnungen ihre kirchliche und christliche Pflicht versäumte, das innere Recht zu der genannten Anfrage?

Die Gemeinde Z beschloß am 20. 1. 1936, die Klingelbeutelgelder fortan nicht mehr für die Armen der Gemeinde, sondern für die Kirchenheizung zu verwenden. Bei der Vorlegung dieses mit den Kirchensteuerbeschlüssen eingesandten Voranschlages der Kirchenkasse kamen wir hinter diese Methode. Ist das schrift- und bekenntnisgemäß?

Bei der Revision der kirchlichen Rechnungen aus Z merkten wir, daß bereits seit 1933 die Einkünfte der Büchsengelder für die laufenden Bedürfnisse der Kirchenkasse Verwendung fanden. Der Kirchenrat in Z ist inzwischen natürlich auf die Unzulässigkeit seines Tuns hingewiesen worden. Das sind einige Beispiele aus den allerletzten Wochen.

b) Noch auf etwas Weiteres möchten wir bei dieser Gelegenheit einmal die Aufmerksamkeit der Kirchenräte lenken. Das Schreiben des Arbeitsausschusses sagt, die Gemeinde gebe ihre Kollekte „als ein gottesdienstliches Dankopfer ihrer Liebe, durch das sie die Gnade Gottes preist und die Not der Brüder auf sich nimmt." O daß das Wahrheit wäre in unserer Landeskirche! Aber hätte der Arbeitsausschuß nicht mehr Anlaß gehabt, die Gemeinden zur Buße aufzurufen und sie daran zu erinnern, daß man nicht Gott dienen kann und dem Mammon? Haben ihn noch nie erschreckt die oft erbärmlich geringen Beträge landeskirchlicher Kollekten (bei rühmlicher Gebefreudigkeit in manchen Gemeinden), die je und dann nicht einmal die Höhe einer Reichsmark in einzelnen Gemeinden erklomm? In einer Gemeinde der Landeskirche ergab die diesjährige Kollekte für die Arbeit an der männlichen und weiblichen Jugend nichts! Wir wiederholen: Nichts! Und das, obwohl der zum Bericht aufgeforderte Kirchenrat uns mitteilte, daß die Abkündigung der Kollekte an zwei Sonntagen erfolgte „mit dem Hinweis, daß sie der opferwilligen Liebe der Gemeinde herzlich empfohlen sei". Solange wir unter den stets sich wiederholenden niederdrückenden Eindrücken solcher Zustände in unserer Landeskirche stehen, halten wir es für ratsam, weniger laut von dem gottesdienstlichen Dankopfer der Liebe zu reden, durch das die Gemeinde die

Gnade Gottes preist und die Not der Brüder auf sich nimmt. Wir unsrerseits haben mehr Verständnis für einen Diakon der Landeskirche, der kürzlich angesichts der Pflicht, einen Berg Kupferpfennige zu zählen, mit der Faust auf den Tisch schlug, so daß das Geld klirrte, und dabei bemerkte, daß niemand sich weigere, bei staatlichen Sammlungen für ein Abzeichen 20 Pfennige zu zahlen, daß man aber nach wie vor bei der Sammlung für die Armen der Kirche Jesu Christi erbärmliche Kupferpfennige für genügend ansehe. Ist das nicht beachtlich?

c) Endlich möchten wir auch noch auf folgendes hinweisen: Ein Kirchenrat der Grafschaft Bentheim hielt es für notwendig, uns unter dem 9. Oktober 1937 zu schreiben: „Der Kirchenrat möchte nicht unterlassen, darauf hinzuweisen, daß der Landeskirchenrat es in einer Frage, die ein Grundrecht der Kirche darstellt, nicht einmal für notwendig erachtet, den Landeskirchenvorstand über diese entscheidende Frage zu hören." Wenn wir demgegenüber jeden Tag durch Vorlage der Originalsitzungsprotokolle den Nachweis führen können, daß die Materie in den Landeskirchenvorstandssitzungen vom 13. 7., vom 4. 8. und vom 28. 9. an den Landeskirchenvorstand herangebracht wurde, so richten solche unwahren Vorwürfe, die offenbar in der Landeskirche verbreitet werden, sich selbst.

Wir hielten es für gut, die Kirchenräte auch einmal auf diese praktischen Erfahrungen und Sorgen mit allem Ernste hinzuweisen. Wie wir bereits bemerkten, beschränkten wir uns dabei auf Erfahrungen der allerletzten Zeit. Wir sind darüber hinaus bereit, Interessenten mit weiterem Material zu dienen.

D. Dr. Hollweg

27. Antwort des Arbeitsausschusses der Bekenntnisgemeinschaft innerhalb der Evangelisch-reformierten Landeskirche der Provinz Hannover auf die Mitteilung des Landeskirchenrates an die Gemeinden bezüglich der Neuregelung des Kollektenwesens. Ende Okt. 1937.

Abschrift.

Unter dem 18. Oktober ging den Gemeinden ein Schreiben zu, in dem der Landeskirchenrat sich gegen die vom Arbeitsausschuß eingenommene Haltung zur Kollektenfrage in unserer Landeskirche wendet. Dieses Schreiben zeigt, wie wenig unser Anliegen gegenüber der Kollektenverordnung vom Landeskirchenrat verstanden ist. Um Mißverständnissen in den Gemeinden vorzubeugen, sehen wir uns darum noch einmal zu folgenden Bemerkungen veranlaßt.

A.

Das Schreiben des Landeskirchenrats umgeht die Frage der Kollektenhoheit der Kirche.

1. Die Neuregelung der Kollektenfrage durch den Landeskirchenrat vom 16. September dieses Jahres muß von der Ministerialverordnung vom 9. Juni 1937[49] aus gesehen werden (vgl. Junge Kirche, 1937, Nr. 13 S. 541). Diese Verordnung enthält den Anspruch, darüber zu entscheiden, wo die wahre und die falsche Kirche in Deutschland sei, indem sie bestimmt, daß die Aufstellung von Kollektenplänen durch einzelne kirchliche „Gruppen“ und die Durchführung anderer als der in den amtlichen Kollektenplänen vorgesehenen Kirchenkollekten einen Verstoß gegen das Sammlungsgesetz darstellen. Wir bezeichneten das als einen Eingriff in die Ordnung und damit die Lehre der Kirche. Von hier aus gesehen, ist die Neuregelung der Kollektenfrage durch den Landeskirchenrat nicht so harmlos, wie der Landeskirchenrat sie darzustellen sich bemüht. Eine schriftgebundene Kirchenleitung mußte jenem staatlichen Anspruch gegenüber grundsätzlich wie praktisch eine klare Ablehnung zum Ausdruck bringen. Sie mußte bezeugen, daß nicht der Staat die Kirche regiert, sondern daß Christus in seiner ihm gehörigen Gemeinde allein das Herrschaftsrecht hat! Das hätte hier geschehen müssen, indem unter schriftgemäßer Begründung die uneingeschränkte Kollektenhoheit der Kirche als ein Stück ihrer Selbstordnung und Selbstleitung von der Landeskirchenleitung behauptet wäre. Statt dessen stellt die Landeskirchliche Verordnung vom 16. September nichts anderes als eine Ausführung der Ministerialverordnung dar und bedeutet praktisch ihre Anerkennung, d.h. unsere Kirchenleitung beugt sich dem Anspruch einer außerkirchlichen Stelle, die sich der Herrschaft über die Kirche bemächtigen will. Das wird auch deutlich durch die Anweisung auf den den Gemeinden zugesandten Kollektenplänen, die lautet: „Dieser Kollektenplan ist sorgfältig aufzubewahren und bei etwaiger polizeilicher Kontrolle dem kontrollierenden Beamten vorzulegen.“

2. Das scheint uns allerdings ein Verfahren, das „der Schrift und dem Bekenntnis nicht entspricht“. Auch mit Verfassungsparagraphen läßt sich dieses Verhalten einer reformierten Kirchenleitung nicht rechtfertigen. Die Schrift ist oberster Richter auch über unsere Verfassung, und zwar nicht nur grundsätzlich theoretisch, sondern auch praktisch konkret. Es gibt kein Kirchenrecht, das auch nur einen Augenblick die Schriftautorität aufheben oder beiseite stellen dürfte. Statt von der Schrift her das, was unsere Verfassung über die Kollek-

---

[49] s. S. 39, Anm. 18.

tenfrage sagt oder nicht sagt, auszulegen oder selbst, wenn es nötig gewesen wäre, unter Berufung auf die Heilige Schrift einen Verfassungsparagraphen durch eine schriftgemäße Ordnung und Regelung zu ersetzen (evtl. durch Notverordnung bis zum nächsten Landeskirchentage), stützt und legalisiert die Verordnung vom 16. September die Bestimmungen des Ministerialerlasses von der Verfassung unserer Landeskirche her.

3. Die Sicherung, die durch solches Verfahren unserer Landeskirche und ihren Gemeinden scheinbar gegeben ist, ist erkauft um den teuren Preis einer praktischen Preisgabe der Bekennenden Kirche. Sie stellt — wir erinnern an das Sicherungsgesetz unter Jäger, an das Zusammengehen mit dem Reichsbischof und den Kirchenausschüssen — einen weiteren Schritt unserer Landeskirchenleitung dar auf einem Wege, auf dem sie durch kluge Kirchenpolitik und Kompromisse den von ihr geforderten Entscheidungen ausweicht. Sie bedeutet darum auch für die Gemeinden keine Hilfe, sondern vielmehr die Versuchung, auf ihre menschliche Sicherheit bedacht zu sein, indem auch sie den Weg des Kompromisses zwischen Kirche und Welt gehen.

4. Darum ist es allerdings den Gemeinden verwehrt, in Befolgung der Kollektenverordnung des Landeskirchenrats diesen Weg der Landeskirchenleitung mitzugehen.

B.

Das Schreiben des Landeskirchenrats umgeht die Frage der Kollektenhoheit der Einzelgemeinden.

1. Mag die Kollektenverordnung vom 16. September den Gemeinden einen Weg zur Erfüllung ihrer Kollektenpflicht haben bahnen wollen, entscheidend ist, ob dies auf dem Weg des Gehorsams gegen den alleinigen Herrn der Kirche geschieht. Wir haben keinen Anlaß, Versäumnisse der Kirchenräte zu rechtfertigen oder beklagenswerte Zustände in den Gemeinden X und Z zu entschuldigen. Auch wir halten die Wiedereinführung des Armenopfers und seine entsprechende Verwendung für eine ernste Pflicht der Kirchenräte. Aber nicht ihre Kollektenpflicht ist umstritten, sondern ihr Recht, Kollekten zu beschließen und über sie zu verfügen. Dies Recht meint im Verfolg des Ministerialerlasses der Landeskirchenrat den Gemeinden einer nach Gottes Wort reformierten Kirche bestreiten zu sollen, für deren Ordnung es ein wesentlicher Grundsatz ist, daß die Leitung der Kirche bei den Presbyterien und Synoden liegt.

2. Wäre die Kollektenverordnung gedacht nur als eine Hilfe für die Gemeinde, so ist unverständlich, warum beispielsweise einer Ge-

meinde eine Bestätigung ihres örtlichen Kollektenplans nicht gegeben wurde, die zwar um des kirchlichen Aufsichtsrechts willen dem Landeskirchenrat den gemeindlichen Kollektenplan zur Kenntnisnahme eingesandt hatte, jedoch unter ausdrücklicher, begründeter Behauptung des Kollektenrechts der Gemeinde. Wir vermögen darin nur eine Bestätigung zu sehen, daß es hier um ein anderes als nur um Hilfeleistung geht, um eine Entrechtung der Gemeinden zu Gunsten einer autoritären Kirchenführung.

3. Auch abgesehen von dem unter A 2 gesagten Grundsätzlichen scheint uns die Berufung auf die Verfassung seitens des Landeskirchenrats in der Kollektenfrage formal anfechtbar. Wenn unsere Kirchenverfassung über das Recht der Kirchenräte zur Ausschreibung von Kollekten schweigt, so spricht sie ebensowenig von einem Genehmigungsrecht des Landeskirchenrats. Wenn dieser nach dem Grundsatz handelt: verboten ist, was nicht ausdrücklich erlaubt ist, so kann mit demselben Recht gefolgert werden: erlaubt ist, was nicht ausdrücklich verboten ist. Im übrigen verweisen wir auf den Zustand unter der früheren Kirchengemeinde- und Synodalordnung, unter der es bei der Ausschreibung der landeskirchlichen Kollekten anfangs ausdrücklich heißt: „Sollte in einer Gemeinde am genannten Tage schon herkömmlich eine lokale Kollekte stattfinden, so ist die jetzt angeordnete Kollekte an einem der nächstfolgenden Sonntage zu halten" (Gesetz- und Verordnungsblatt, Bd. 1, S. 95). Wir verweisen ferner auf die Protokolle der verfassunggebenden Kirchenversammlung in unserer Landeskirche, bei deren Verhandlungen das Kollektenrecht der synodalen Organe erst auf Antrag des Vertreters des Pfarrvereins ausdrücklich festgelegt wurde, um das Recht der Gemeinde zu schützen.

Ganz allgemein müssen wir daran festhalten, daß das Recht der Landeskirche nur gebildet werden kann von der unter Wortverkündigung und Sakramentsverwaltung lebenden Einzelgemeinde her, was auch in unserer Verfassung in der vorgeordneten Stellung der Gemeinde zum Ausdruck kommt.

4. Es ist inzwischen deutlich geworden, daß der Ministerialerlaß betr. die Kollekten in keiner Weise das Kollektenrecht der Einzelgemeinde hat treffen wollen. Die in seiner Ausführung ergangene Kollektenverordnung des Landeskirchenrats vermag sich selbst nicht auf ihn zu berufen, sondern hat mehr getan, als der Staat forderte. Der gewiß nicht in Verdacht der Unbotmäßigkeit gegen die Staatsgewalt stehende evangelische Oberkirchenrat in Berlin-Charlottenburg bestimmt in seiner Verfügung vom 15. September dieses Jahres für Altpreußen (E O 1 7991/37): „Die Gemeindekirchenräte sind berechtigt, Kirchenkollekten für die Bedürfnisse der Gemeinde in den Grenzen des Gesamt-, Provinzial- und Kreiskirchlichen Kollektenplanes zu ver-

anstalten . . . liegt kein Beschluß des Gemeindekirchenrats und kein altes Herkommen vor, und sind Anordnungen nicht ergangen, so bestimmt der den Gottesdienst haltende Geistliche über den Zweck der Kollekte."

So hat der Landeskirchenrat die reformierte Kirche heute in die merkwürdige Lage gebracht, daß in ihr im Gegensatz zu lutherischen Kirchen (vgl. Hannover) und zur Altpreußischen Union der Gemeinde ihr Kollektenrecht bestritten ist.

C.

Das Schreiben des Landeskirchenrats beantwortet die Frage nach dem Wesen und der Eigenart der Kirchenkollekte falsch.

Der Landeskirchenrat hebt in seinem Schreiben hervor, daß die Kollekte grundsätzlich und entscheidend nur Armenopfer ist, während „alle anderen Kollekten nur außerordentliche Sonderformen des Armenopfers darstellen". Zur Begründung dieser Behauptung wird auf Apg. 6, Gal. 6 und Frage 103 des Heidelberger Katechismus verwiesen. Wir haben uns also zu fragen, ob dieser Schriftbeweis richtig ist, und weiter, was die Heilige Schrift zur Frage der Kollekten sagt. Diese Frage ist nun bereits im Sommer dieses Jahres von einer Synode der Bekennenden Kirche in Lippstadt ausführlich beantwortet worden, aus deren Wort wir hier folgendes wiedergeben (Fünfte Bekenntnis-Synode der Evangelischen Kirche der Altpreußischen Union in Lippstadt vom 21.—27. August 1937. Beschluß Kollekten: B 2)[50]:

„Was sagt die Heilige Schrift von der Kollekte?

a) Wozu sollen die Kirchenkollekten dienen?

Nach der Heiligen Schrift ist die Kollekte ‚Handreichung' der Gemeinde ‚für den Mangel der Heiligen' (2. Kor. 9, 12). Das gilt sowohl für das Verhältnis der einzelnen Gemeinden untereinander (Apg. 11, 29; 12, 25; 2. Kor. 8, 9), als auch für das Verhältnis der Glieder der einzelnen Gemeinden untereinander (Apg. 6: Bestellung der Almosenpfleger; Gal. 6, 2. 10). In jedem Falle geht es darum, die Gliedschaft in der Gemeinschaft der Heiligen zu bewähren, in der ein jeder seine Gaben zum Nutzen und Heil der anderen Glieder willig und mit Freuden anzulegen sich schuldig wissen soll.

Zugleich dienen die Gaben der Gemeinde der Verkündigung und Ausbreitung des Evangeliums unter allen Völkern (Phil. 4, 15—18; 1. Kor. 9, 14; Gal. 6, 6).

---

[50] J. Beckmann, a. a. O., S. 205.

b) Woher kommt die Willigkeit zum Geben?

Die Kollekte wird nicht in eigener Kraft oder mit Unwillen oder gar aus Zwang dargereicht (2. Kor. 9, 7), sondern als das gute Werk, zu dem Gott in seiner Gnade das Herz bereitet (2. Kor. 8, 2—9; 9, 8—14).

c) Welche Frucht erwächst aus dieser Kollekte?

Der Ertrag der Kollekte, zu der Gott die Herzen innerhalb der Gemeinde willig macht, führt dahin, daß viele Gott dafür danken und ihn preisen (2. Kor. 9, 12. 13)."

Aus diesen Ausführungen geht hervor, daß, wie es das zweite Helvetische Bekenntnis, das neben dem Heidelberger Katechismus das am meisten verbreitete und bedeutendste reformierte Bekenntnis ist, sehr schön und richtig ausgedrückt hat, der Zweck der Kollekte ist „für die Armen, für alle notwendigen Aufwendungen der Kirche und zur Aufrechterhaltung der gebräuchlichen kirchlichen Tätigkeit Beiträge zu sammeln". Dasselbe sagt im Grunde auch der Heidelberger Katechismus, denn wie sollen Predigtamt und Schulen erhalten werden heute ohne das Opfer der Gemeinde. Der Schriftbeweis des Landeskirchenrats ist also einseitig und darum unrichtig.

28. Memorandum des Vorstandes des Reformierten Konvents der Deutschen Evangelischen Kirche zur Frage der Mitglieder im Wahlausschuß. 22. März 1937.

Original.

Liebe Brüder!

Am Montag, d. 22. 3. tagte der Vorstand des reformierten Konventes der Bekenntnissynode mit den Vorständen der Bekenntnisgemeinschaft in Reformiert-Hannover und Lippe. Es handelte sich um die Frage, ob neben Lic. Albertz auch ein Vertreter des Arbeitsausschusses der reformierten Kirchen in dem Gremium, das von der BK als Wahlausschuß herausgestellt worden ist, sitzen kann. Letztere Forderung ist vom Lutherrat infolge des Übereinkommens zwischen Lutherrat und Arbeitsausschuß der reformierten Kirchen vom Januar 1937 gestellt worden. Die Versammlung faßte das Ergebnis ihrer eingehenden Beratungen in nachstehendem Schreiben an die VKL, den Arbeitsausschuß der reformierten Kirchen und die beteiligten Bekenntnisgemeinschaften zusammen.

Mit herzlichen Grüßen
Steen

I. Kirchenpolitik oder Verkündigung.

Angesichts des erfolgten Rücktritts des RKA[51] und der angekündigten Kirchenwahl[52] machen sich in der DEK Einigungsbestrebungen bemerkbar. Abgesehen von dem Zusammenschluß freier Verbände handelt es sich um den Zusammenschluß zwischen VKL und Lutherrat, dem nunmehr der Versuch folgt, den Arbeitsausschuß der reformierten Kirchen diesem Zusammenschluß einzugliedern. Dazu ist grundsätzlich zweierlei zu sagen:

1. Trennung innerhalb der Kirche muß immer als Not erkannt werden, wobei die Frage nach der Schuld nicht ausgeschaltet werden darf. Die Beseitigung der Trennung muß darum immer in Kraft der Vergebung der Sünden geschehen und sich im Lobpreis der Gnade Gottes äußern, die die Not der Trennung von uns nehmen kann.

2. Sind die Einigungsbestrebungen recht begründet, so können sie nur dem einen Ziele dienen, daß Jesus Christus bekannt und Gott gepriesen wird. Darum haben alle Beteiligten sich zu prüfen,

a) ob jetzt im Augenblick einer augenscheinlichen oder auch nur vermeintlichen Gefahr eine Einigung zur Sicherung des kirchlichen Gefüges erstrebt wird, und zwar nach dem Satz weltlicher Klugheit: Einigkeit macht stark,

b) oder ob aus der Erkenntnis der Wahrheit heraus unter dem Zuspruch und unter dem Anspruch Jesu Christi die Einigung erstrebt wird, damit Jesus Christus als der Sohn Gottes und das Heil der Welt öffentlich bekannt und somit Gott durch vieler Danksagen reichlich gepriesen werde.

3. Diese Frage greift in niemandes Gewissen, um es zu verdächtigen. Wir haben aber alle um die Gerichte zu wissen, die über falsche Einigungsbestrebungen in der Kirche gekommen sind und kommen müssen. Der Weg der BK ist dessen Zeugnis und der RKA ist dessen Zeugnis. Darum fragen wir als die Gewarnten!

II. Wahlausschuß und Kirchenleitung.

Es soll Aufgabe des Ausschusses sein, über die mit der Wahl zusammenhängenden Fragen mit den staatlichen Stellen zu verhandeln.

1. Es könnte sein, daß aus diesem Ausschuß kraft einer besonderen Dynamik sich eine neue Leitung der Kirche entwickelt. Das Ganze würde, wenn auch verschieden verstanden, im Blickfeld des Bekenntnisses stehen. Wir würden damit zu einer Bekenntniskirche kommen,

[51] s. S. 40, Anm. 19.
[52] s. S. 40, Anm. 20.

die nach außen erweitert und nach ihrem Selbstverständnis verändert wäre.

2. Wir haben die Gefahr zu sehen, die mit solcher Erweiterung und Veränderung heraufzieht. Gewiß kennt die BK z. Z. nur eine „Vorläufige“ Kirchenleitung der DEK. Um des der BK anvertrauten Wortes und des ihr befohlenen Dienstes willen hat sie vorläufig daran festzuhalten, daß sie nur die vom Reichsbruderrat der Bekenntnissynode der DEK bestellte und anerkannte Leitung kennt. Diese ist in der VKL gegeben, der der Rat der DEK beigegeben ist.

3. Der „Wahlausschuß“ kann auch darum nicht Kirchenleitung sein, weil VKL, Lutherrat und Arbeitsausschuß der Reformierten Kirchen im Blick auf die Anerkennung der Kirchenregierungen in den Landeskirchen sicher nicht einig sind. Es brauchen die drei Gremien nur gefragt zu werden, wo denn z. B. in Altpreußen die rechtmäßige, d. h. kirchlich begründete Leitung der Kirche ist, bei dem LKA oder bei dem Bruderrat der evangelischen Kirche der Altpreußischen Union.

III. Der Wahlausschuß im Verhältnis zum Staat.

Der eigentliche Auftrag des Ausschusses geht dahin, mit den staatlichen Stellen über die mit der Wahl zusammenhängenden Fragen zu verhandeln.

1. Ob hier überhaupt etwas zu verhandeln ist, hängt einmal vom Staate ab. Es ist durchaus denkbar, daß der Staat die Wahl ansetzt und durchführt, ohne diesen Ausschuß zu fragen oder zu hören. Damit wäre der eigentliche Auftrag erledigt. Um so mehr wird gerade dann die unter II gezeigte Gefahr heraufziehen, daß hier wieder eine Kirchenleitung sich entwickelt, die in sich uneins ist.

2. Ob hier etwas zu verhandeln ist, hängt zum andern von der Kirche, nämlich von der Frage ab, ob die Kirche ohne Preisgabe ihres Bekenntnisses verhandeln kann. Es muß z. B. gefragt werden, ob die Kirche mit dem Staat verhandeln kann, solange der Staat die kirchlichen Angelegenheiten durch einen Minister behandeln läßt, dem die Botschaft von der Gottessohnschaft Jesu lächerlich ist. Die Kirche darf bei ihren Verhandlungen mit den staatlichen Stellen nicht vergessen, daß sie auch dem Staat und seinen Vertretern das Wort Gottes schuldig ist.

3. Bevor der betr. Ausschuß irgendeine andere Frage in Angriff nimmt, ist zunächst festzustellen, ob hier das Wort der VKL vom 17. Februar 1937 Ziffer 5 für alle verbindlich gilt und gleicherweise von den Kirchen angenommen und verantwortet wird, die im Lutherrat und dem Arbeitsausschuß der reformierten Kirchen zusammenge-

schlossen sind. Ist nicht als Voraussetzung der Arbeit hier in aller Verantwortung reine Bahn geschaffen, so könnte das unabsehbare Folgen haben und die Kirche in eine heillose Verwirrung bringen, indem die einen zu Verhandlungen dort bereit wären, wo die VKL schon am 17. Februar 1937 ihr Nein gesagt hat.

IV. Der Wahlausschuß und die Bekennende Kirche.

Der Ausschuß soll „für die BK“ die Verhandlungen führen.

1. Es muß somit klar sein, daß in dem Ausschuß niemand vertreten sein kann, der nicht zur BK gehört. Diese Zugehörigkeit zur BK darf sicher nicht im Blick auf rote und grüne Karte gesetzlich verhärtet werden. Aber ebensowenig darf die Frage nach der Zugehörigkeit zur BK um einer kirchenpolitischen Entscheidung willen spiritualisiert und damit verharmlost werden. Die Geschichte der Kirche vollzieht sich auf Erden im Leibe, d. h. in konkreten Entscheidungen, im konkreten Bekenntnis mit dem Wagnis des Glaubens, in inhaltlich bestimmter Fürbitte im öffentlichen Gottesdienst für verfolgte Gemeinden, Prediger und Älteste usw.

2. Darum können „für die BK“ nicht verhandeln, die sich zur Bekennenden Kirche *zählen*, sondern nur solche, die zu ihr *gehören*, ihre Entscheidungen anerkennen, z. B. ihre Arbeit zur Ausbildung der Prediger mittragen und mitverantworten. Es steht fest und muß um der Wahrheit willen als Tatsache hier festgestellt werden, daß z. B. reformiert Hannover die konkreten Entscheidungen der BK nicht für sich anerkannt hat, es ist nichts davon bekannt geworden, daß der Arbeitsausschuß der reformierten Kirchen die Entscheidungen der BK auf seine Verantwortung genommen hat, um sie den ihm angeschlossenen Kirchen zur Pflicht zu machen. Formalrechtliche Bedenken können hier nicht ins Feld geführt werden, weil es sich z. B. in der Beurteilung der Kirchenausschüsse, in der Bildung der Bekenntnisseminare (u. a. Elberfeld), in der Arbeit der Theologischen Schule Elberfeld, in der Frage der Kollekten, der Fürbitten, der Kanzelabkündigungen usw. um die Geltung des Bekenntnisses handelt.

3. Die Aufnahme des Arbeitsausschusses der reformierten Kirchen in den Wahlausschuß darf nicht dadurch erzwungen werden, daß die am 16. 1. 1937 zwischen Lutherrat und Arbeitsausschuß der reformierten Kirchen abgeschlossene Vereinbarung in die Verhandlung einbezogen wird. Diese Vereinbarung darf um so weniger als Zwangsmittel angewandt werden, als sie dem Reichsbruderrat bei seinen entscheidenden Beschlußfassungen am 3. u. 9. III. noch nicht bekannt war.

V. Der Wahlausschuß und die Anerkennung von Barmen[53].

Der Ausschuß ist nur dann verhandlungsfähig, wenn er in sich geschlossen und einig ist. Das gilt nicht im Sinne einer Zweckmäßigkeitsparole. Bei dem Ausschuß handelt es sich um die Verkündigung der Kirche heute. Darum muß im Ausschuß darüber Einigkeit herrschen, was Verkündigung heute zu bedeuten hat. Eben das hat die BK in der Barmer Erklärung bezeugt. Somit muß die BK fragen, wie es mit der Anerkennung von Barmen steht.

1. Es muß festgestellt werden, daß die im Arbeitsausschuß der reformierten Kirchen zusammengefaßten Kirchen die Barmer Erklärung nicht als das Wort angenommen haben, das heute auf Grund der Heiligen Schrift und unter Beachtung der reformatorischen Bekenntnisse gesagt werden muß. Es ist nicht einzusehen, inwiefern die Vertreter der im Arbeitsausschuß der reformierten Kirchen zusammengeschlossenen Kirchen im Ausschuß in Berlin sich zur Barmer Erklärung bekennen, während für die Arbeit dieser Kirchen die Barmer Erklärung synodal verantwortlich nicht gilt. An den entscheidenden Bekenntnishandlungen der BK waren die Synoden der im Arbeitsausschuß der reformierten Kirchen zusammengeschlossenen Kirchen nicht beteiligt. Es muß somit festgehalten werden, daß die Vertreter des Arbeitsausschusses der reformierten Kirchen von ihren Kirchen her nicht verpflichtet sind, auf Grund der Barmer Erklärung zu handeln. Dabei darf nicht übersehen werden, daß die Betreffenden in den Ausschuß nicht als Privatpersonen, sondern als Beauftragte des Arbeitsausschusses der reformierten Kirchen hineinkommen.

Es erfolgt der Einwand, daß der Landeskirchentag von Aurich sich von den DC distanziert habe. Wenn damit gesagt sein soll, daß also Aurich doch die Barmer Erklärung praktiziere, ohne sie offiziell angenommen zu haben, so ist das ein Fehlschluß. Denn Barmen ist eben nicht ein Instrument zur Erledigung der DC, sondern das Zeugnis von Jesus Christus heute unter Verwerfung der falschen Lehren, die heute die Herrschaft beanspruchen. Eben darum gilt Barmen als ein Ganzes. Darum gilt für den Auftrag des Wahlausschusses mit den staatlichen Stellen mit besonderer Dringlichkeit neben dem Satz der Barmer theologischen Erklärung, wo von der Ordnung der Kirche die Rede ist, Satz 5, wo die falsche Lehre verworfen wird, als sollte der Staat auch die Bestimmung der Kirche erfüllen und als solle die Kirche staatliche Art annehmen.

---

[53] Die Kundgebungen der Barmer Bekenntnissynode (29.—31. Mai 1934) in J. Beckmann, a. a. O., S. 62—68.

Es muß schon festgehalten werden, daß, wenn VKL, Lutherrat und Arbeitsausschuß der reformierten Kirchen zusammen einen Ausschuß bilden, die gemeinsame Voraussetzung des Handelns in kirchlich-synodaler Verantwortung fehlt.

2. Es heißt wohl, daß die Vertreter des Lutherrates und des Arbeitsausschusses der reformierten Kirchen zwar die theologische Erklärung von Barmen bejahen, daß sie nur nicht die „bekenntnisrechtlichen" Folgerungen wie die BK daraus ziehen. Damit stehen wir gerade bei dem, was uns diese vier Jahre getrennt hat. Denn für die BK ist allerdings, wie Dahlem zeigt, die Theologische Erklärung von Barmen „als christliches, biblisch-reformatorisches Zeugnis" existentiell und nicht theoretisch gemeint. Weil Barmen galt, darum konnten die Reformierten innerhalb der BK die Nationalsynode nicht anerkennen, darum mußten sie die Kirchenregierung Ludwig Müllers verwerfen, darum mußten sie ein Nein zur Kirchenleitung der Kirchenausschüsse sagen, darum mußten sie die Theologische Schule unterstützen und ausbauen usw. In diesen Punkten haben die intakten reformierten Kirchen ganz oder teilweise gerade anders gehandelt. Wo die einen nein sagen mußten, konnten die andern ja sagen, und umgekehrt.

Es ist nunmehr die Frage, ob dies Ja und Nein durch die beiden Vertreter der Reformierten im Wahlausschuß erneut in die Erscheinung treten soll. Handelte es sich um einen theologischen Ausschuß, der eben über diesen Dissensus verhandeln sollte, so wäre demgegenüber wohl grundsätzlich nichts zu sagen. Praktisch wäre allerdings auf das Uelsener Protokoll hinzuweisen, das immerhin es nicht als geraten erscheinen läßt, den Vorgang zu wiederholen. — Nun aber geht es um einen Ausschuß, der mit staatlichen Stellen verhandeln soll. Wie soll das denn möglich sein, wenn die beiden Vertreter der einen Konfession gerade an dem Ort, wo es sich doch um nichts anderes als die bekenntnisrechtlichen Folgerungen handelt, im Nein und Ja einander gegenüberstehen?! Ist solche Vereinigung kirchlich gerechtfertigt oder aber als ein Experiment in der „Stunde der Gefahr" zu bezeichnen?!

Die Sorge um die Wahl und die daraus entspringende Bemühung um eine Erweiterung und Verbreiterung der BK darf die Leitung der BK nicht verleiten, die bekenntnisrechtlichen Folgerungen, die sie bisher aus der Barmer Erklärung gezogen hat, weiterhin und gerade jetzt nicht mehr zu ziehen.

Der Vorstand des Reformierten Konventes
der Bekenntnissynode der Deutschen
Evangelischen Kirche
I. A.
Pastor D. Hesse

12 7719 AzGK 8

29. Rückschauende Betrachtung auf die Zeit des Kirchenkampfes von Pastor Middendorff. 15. Oktober 1946.

Original.

Vorbemerkung: Aufschlußreich für die Geschichte des Kirchenkampfes in der nationalsozialistischen Zeit innerhalb der Evangelisch-reformierten Kirche in Nordwestdeutschland (damals: Evangelisch-reformierte Landeskirche der Provinz Hannover) mag die rückschauende Übersicht sein, die auf dem ersten Landeskirchentage nach dem Kriege zu Leer am 15. Oktober 1946 unmittelbar vor der Bildung der neuen Kirchenleitung Pastor Middendorff aus Schüttorf vom Standpunkt der Bekenntnisgemeinschaft aus gab. Sie sei als Anlage im Wortlaut hier wiedergegeben.

Es gab in den verflossenen Jahren des Dritten Reiches und gibt zum Teil noch heute in unserer Landeskirche zwei Richtungen, teils nebeneinander, teils gegeneinander.

Es gibt in unserer Landeskirche und ihren Bezirken eine Richtung, die etwa so denkt: Die Dämonie des Nationalsozialismus haben wir im Unterschied von der BK nicht früh genug und klar genug erkannt und sind dadurch zu manchen falschen Formulierungen und auch hin und wieder zu unrechtem Handeln gekommen (das ist ein Punkt und nicht einmal der Hauptpunkt). Im übrigen war bei uns alles in guter, beneidenswerter Ordnung. Vor allem unsere Verkündigung war recht. Wir waren nicht gehindert, in der Kirche das volle Evangelium zu verkündigen, und wir haben es getan, so gut wir konnten. Das war die Hauptsache. Anderes war uns nicht aufgetragen, und wenn die Gemeinden die biblische Wahrheit hörten, so waren sie jederzeit in der Lage, die Zeichen der Zeit zu erkennen und die rechten Entscheidungen zu treffen. Sie brauchten von dem, was in der Welt vorging, von den Ereignissen des Kirchenkampfes nichts zu wissen. Wenn nur jeder für sich in dem einigen Trost seliglich lebte und starb! Wenn wir uns auf die Verkündigung der Wahrheit der Heiligen Schrift beschränkten, wie sie uns in unserem reformierten Bekenntnis bezeugt ist, so kamen wir gut durch, dann machten wir uns selbst und anderen keine Ungelegenheiten, dann war schließlich auch der Staat mit uns zufrieden. Was ging uns das an, was draußen in der Welt, in der Politik, im Staatsleben passierte! Das war ja eben Welt, der Bereich des Teufels. Darin hatten wir uns nicht zu mischen. Die dahinein geredet haben, die haben es sich selbst zuzuschreiben, wenn Maßnahmen gegen sie ergriffen, wenn sie mit Redeverbot belegt, ins Gefängnis geworfen, aus ihren Gemeinden ausgewiesen wurden. Mochte die Partei lügen und betrügen, mochte sie den Judenhaß predigen, die Wahlen fälschen, unter der Maske des positiven Christentums das Antichristentum verbreiten und die Vernichtung der Kirche vorbereiten, dazu brauchte doch nicht öffentlich geredet zu werden, und die es taten, hatten es sich selbst zuzuschreiben, wenn es ihnen schlecht erging. Zudem haben sie auch uns viel Ungelegenheiten bereitet und mancherlei Arbeit gemacht. Sie hätten den Mund halten sollen. Wir haben das ja auch getan, und wenn wir etwa doch geredet und Eingaben an hohe staatliche Stellen gemacht haben, dann haben wir es so getan, daß möglichst niemand etwas davon gewahr wurde, unter möglichstem Ausschluß der Öffentlichkeit. Wir erweckten so nach außen hin den Eindruck, gut mit dem Staat zu stehen. Trübungen unseres Verhältnisses zur weltlichen Macht und den staatskirchlichen Organen wie Reichsbischof und staatlichen Kirchenausschüssen waren möglichst zu vermeiden; wir waren ja doch auch der Obrigkeit Gehorsam schuldig. Und zugleich konnten wir von diesem Staat für das äußere Fortbestehen unserer lieben reformierten Kirche möglichst viel herausschlagen. Wir nahmen es, wo wir es kriegen konnten, und fragten nicht viel darnach, aus was für einer Hand wir es bekamen und was aus den anderen wurde, die nicht unter dem Schutz eines von den Vätern reformierten Bekenntnisses standen. So suchten wir uns klug durchzuschlängeln. Als auf einem Landeskirchentag jemand an das Wort erinnerte: „Wer sein Leben lieb hat, der wird es verlieren usw.", wurde ihm geantwortet: „Heute gilt ein anderes Bibelwort: ‚Seid klug wie die Schlangen!'"

Was war der Eindruck, den man durch diese Haltung erweckte? Man könne zugleich ein treuer reformierter Christ und ein guter Nationalsozialist sein. Es wurde ja sogar unterschrieben: „Die nationalsozialistische Weltanschauung als völkisch-politische Lehre ist für jeden evangelischen Christen verbindlich." Es hieß, man habe die Gesetze, Verordnungen und Anordnungen des nationalsozialistischen Staates ausdrücklich anzuerkennen, man „scharte sich" (noch 1941) „in Dankbarkeit und Verehrung um den Führer", man behauptete das von „dem ganzen deutschen Volk" und mutete es allen Gliedern unserer Kirche zu. So redete man zu den Pastoren und Gemeinden. Man wies die Glieder der Kirche an, sich in das völkisch-politische Aufbauwerk des Führers mit voller Hingabe einzufügen. Man bejahte den unerbittlichen Kampf der nationalsozialistischen Weltanschauung gegen den politischen und geistigen Einfluß der jüdischen Rasse auf unser völkisches Leben, ohne ein Wort gegen die Schandtaten, die schon damals an den Juden verübt wurden, zu wagen; man verneinte die Religion der Gesetzlichkeit und der politischen Messiashoffnung, ohne den Mut zu haben, offen die politische Messiashoffnung des Nationalsozialismus abzulehnen; man bejahte die Verantwortung für die rassische Reinerhaltung unseres Volkstums, ohne ein Wort gegen die abgrundtiefe Unwahrheit zu sagen, die in der Rassenlehre und Rassenpolitik des Nationalsozialismus lag. S o r e d e t e u n d s c h w i e g m a n z u g l e i c h. Man s c h w i e g zu der Euthanasie und zu den Judenmorden. Man schwieg auch, als man zum Reden ausdrücklich aufgefordert wurde. Man schwieg überhaupt zu ernsten und wichtigen Eingaben. Bei dem allen war die Verkündigung in Ordnung — so meinte man. Man predigte die Rechtfertigung des Sünders aus Gnaden durch den Glauben um Christi willen, und meinte im übrigen die Welt dem Teufel überlassen zu dürfen, als ob nicht die Gnade uns züchtige und erziehe, als ob der Herr Christus nicht auch der König sei, als ob Rechtfertigung nicht bedeute, daß man Gott sein Recht auf allen Gebieten gebe und für dieses Recht Gottes auch eintrete. Man konnte nicht predigen: „Es ist in keinem anderen Heil", wenn man nicht laut die Gemeinden vor denen warnte, die das Heil in einem anderen verhießen. D a s B e k e n n t n i s h i l f t u n s n i c h t, w e n n w i r e s n i c h t a u c h b e k e n n e n.

Es gab in der Landeskirche und in den Bezirken noch eine a n d e r e R i c h t u n g: die Bekenntnisgemeinschaft. Am 17. Oktober 1934 hatte der Landeskirchentag eine einmütige Entschließung gefaßt, in der er seiner Freude darüber Ausdruck gab, daß unser Verhältnis zu dem (doch gerade damals mit Lüge und Gewalt arbeitenden) Reichskirchenregiment nicht gestört sei, und in der man nicht wagte, Irrlehre Irrlehre, Unrecht Unrecht zu nennen. Dagegen traten die Hälfte der Pastoren unserer Landeskirche auf, und viele Nichtpastoren schlossen sich an. So entstand die Bekenntnisgemeinschaft, die wahrlich nicht, wie man ihr vorgeworfen hat, den Leib Christi zerreißen und durch ihren Zusammenschluß von unten her eine Kirche in der Kirche bilden, die auch nicht unsere Kirchenleitung unter Druck setzen, sondern ihr treuester Helfer sein wollte und eine gewisse Organisation deshalb nicht entbehren konnte, weil die nachrichtlichen Rundbriefe nur an einen geschlossenen Personenkreis abgegeben werden durften. Sie wollte die Einheit nicht zerstören, sondern durch die Verbindung mit der BK sie gerade stellvertretend darstellen und wahren. Unsere Landeskirche hielt sich ja der BK praktisch fern und stellte sich auf die Seite der staatlichen Kirchenausschüsse gegen die Bruderräte, die unter größten Opfern und schwerster Gefährdung in eminenter Weise Kirchenleitung ausübten und in echt reformierter Weise ihre Kirchen brüderlich-synodal leiteten. Später suchte unsere Landeskirche einen gewissen Anschluß an die BK, aber leider an die im Lutherischen Rat zusammengeschlossenen lutherischen Bischöfe, die dem Kampf der BK so große Schwierigkeiten bereitet haben. Während des Krieges schloß sie sich auch den Einigungsbestrebungen des Bischofs Wurm an. Heute stehen wir in Gefahr, die ohne alle Gleichmacherei im Kampf der Kirche anfangs geschenkte Einheit zwischen lutherischen, reformierten und unierten Christen zu vergessen und konfessionelle Sonderbündelei zu betreiben, wovor wir Reformierten uns ängstlich hüten sollten. Damals hat unsere Landeskirche sich gerade mit denjenigen Kreisen der BK zusammengetan, die in Wahrheit ihr untreu geworden waren, um wie sie sonderkirchliche Interessen zu verteidigen und zu wahren. Das war der Weg, den unsere Kirche in den letzten zwölf Jahren gegangen ist: möglichste Wahrung des guten Verhältnisses zu dem mit dem Teufel verbundenen, mit Mord und Lüge arbeitenden antichristlichen Staat und ein vorsichtiges, klug berechnendes Sichfernhalten von der kämpfenden bekennenden Kirche Jesu Christi in Deutschland. Dabei wurden die Gemeinden großenteils ausgeschaltet und unwissend gehalten. Bezirkskirchentage und Landeskirchentag sind lange Jahre nicht zusammengewesen. Gerade wir Reformierten hätten im Kampf der Kirche große Aufgaben gehabt, unsere kleine Landeskirche konnte der ganzen DEK zum Segen werden. Diese Aufgaben sind nicht gesehen, diese Möglichkeit nicht benutzt worden; statt dessen ist Hausmachtpolitik getrieben. Der Weg der Kirche ist ein falscher gewesen; weder zum nationalsozialistischen Staate noch zur BK ist die rechte Stellung gefunden. Man ging mehr den Weg der Berechnung als des Glaubens. Man gab jeweils schöne Erklärungen ab (Uelsener Thesen, Erklärung des Landeskirchentags 1936 über die DC), kam aber nicht zu entsprechendem Handeln. Man ging eine Zickzacklinie. Diese Haltung ist in gewisser Weise gefährlicher als die der DC.

Wie mag der Weg weiter gehen? Neue Gefahren ziehen herauf, nicht nur im Verhältnis der Kirche zur weltlichen Macht, sondern vor allem durch die Bestrebungen eines neuen Konfessionalismus, dem wir nicht mit reformierter Sonderinteressenpolitik und konfessioneller Abkapselung, sondern durch brüderliches Zusammenstehen begegnen wollen.

Am 1. Februar 1946 fand in Leer eine Besprechung zwischen Mitgliedern der bisherigen Kirchenleitung und Mitgliedern des Arbeitsausschusses der Bekenntnisgemeinschaft statt. Erstere gaben zu, daß sie sich in der Einschätzung des Nationalsozialismus getäuscht hätten, nicht aber, daß der Weg unserer Kirche falsch gewesen wäre. Die, die diese Erklärung abgaben, werden es ja auch nicht so gemeint haben: Wir haben bekannt, nun wählt uns wieder! Ich möchte vielmehr all die Brüder, die im Landeskirchentag, Landeskirchenvorstand, Bezirkskirchenräten den von mir als falsch gekennzeichneten Weg gegangen sind und vertreten haben, offen und brüderlich fragen: „Ist es nicht richtig, wenn ihr dieses Mal auf eine Wiederwahl verzichtet?“ Es ist selbstverständlich, daß wir dankbar sind für alle treue und redliche Arbeit, für alle geschickt geleitete Verwaltung unserer Gemeinden und Bezirke. Aber wir möchten doch fragen: Handelt es sich jetzt nicht um etwas anderes? Wollt ihr den Weg nicht freigeben? Das würde vielleicht ein schmerzliches Opfer bedeuten; aber ihr würdet unseres Dankes gewiß sein.